Wirtschaft auf einen Blick

Dr. Ulrich Fritsch · Karl Knappe

Schul|Bank

Herausgeber:
Bundesverband deutscher Banken

Stand: April 2009
12. Auflage
Überarbeitet von Bernhard S. Maier

Postfach 45 02 09 · 50877 Köln

Design/Realisation:
Lemke Werbeagentur GmbH & Co. KG, Köln
bontype media AG, Bonn

Quelle der Schaubilder:
Globus Infografik GmbH, Hamburg

Druck:
Broermann Druck+Medien GmbH,
Troisdorf-Spich

Vorwort

„Wirtschaft auf einen Blick" ist kein Lexikon im üblichen Sinne, sondern ein Wegweiser und Dolmetscher im Dickicht der Begriffe und Zusammenhänge. Fachausdrücke werden einfach und anschaulich erläutert und nur dort, wo es sich nicht vermeiden lässt, mit anderen Fachausdrücken erklärt. Soweit wie möglich wurden Schaubilder verwendet. Auf diese Weise lässt sich mancher Begriff oder Vorgang auf einen Blick erfassen.

Eine weitere Besonderheit dieses Buches liegt darin, dass wichtige Bereiche der Wirtschaft in sich geschlossen dargestellt werden, was bedeutet, dass unter manchen der rund 600 Schlagworte mehrere verwandte Stichwörter erläutert werden. Bei Verweisungen von einem auf den anderen Begriff ist das entsprechende Schlagwort fett gesetzt. Auf diese Art und Weise kann sich der Leser ohne Umstände in ein wirtschaftliches Thema einfinden.

A

AAA Beste Bewertung eines Schuldners durch eine Ratingagentur (siehe **Rating**)

Abbuchungsauftrag siehe **Lastschrift**

Abgaben Oberbegriff für die Zahlungen, die von den Bürgern, den Unternehmen oder anderen Institutionen an den Staat geleistet werden müssen. Man unterscheidet zwischen **Steuern**, **Zöllen**, Beiträgen, **Gebühren** und **Sonderabgaben**.

Der weit überwiegende Teil der Abgaben entfällt auf Steuern und Sozialbeiträge.

Den Anteil der Abgaben am nominalen Bruttosozialprodukt nennt man Abgabenquote. Sie gibt an, in welchem Umfang die Einkommen, die in einer Volkswirtschaft innerhalb einer bestimmten Periode erwirtschaftet werden, an den Staat abgeführt werden müssen. Sie ist also ein Maßstab für die Belastung der Bürger mit Abgaben (siehe auch **Schaubild 1**). In Deutschland lag die Abgabenquote 1965 noch bei 34,1 %, 2008 bei 40,2 %. Die reine Steuerquote lag daher 2008 bei 23,8 % des Bruttoinlandsprodukts.

Abgeltungssteuer Seit 1. 1. 2009 gültige Form der Besteuerung der Kapitalerträge. Es gilt ein einheitlicher Steuersatz von 25 %, der direkt an der Quelle abgezogen wird. Die Steuer ist damit endgültig abgegolten. Bei einem niedrigeren durchschnittlichen Steuersatz kann der Steuerpflichtige mit einer Einkommensteuererklärung eine teilweise bis vollständige Rückzahlung erreichen.

Absatz

> Bezeichnung für die Menge der **Güter**, die ein **Unternehmen** innerhalb eines bestimmten Zeitraums verkauft. Die hierbei erzielten Einnahmen sind der Umsatz.

> Gesamtheit aller Tätigkeiten eines Unternehmens, die den Verkauf der von ihm produzierten Güter sicher stellen und die Beziehungen zu den Kunden gestalten sollen.

Abschreibung Die **Vermögen**sgegenstände in einem Unternehmen (Gebäude, Maschinen, Büroeinrichtung, Fahrzeuge usw.) verlieren im Laufe der Zeit durch Abnutzung, Verschleiß, Überalterung, Preisrückgang, Modeentwicklungen und ähnliche Einflüsse an Wert. Diese Wertminderung wird in der **Handels-** und **Steuerbilanz** sowie im Rahmen der **Kostenrechnung** rechnerisch als Abschreibung erfasst. Im Steuerrecht spricht man an Stelle von Abschreibung von der AfA (Abset-

1 Hohe Abgabenlast in Deutschland

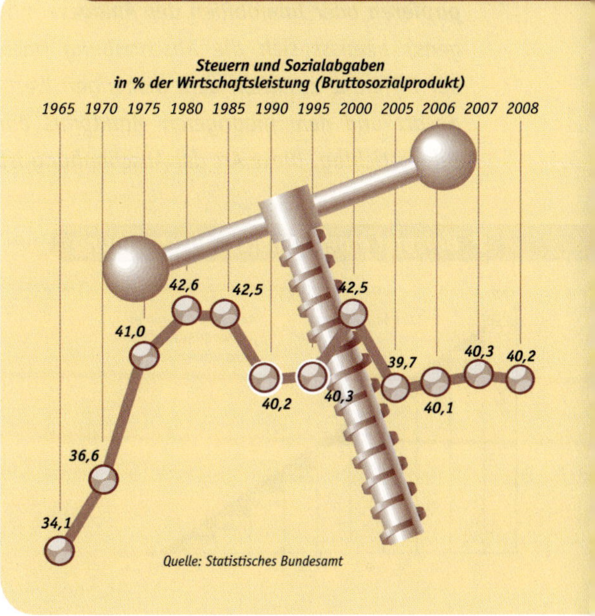

zung für Abnutzung), die den zu versteuernden Gewinn mindert.

In der Kostenrechnung handelt es sich um kalkulatorische Abschreibungen. Der durch Abnutzung hervorgerufene Wertverlust wird als Kostenfaktor den jeweiligen Produkten im Verkaufspreis zugerechnet.

Bei der Berechnung der Abschreibungsbeträge unterscheidet man im Wesentlichen zwei Methoden:

> Lineare Abschreibung: Der Wert eines Anlagegegenstandes wird über die verbleibende Nutzungsdauer um konstante Euro-Beträge bis auf Null vermindert (**Schaubild 2**).

> Degressive Abschreibung: Der Wert eines Anlagegegenstandes wird um einen konstanten Prozentsatz vom jeweiligen Restwert vermindert. Im Vergleich zur linearen Abschreibung führt dies anfangs zu höheren, später jedoch niedrigeren Abschreibungsbeträgen (**Schaubild 3**).

Bei Werteinbußen als Folge verringerter Marktpreise (z. B. bei börsennotierten **Wertpapieren** oder Immobilien des Anlagevermögens) bemisst sich die Abschreibung nach der Differenz zwischen dem bisherigen Wertansatz und dem niedrigeren Marktpreis am Bilanzstichtag. Diese Art der Abschreibung ist eine Wertberichtigung, wie sie häufig auch bei Wertminderungen des Umlaufvermögens auftritt.

Abwertung siehe **Wechselkurs**

Abwicklung siehe **Liquidation**

Abzahlungsgeschäft Ein Geschäft, bei dem der Käufer die Ware erhält, den Kaufpreis jedoch erst nach und nach in Teilbeträgen (Raten) zahlt, so dass ein Kauf mit einem **Kredit** kombiniert wird. Der Verkäufer übergibt dem Käufer die Ware und räumt ihm zugleich über die Stundung des Kaufpreises einen Kredit ein. Der Gesamtpreis setzt sich zusammen aus dem Preis, der bei sofortiger Zahlung (Barzahlung) zu zahlen wäre, und den Zinsen für die Kreditgewährung.

Abzahlungsgeschäfte werden auch als Ratengeschäfte oder Teilzahlungsgeschäfte bezeichnet. Sie sind besonders bei langlebigen Konsumgütern wie etwas Autos oder Möbeln üblich. Um den Verbraucher zu schützen gelten hier die Regelungen des Verbraucherkreditgesetzes.

2 Beispiel einer linearen Abschreibung

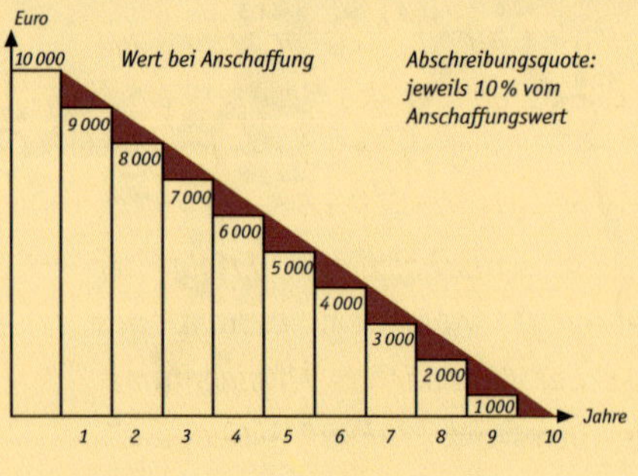

3 Beispiel einer degressiven Abschreibung

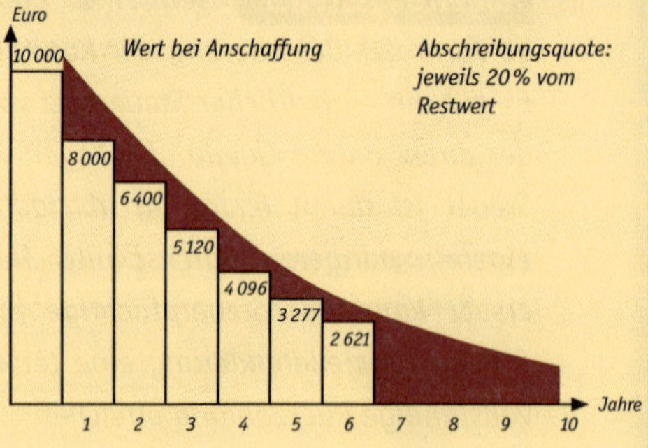

AfA *(**Absetzung für Abnutzung**): siehe* ***Abschreibung***

Agio/Disagio *Aufschlag auf den Preis eines Gutes, insbesondere bei Wertpapieren. Beispiel: Eine Anleihe mit dem Nennwert von 100 Euro pro Stück wird zu einem Kurs von 105 Euro ausgegeben. Die Differenz von 5 Euro ist das Agio in Höhe von 5 %. Ein Preisabschlag heißt Disagio oder Damnum.*
Mit Agio und Disagio sollen bei der Ausgabe von Wertpapieren und bei der Einräumung von Baufinanzierungen insbesondere die Rendite bzw. die Effektivverzinsung genau justiert werden (siehe ***Zins****).*

Akkord *siehe* ***Lohn***

Akkreditiv *Auftrag eines Kunden an sein Kreditinstitut, zu Gunsten eines Dritten bei einer anderen* ***Bank*** *einen bestimmten Geldbetrag zur Auszahlung bereitzuhalten, wenn von dieser die Einhaltung genau bestimmter Bedingungen nachgewiesen wird.*
Diese Zahlungsform ist als Dokumentenakkreditiv vor allem im ***Außenhandel*** *gebräuchlich: Der Importeur gibt seiner Bank den Auftrag, dem Exporteur bei dessen Bank ein Akkreditiv einzuräumen. Die Auszahlung erfolgt, wenn der Lieferant durch Vorlage bestimmter Papiere (Dokumente) nachweist, dass er die Ware an den Käufer (Importeur) abgesandt hat.*

AKP-Staaten *Gruppe von 79 Entwicklungsländern aus* ***A****frika, der* ***K****aribik und der* ***P****azifikregion, mit der die EG ein Abkommen zur Bekämpfung der Armut abgeschlossen hat (siehe* ***Lomé-Abkommen****).*

Aktie *Ein* ***Wertpapier****, das seinem Inhaber (dem Aktionär) einen Anteil am Gesamtvermögen einer Aktiengesellschaft verbrieft. Mit dem Eigentum an einer Aktie erwirbt der Aktionär bestimmte Rechte:*

> *Anteilsrechte*
- *Anspruch auf eine Dividende, d. h. den Teil des ausgeschütteten Gewinns, der dem vom Aktionär gehaltenen Anteil am Grundkapital der Aktiengesellschaft entspricht.*
- *Anspruch auf den Bezug junger Aktien.*

> *Mitgliedschaftsrechte*
- *Anspruch auf erschöpfende Auskunft über die Geschäftsentwicklung im Rahmen der Hauptversammlung.*
- *Recht auf Mitentscheidung über die grundlegenden Fragen, welche die Aktiengesellschaft betreffen. Hierzu gehören u. a.:*
- *Verwendung des* ***Gewinns****,*
- *Bestellung der Aktionärsvertreter im Aufsichtsrat,*
- *Änderung des Kapitals,*
- *Satzungsänderungen.*

Üblicherweise verfügt der Aktionär bei Abstimmungen in der Hauptversammlung über eine Stimme je eigener Aktie. Eine Vertretung etwa durch eine Bank (Auftrags- oder Depotstimmrecht) oder eine Aktionärsvereinigung ist möglich.
Da der Aktionär mit der Dividende einen Anteil am Jahresgewinn erhält, ist sein Ertrag aus der Aktie, anders als der des Besitzers eines festverzinslichen Wertpapiers, der eine regelmäßige, vorher festgelegte Verzinsung erhält, abhängig vom wirtschaftlichen Erfolg der Aktiengesellschaft. Außerdem besteht das Risiko, dass der Aktionär als Miteigentümer im Falle der ***Insolvenz*** *„seiner“ Aktiengesell-*

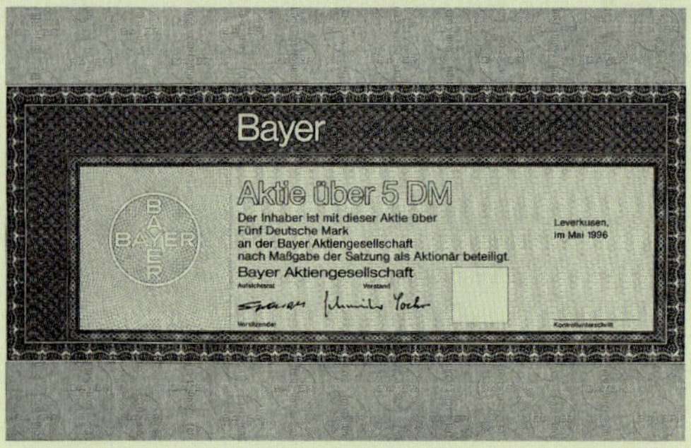

schaft das Geld, das er in die Aktien investiert hat, verliert.

Dennoch ist der Erwerb von Aktien als langfristige Anlage häufig lohnend, weil bei positiver Entwicklung der Gesamtwirtschaft und auch der Aktiengesellschaft der Wert der Aktie (der Aktienkurs) im Regelfall steigt. Bei richtiger Auswahl der Aktiengesellschaft zum richtigen Zeitpunkt kann sich die Aktie gegenüber anderen Anlageformen als überlegen erweisen.

Die Dividende ist wie jeder Ertrag aus Kapitalvermögen steuerpflichtiges Einkommen. Mit der Einführung der ***Abgeltungssteuer*** *seit dem 1. 1. 2009 hat sich die Besteuerung der Dividenden wesentlich vereinfacht (****Schaubild 4****).*

> *Arten von Aktien:*

- *Inhaberaktien sind nicht auf den Namen einer bestimmten Person ausgestellt; der Inhaber gilt als Eigentümer, so dass Kauf oder Verkauf ohne große Formalien stattfinden kann. Die Inhaberaktie ist die in der Bundesrepublik vorherrschende Form der Aktie.*
- *Namensaktien werden auf den Namen des jeweiligen Eigentümers ausgestellt. Er wird in das Aktienbuch des Unternehmens eingetragen.*
- *Stammaktien verbriefen die gesetzlich festgelegten Rechte eines Aktionärs.*
- *Vorzugsaktien sichern den Eigentümern Vorteile gegenüber anderen Aktionären; häufig erhalten sie eine erhöhte Dividende, die gewisse Einschränkungen bei der Ausübung des Stimmrechts ausgleicht.*
- *Belegschaftsaktien werden von der Aktiengesellschaft – meist zu einem Vorzugskurs – an die Mitarbeiter ausgegeben (siehe auch* ***Mitarbeiterbeteiligung****). In Deutschland gibt es aktuell etwa 1 Million Belegschaftsaktionäre.*
- *Berichtigungsaktien (fälschlicherweise häufig als „Gratisaktien" bezeichnet) werden bei einer Erhöhung des Grundkapitals (siehe* ***Eigenkapital****) durch die Umwandlung von Rücklagen in Grundkapital ausgegeben. Der Aktionär erhält Berichtigungsaktien in dem Umfang zugeteilt, der seinen Anteil am Grundkapital der Gesellschaft nach der Transaktion unverändert lässt.*
- *Junge Aktien werden bei einer Erhöhung des Grundkapitals (siehe* ***Eigenkapital****) durch Einzahlung ausgegeben. Die bisherigen Aktionäre haben in Höhe ihres Anteils am bisherigen Grundkapital Anspruch auf den Bezug der jungen Aktien. Dieses Bezugsrecht kann an der Börse ge- und verkauft werden.*
- *Bei Stückaktien wird auf die Angabe eines Nennwertes für die Aktie verzichtet. Jede Aktie verbrieft einen bestimmten Anteil am Grundkapital der Aktiengesellschaft. Dies ist mittlerweile die gebräuchlichste Aktienform.*

Aktienfonds siehe **Investmentgesellschaft**

4 Das bleibt von der Dividende für den Aktionär

Abgeltungssteuer ab dem 1. 1. 2009	*Ausschüttung*
Dividende	*100,00 €*
./.Abgeltungsteuer	*./. 25,00 €*
./. Solidaritätszuschlag auf Kapitalertragsteuer (5,5 %)	*./. 1,38 €*
Gutschrift	*73,62 €*

Ggf. niedrigere Besteuerung, wenn der durchschnittliche individuelle Steuersatz niedriger als 25 % ist.

Aktiengesellschaft (AG) *Die AG ist eine Kapitalgesellschaft (siehe* ***Rechtsform****). Ihre Gesellschafter, die Aktionäre, erhalten für ihre Einlage* ***Wertpapiere*** *in Form von* ***Aktien****. Das Grundkapital (siehe* ***Eigenkapital****) einer Aktiengesellschaft muss mindestens 50 000 Euro betragen. Die gesetzliche Grundlage der Aktiengesellschaft ist das Aktiengesetz.*

> *Organe der Aktiengesellschaft:*

- *Hauptversammlung: Die Versammlung der Aktionäre. Sie ist das oberste Organ einer AG. Sie wählt die Vertreter der Anteilseigner in den Aufsichtsrat, befindet über die Entlastung von Vorstand und Aufsichtsrat und beschließt u. a. über die Verwendung des Jahresüberschusses.*
- *Aufsichtsrat: Er bestellt, überwacht und berät den Vorstand. Seine Mitglieder werden zum Teil von den Aktionären, ab einer bestimmten Größe zum Teil von den Arbeitnehmern bestellt (siehe* ***Mitbestimmung****).*
- *Vorstand: Er leitet die Geschäfte der AG; er wird vom Aufsichtsrat bestellt.*

Die Rechtsform Aktiengesellschaft wird häufig von größeren Unternehmen gewählt, da damit ein guter Zugang zum Kapitalmarkt möglich ist. In Deutschland sind die meisten privaten Großunternehmen Aktiengesellschaften. Durch Gesetzesreformen ist die Aktiengesellschaft zunehmend für mittlere und kleinere Unternehmen attraktiv. Mittlerweile gibt es in Deutschland an die 16 000 AGs, wovon etwa 1 200 Unternehmen an der Börse gelistet sind. Wenn die Aktien einer AG breit gestreut sind, spricht man von einer Publikumsgesellschaft. Im Jahr 2008 besassen 9,8 Millionen Bundesbürger Aktien oder Aktienfonds. Dies entspricht 15,2 % der Bevölkerung.

Aktionär *siehe* ***Aktie***

Aktiva *siehe* ***Jahresabschluss***

Akzept *siehe* ***Wechsel***

Akzeptkredit *siehe* ***Kredit***

Allgemeine Geschäftsbedingungen *Allgemeine Geschäftsbedingungen (****AGB****): Vorformulierte Vertragsbedingungen für eine Vielzahl von Verträgen, das „Kleingedruckte“. Diese Vertragsbedingungen müssen den Vorschriften des AGB-Gesetzes genügen, mit dem der Verbraucher vor unangemessener Benachteiligung als Folge einseitiger Festlegung von*

Vertragsbedingungen seitens der Anbieter geschützt werden soll. Um die AGB gültig werden zu lassen, muss der Verbraucher ausdrücklich auf sie hingewiesen werden und sich mit ihrem Gültigwerden einverstanden erklären.

Allgemeines Zoll- und Handelsabkommen

siehe ***Welthandelsorganisation-WTO***

Allgemeinverbindlichkeitserklärung

Erweiterung der Wirkung eines ***Tarifvertrags*** *auch auf nicht tarifgebundene Unternehmen durch Beschluss des Bundesarbeitsministers.*

Altersteilzeit

Gemäß dem Gesetz zur Förderung eines gleitenden Übergangs in den Ruhestand können Arbeitnehmer, die mindestens 55 Jahre alt sind, innerhalb der letzten fünf Jahre vor Beginn der Altersteilzeitarbeit mindestens drei Jahre lang vollzeitbeschäftigt gewesen waren und noch keinen Anspruch auf ungeminderte Rente haben, mit dem Arbeitgeber vereinbaren, ihre Arbeitszeit spätestens ab 31. 12. 2009 auf die Hälfte der tariflichen regelmäßigen wöchentlichen Arbeitszeit zu vermindern. Wenn der Arbeitgeber das Entgelt für die Teilzeitarbeit um 20 % aufstockt und zusätzliche Beiträge zur Rentenversicherung entrichtet, so dass der Arbeitnehmer mit mindestens 90 % des Vollzeitarbeitsentgelts rentenversichert ist, und der dadurch frei werdende Arbeitsplatz wiederbesetzt wird, erstattet ihm das Arbeitsamt diese Leistungen. Auf diese Weise verdient der Arbeitnehmer in der Regel mindestens 70 % seines bisherigen Netto-Vollzeitarbeitsentgelts. Ziel ist es, durch die Unterstützung eines vorzeitigen Ausscheidens Älterer Arbeitsplätze für jüngere Arbeitnehmer zu schaffen. Die Altersteilzeit ist allerdings eine defensive Maßnahme, sie stellt auf die Umverteilung eines als gegeben angesehenen Arbeitsvolumens ab. Die eigentlichen Ursachen der Arbeitslosigkeit werden hierdurch nicht beseitigt.

5 Ausgezahlte Leistungen der Lebensversicherungen in Mrd. Euro

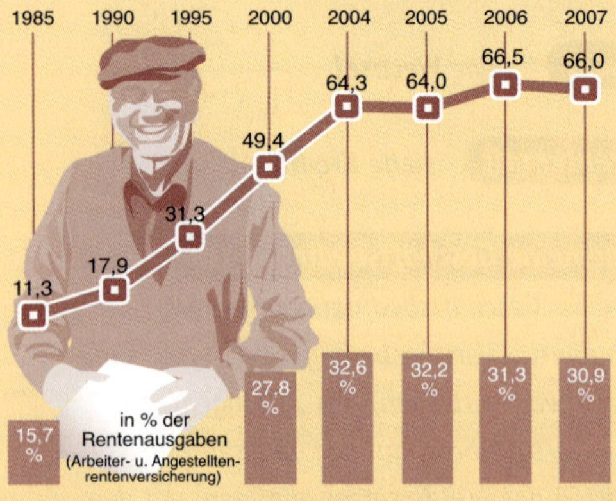

Quelle: GDV ab 1992 Gesamtdeutschland

Altersversorgung

Alle Maßnahmen mit dem Ziel, einer Person oder einem Haushalt nach dem Ausscheiden aus dem aktiven Berufsleben ein ausreichendes Einkommen und einen ausreichenden Lebensstandard zu sichern. Hierzu zählen die Ansammlung von Geldvermögen bzw. Geldforderungen oder der Erwerb einer eigenen Immobilie. Bei den Geldvermögen bzw. Geldforderungen unterscheidet man zwischen der gesetzlichen Altersversorgung – der gesetzlichen Rentenversicherung (siehe ***Sozialversicherung****) – und der privaten Altersvorsorge. Zur letztgenannten gehören zum einen die Ansammlung von Ersparnissen durch die privaten Haushalte, z. B. in Form von Lebensversicherungen* ***(Schau-***

***bild 5**), Bankguthaben oder Wertpapieren, zum anderen die von einzelnen Betrieben für ihre langjährigen Mitarbeiter aufgebaute betriebliche Altersversorgung.*

*Wegen der verschlechterten Finanzlage der gesetzlichen Rentenversicherung wird der Aufbau einer privaten Altersvorsorge verstärkt staatlich gefördert. Seit 2002 haben Beschäftigte einen Anspruch auf Aufbau einer betrieblichen Altersvorsorge durch Beiträge, die aus dem Gehalt gezahlt werden (Entgeltumwandlung). Im Dezember 2007 verfügten 64 % der 27,2 Mio. sozialversicherungspflichtig Beschäftigten über eine betriebliche Altersvorsorge (siehe auch **Schaubild 6**).*

*Auch die private Altersvorsorge wird staatlich gefördert mit der so genannten **Riester-Rente** oder der **Rürup-Rente**. Voraussetzung ist der Abschluss bestimmter Vorsorgeverträge.*

Bei der betrieblichen Altersvorsorge sind fünf verschiedene Formen („Durchführungswege") zu unterscheiden:

- ***Direktzusage:** Der Arbeitgeber verpflichtet sich, dem Beschäftigten bei Eintritt in den Ruhestand Leistungen in einer zuvor festgelegten Höhe zu bezahlen. Üblicherweise enthalten die Direktzusagen auch Leistungszusagen für vorzeitigen Tod, Witwen- bzw. Witwer-Rente sowie Erwerbsminderung bzw. Berufsunfähigkeit. Um die Leistungen aus Direktzusagen auch im Falle der Insolvenz des Arbeitgebers zu sichern, besteht eine gesetzliche Insolvenzsicherungspflicht beim Pensions-Sicherungs-Verein (PSV). Die Renten müssen voll versteuert werden.*
- ***Unterstützungskasse:** Die Leistungen des Arbeitgebers werden wie bei der Direktzusage erteilt, die Rücklagen für die späteren Ren-*

6 Bausteine der Alterssicherung

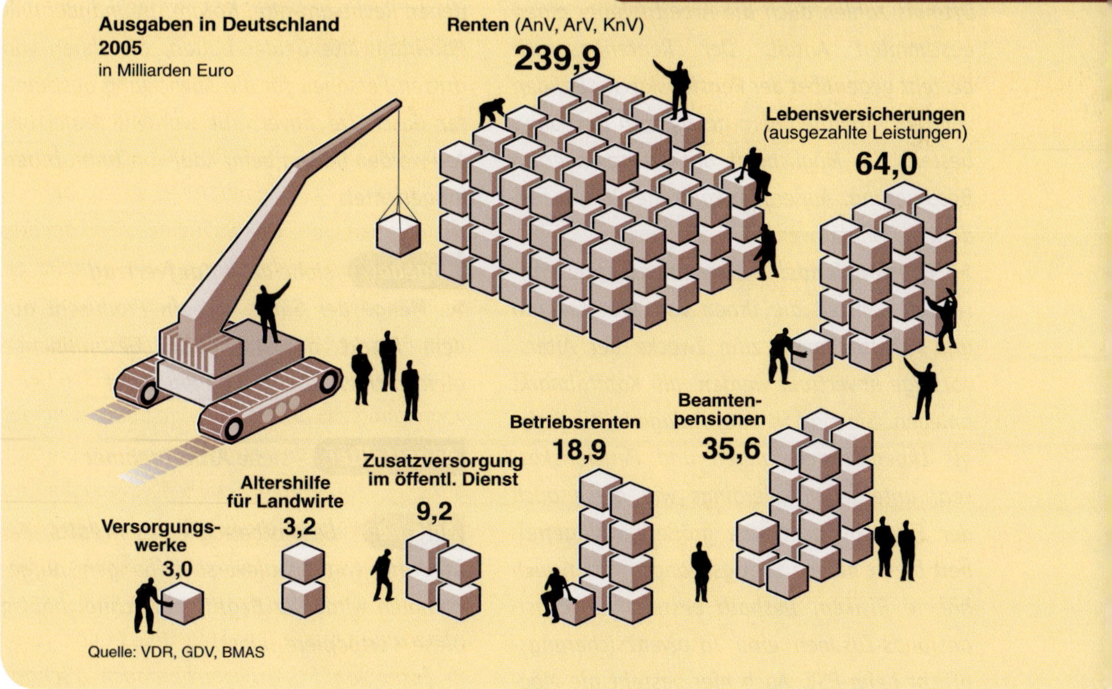

tenzahlungen werden aber nicht im Betrieb, sondern in einer Versorgungseinrichtung mit eigener Rechtspersönlichkeit gebildet. Der Anspruch der Arbeitnehmer auf Rentenzahlung besteht weiterhin gegenüber dem Arbeitgeber. Deshalb gilt auch hier die Insolvenzsicherungspflicht über den PSV. Die Renten müssen ebenfalls voll versteuert werden.

> ***Direktversicherung:*** *Der Arbeitgeber schließt für die Arbeitnehmer, die eine Versorgungszusage erhalten, einen Lebensversicherungsvertrag ab. Der Arbeitgeber zahlt die Versicherungsbeiträge. Bei der Direktversicherung besteht der Rentenanspruch gegenüber der Versicherung, nicht gegenüber dem Arbeitgeber.*

> ***Pensionskasse:*** *Der Arbeitgeber zahlt für die Arbeitnehmer, die eine Versorgungszusage erhalten haben, einen bestimmten Beitrag in eine selbstständige Einrichtung für die betriebliche Altersversorgung ein. Oftmals zahlen auch die Arbeitnehmer einen bestimmten Anteil. Der Rentenanspruch besteht gegenüber der Pensionskasse. Bei den von den Arbeitnehmern geleisteten Beiträgen besteht die Möglichkeit der nachgelagerten Besteuerung. Außerdem kann die Riester-Förderung genutzt werden.*

> ***Pensionsfonds:*** *Investmentgesellschaften, die Mittel, die ihnen von Arbeitgebern und Arbeitnehmern zum Zwecke der Altersvorsorge anvertraut werden, am Kapitalmarkt anlegen. Sie sind in ihrer Anlagepolitik freier als Lebensversicherungen und Pensionskassen, unterliegen allerdings wie diese auch der Finanzaufsicht. Die größere Anlagefreiheit bietet höhere Ertragschancen, aber auch höhere Risiken. Deshalb besteht für Pensionsfonds-Zusagen eine Insolvenzsicherungspflicht beim PSV. Auch hier besteht die Möglichkeit der nachgelagerten Besteuerung für die von den Arbeitnehmern errichteten Beiträge.*

Amortisation

> *Planmäßige Tilgung langfristiger Verbindlichkeiten.*

> *Die Deckung der Anschaffungs- oder Herstellungskosten eines Anlagegegenstandes (z. B. einer Maschine) durch den Verkaufserlös für die Produkte, die hiermit gefertigt wurden, bzw. durch die Kosteneinsparungen, die der Einsatz des Anlagegegenstandes ermöglicht. Die Zeit, die benötigt wird, bis sich ein Anlagegegenstand amortisiert, heißt Amortisationsdauer.*

Amtlicher Markt *siehe* ***Börse***

Anderkonto/Anderdepot *Konten bzw. Wertpapierdepots bei Kreditinstituten, auf denen Rechtsanwälte, Notare, Treuhänder und Patentanwälte Gelder halten, die ihnen von dritten Personen für die Abwicklung bestimmter Geschäfte anvertraut wurden. Anderkonten werden häufig beim Kauf von* ***Immobilien*** *eingerichtet.*

Angebot *siehe auch* ***Kaufvertrag***

> *Menge der Güter, die ein Produzent auf dem* ***Markt*** *anbietet, bzw. Gesamtmenge gleichartiger Güter auf einem Markt*

Angestellter *siehe* ***Arbeitnehmer***

Anleihe *Gesamtbetrag eines* ***Kredits****, der in Form von Schuldverschreibungen aufgenommen wird. Der Begriff bezeichnet häufig diese Wertpapiere selbst.*

Anleihen werden in Deutschland von inländischen öffentlichen Haushalten (Bund, Ländern, Gemeinden, öffentlichen Sondervermögen), Unternehmen (Kreditinstitute und Nichtbanken-Unternehmen), ausländischen öffentlichen Haushalten und Unternehmen sowie internationalen Organisationen (z. B. Weltbank, Europäische Gemeinschaft) ausgegeben. Anleihen werden im Regelfall an der Börse im Rentenmarkt gehandelt. Zu den einzelnen üblichen Anleiheformen siehe ***Schaubild 7****.*

Annuität *Bei* ***Krediten****, die in Teilbeträgen zurückgezahlt werden, können* ***Tilgungen*** *und* ***Zinsen*** *so miteinander kombiniert werden, dass der Kreditnehmer während der Laufzeit des Kredits oder während eines bestimm-*

7 Die Arten von Anleihen

Anleihen der öffentlichen Hand	*Anleihen von Bund, Ländern, Gemeinden und öffentlich-rechtlichen Einrichtungen, ausgegeben als Einmal-Emissionen mit Laufzeiten von mehreren Jahren.* *Kassenobligationen und Schatzanweisungen von Bund, Ländern und öffentlichen Einrichtungen, ausgegeben als Einmal-Emissionen mit kurzen bis mittleren Laufzeiten.* *Bundesobligationen, Finanzierungsschätze und Schatzbriefe als Daueremissionen mit 5-,2- bzw. 6- und 7-jähriger Laufzeit, hauptsächlich vom Bund ausgegeben.*
Bankschuldverschreibungen	*Von Kreditinstituten ausgegebene Anleihen. Formen:* *Pfandbriefe: Von Kreditinstituten nach den Vorschriften des Pfandbriefgesetzes ausgegebene Schuldverschreibungen, die durch Hypotheken oder Grundschulden gedeckt sind.* *Ungedeckte Schuldverschreibungen: Anleihen, die nicht mit Vermögenswerten gedeckt sind.* *Sparbriefe: Schuldverschreibungen mit fester Laufzeit und fester Verzinsung, die von Banken ausgegeben werden.*
Unternehmensanleihen	*Schuldverschreibungen gewerblich tätiger Kapitalgesellschaften (außer Kreditinstituten)*
Auslandsanleihen	*Euro-Auslandsanleihen: Anleihen von Emittenten mit Sitz außerhalb des Euro-Währungsgebietes, die auf Euro lauten.* *Fremdwährungsanleihen: Schuldverschreibungen ausländischer Emittenten, die auf eine ausländische Währung oder eine Recheneinheit lauten.*
Sonderformen	*Wandelschuldverschreibungen: Anleihen, die dem Inhaber neben einer laufenden Verzinsung das Recht einräumen, die Anleihe in Aktien umzuwandeln.* *Optionsanleihen: Anleihen, die dem Inhaber das Recht einräumen, innerhalb einer bestimmten Frist Aktien zu erwerben.* *Gewinnschuldverschreibungen: Schuldverschreibungen, bei denen der Inhaber neben einer laufenden festen Verzinsung eine gewinnabhängige Zahlung erhält (Genuss-Scheine).* *Nullkupon-Anleihen oder Zero-Bonds: Anleihen ohne laufende Verzinsung. Der Zinsertrag ergibt sich aus der Differenz zwischen dem Einstandspreis und dem Rücknahmepreis bei Tilgung.* *Indizierte Anleihen: Anleihen, deren Verzinsung von der Entwicklung bestimmter Preisindizes abhängt (Ziel: Sicherung des Anlageerfolgs gegen Geldentwertung.)*

8 Beispiel einer konstanten Annuität

Darlehensbetrag 10 000 Euro Zinsen 10 % p. a.	Annuität	davon Tilgung	davon Zinsen	Restschuld
Ende des 1. Jahres	2 680	1 500	800	8 500
Ende des 2. Jahres	2 680	1 830	850	6 670
Ende des 3. Jahres	2 680	2 013	667	4 657
Ende des 4. Jahres	2 680	2 214	466	2 443
Ende des 5. Jahres	2 680	2 436	244	7

ten vereinbarten Zeitraums stets den gleichen Betrag bezahlt. Dieser Betrag wird als Annuität bezeichnet. Dabei nimmt wegen der sich verringernden Restschuld mit zunehmender Laufzeit der Zinsanteil ab, der Tilgungsanteil zu (Beispiel siehe **Schaubild 8**).

Neben dieser – konstanten – Annuität gibt es auch variable Annuitäten. Hierbei bleibt der Tilgungsbetrag unverändert. Die laufenden Zahlungen sinken, weil die Zinslast wegen der abnehmenden Restschuld geringer wird.

Anzahlung **Kaufverträge** über größere Beträge bzw. über Güter, die in besonderen Fertigungsgängen hergestellt werden, sehen häufig vor, dass der Käufer bereits vor der Auslieferung oder dem Beginn der Fertigung einen bestimmten Anteil des Kaufpreises an den Verkäufer zahlt. Dieser Teil des Kaufpreises ist die Anzahlung. Bei Vereinbarung einer Anzahlung ist im Regelfall ihr Eingang beim Verkäufer Voraussetzung für das Zustandekommen des Kaufvertrags.

APEC (Asian-Pacific Economic Cooperation). Asiatisch-Pazifische Wirtschaftliche Zusammenarbeit; ein Zusammenschluss von mittlerweile 21 Staaten Amerikas und Asiens. Mitglieder sind: Australien, Brunei, Chile, China, Hongkong, Indonesien, Japan, Kanada, Malaysia, Mexiko, Neuseeland, Papua-Neuguinea, Peru, Philippinen, Russland, Singapur, Südkorea, Taiwan, Thailand, USA, Vietnam. Die APEC wurde 1989 gegründet mit dem Ziel, Handels- und Investitionsschranken abzubauen, um Wirtschaftswachstum und Handel innerhalb der Gruppe und mit anderen Ländern zu fördern. Eine weit gehende Harmonisierung von Wirtschaftsbeziehungen wie in der Europäischen Union ist nicht vorgesehen. Bis zum Jahr 2020 ist die Errichtung einer Freihandelszone geplant. Die industrialisierten Mitgliedstaaten sollen bereits ab 2010 alle Handelsschranken gegenüber den anderen Mitgliedern abgebaut haben. Die APEC vereinigt etwa 44 % des Welthandels und rund 54 % des Welt-Inlandsprodukts mit etwa 40 % der Weltbevöllkerung auf sich. (Siehe auch **Schaubild 64**, S. 118)

Arbeit siehe **Produktionsfaktoren**

Arbeiter siehe **Arbeitnehmer**

Arbeitgeber Natürliche und juristische Personen, die als Unternehmer mindestens einen **Arbeitnehmer** abhängig beschäftigen. Grundlage ist der zwischen Arbeitgeber und Arbeitnehmer bestehende Arbeitsvertrag. Arbeitgeber haben das Recht, Weisungen zu erteilen, die Arbeitsleistung der Arbeitnehmer zu kontrollieren, Einstellungen vorzunehmen und Kündigungen auszusprechen. Zu den Pflichten der Arbeitgeber gehören u. a. die Zahlung des vereinbarten Lohns bzw. Gehalts, die menschengerechte Gestaltung des Arbeitsplatzes, die Gewährleistung eines angemessenen Arbeitsschutzes sowie die ordnungsgemäße Abführung der Sozialbeiträge und Steuern.

Arbeitgeberverband *Freiwilliger Zusammenschluss von Arbeitgebern mit dem Ziel, die Interessen der Mitglieder in sozialpolitischen und arbeitsrechtlichen Fragen zu vertreten, die Mitglieder zu informieren und zu beraten. Arbeitgeberverbände sind* ***Tarifparteien****, die mit den Gewerkschaften Tarifverhandlungen führen.*

Arbeitnehmer *Allgemeine Bezeichnung für abhängig beschäftigte Personen.*

> *Gruppen von Arbeitnehmern (traditionelle Unterscheidung):*

- *Arbeiter: Arbeitnehmer mit überwiegend körperlicher Tätigkeit. Arbeiter erhielten früher meist einen Wochenlohn.*
- *Angestellte: Arbeitnehmer, die überwiegend geistige Tätigkeit ausüben. Angestellte erhalten ein Monatsgehalt.*
- *Auszubildende: Personen, die – nach Abschluss ihrer allgemeinen Schulausbildung – in ihrem Beruf ausgebildet werden, auch als „Lehrling" bezeichnet.*
- *Beamte: Arbeitnehmer, die im Staatsdienst auf Lebenszeit beschäftigt sind und in einem besonderen Treueverhältnis zu ihrem Arbeitgeber, dem Staat, stehen.*

Eine Sonderstellung haben die leitenden Angestellten. Hierbei handelt es sich um Arbeitnehmer, die Funktionen ausüben, die ansonsten nur von Arbeitgebern wahrgenommen werden, insbesondere haben sie das Recht, Einstellungen und Entlassungen vorzunehmen. Im Regelfall sind Personen mit Generalvollmacht oder Prokura leitende Angestellte.

Die Unterscheidung zwischen Arbeitern und Angestellten findet weitgehend nur noch im Tarifrecht und im Rahmen der Mitbestimmung Anwendung. Ansonsten ist sie weitgehend hinfällig, da die durch hohe Arbeitsteilung und vermehrten Technikeinsatz geprägte Produktion auch dort große Anteile von Planung, Kontrolle, Verwaltungsarbeit und Dienstleistungen beinhaltet. Insgesamt waren 2008 35,7 Millionen Menschen als Arbeitnehmer beschäftigt; von den rd. 2,7 Millionen Beschäftigten im öffentlichen Dienst sind ca. 1,7 Millionen Beamte.

Eine gute Berufsausbildung ist nicht nur für junge Menschen eine wichtige Voraussetzung für ein erfolgreiches Berufsleben, sondern auch eine Basis für die internationale Wettbewerbsfähigkeit einer Volkswirtschaft. Deshalb wird die Ausbildung von den Unternehmen ernst genommen. Deutschland ist hier im Vergleich der Industrieländer führend. 2007 wurden 623 929 neue Ausbildungsverträge abgeschlossen, 40 000 mehr als 2006.

Arbeitsbeschaffungsmaßnahmen
siehe ***Arbeitsmarktpolitik***

Arbeitsdirektor *siehe* ***Mitbestimmung***

Arbeitskampf *Bezeichnung für Maßnahmen von* ***Arbeitnehmern/Gewerkschaften*** *und* ***Arbeitgebern/Verbänden*** *im Rahmen von Tarifauseinandersetzungen mit dem Ziel, die jeweiligen Forderungen nach dem Scheitern der Tarifverhandlungen durchzusetzen (****Schaubild 9****).*

> *Zu den Arbeitskampfmaßnahmen zählen:*

- *der Streik: Die Arbeitnehmer des betroffenen Wirtschaftszweiges bleiben der Arbeit fern.*
- *die Aussperrung: Die Unternehmen verweigern den Arbeitnehmern den Zutritt zum Betrieb, so dass diese ihrer Arbeitspflicht nicht nachkommen können.*

9 Verlorene Arbeitstage durch Arbeitskämpfe

Im Jahresdurchschnitt durch Arbeitskämpfe verlorene Arbeitstage
je 1000 Beschäftigte (2000 - 2007)

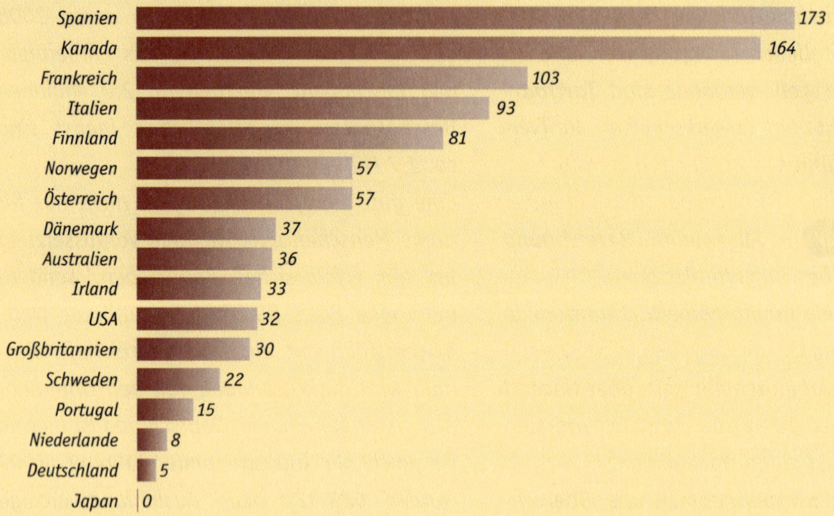

Arbeitskampfmaßnahmen sind nur aus tarifpolitischen Gründen zugelassen. Nicht von Gewerkschaften organisierte Streiks (wilde Streiks) sind ebenso verboten wie politische Streiks. Möglich sind aber befristete Streiks (Warnstreiks), bevor das Scheitern der Tarifverhandlungen erklärt wird. Auf der anderen Seite sind Aussperrungen nur als Antwort auf einen Streik zugelassen (Abwehraussperrung).

*Aussperrung und Streik sind für Arbeitnehmer und Unternehmen gleichermaßen mit Einkommenseinbußen verbunden. In der Bundesrepublik Deutschland sind Arbeitskampfmaßnahmen im Vergleich zu anderen Industrieländern eher selten. Im Durchschnitt der Jahre 2000 bis 2007 fielen in Deutschland nur 5 Arbeitstage je 1 000 Beschäftigte durch Streik und Aussperrung aus. In Italien lag dieser Wert bei 93, Spitzenreiter war Spanien mit 173 Ausfalltagen (**Schaubild 9**).*

Arbeitslosigkeit *Sie liegt vor, wenn ein Teil der arbeitsfähigen und arbeitswilligen **Erwerbspersonen** keine Beschäftigung findet (Arbeitslose bzw. Erwerbslose). Der Anteil der Erwerbslosen an der Zahl der Erwerbspersonen wird als Arbeitslosenquote bezeichnet. In Deutschland gab es im Durchschnitt des Jahres 2008 3,1 Millionen Arbeitslose. Das entsprach bei 40,3 Millionen Erwerbstätigen einer Arbeitslosenquote von 7,8 % (**Schaubild 11**).*

Arbeitslosigkeit kann konjunkturelle wie strukturelle Gründe haben. Konjunkturell bedingt ist Arbeitslosigkeit, wenn der Rückgang der Nachfrage nach Arbeitskräften durch einen Rückgang der Gesamtnachfrage der Wirtschaft eines Landes verursacht ist. Strukturell bedingt ist Arbeitslosigkeit, wenn bestimmte Branchen oder Regionen nicht mehr der allgemeinen wirtschaftlichen Entwicklung folgen können. Gründe hierfür können die größere wirtschaftliche Leistungsfähigkeit ausländischer Konkurrenten, Verhaltens- und Geschmacksänderungen oder Änderungen der Nachfrage aufgrund des technischen Fortschritts sein. Zu den strukturellen Ursachen von Arbeitslosigkeit gehören auch Schwankungen des Arbeitskräfteangebots, z. B. als Folge der zunehmenden Erwerbstätigkeit von Frauen, geänderter Qualifikationsanforderungen oder auch des Zuzugs ausländischer Arbeitskräfte. Ein typisches Beispiel für strukturelle Arbeitslosigkeit waren die Umstellungsprobleme der Wirtschaft auf dem Gebiet der ehemaligen DDR nach Inkrafttreten der Währungsunion in Deutschland am 1. 7. 1990.

Von saisonaler Arbeitslosigkeit spricht man, wenn die Arbeitslosigkeit jahreszeitlich bedingt ist, typischerweise etwa in der Baubranche während des Winters. Ein gewisses Maß von Arbeitslosigkeit kann als „natürlich" betrachtet werden, da diese durch die übliche ***Fluktuation*** *auf dem Arbeitsmarkt verursacht ist. Deshalb wird bereits bei einer Arbeitslosenquote von etwa 4 % von Vollbeschäftigung gesprochen.*

Das Erreichen einer geringen Arbeitslosenquote setzt die Flexibilität des Arbeitsmarktes voraus, damit sowohl konjunkturelle wie auch strukturelle Veränderungen der Nachfrage nach Arbeit aufgefangen werden können. Hierzu gehören unter anderem angepasste Tarifabschlüsse oder auch ein gewisses Maß an Flexibilität der Einstellungs- und Kündigungsbedingungen. Die entsprechenden Maßnahmen sind sowohl Teil der Tarifpolitik der ***Tarifparteien*** *wie auch der Akteure der* ***Wirtschaftspolitik****, für die* ***Vollbeschäftigung*** *ein herausragendes Ziel darstellt.*

Ein Beispiel hierfür ist die staatliche Förderung von Kurzarbeit Anfang 2009, durch die der globale Nachfragerückgang im Gefolge der Finanzmarktkrise in seinen Auswirkungen für den Arbeitsmarkt abgefedert werden soll.

10 Spielregeln für den Arbeitskampf

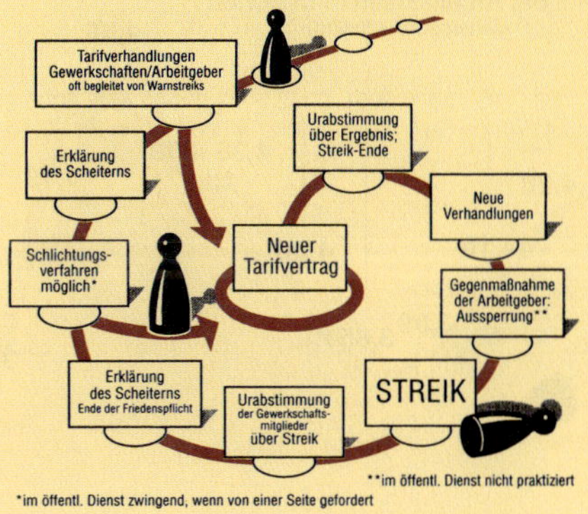

Arbeitsmarkt *Der Markt, auf dem Arbeitsleistungen angeboten und nachgefragt werden. Der Preis der Arbeitsleistung ist der* ***Lohn****. Von den rund 82,1 Millionen Menschen in Deutschland sind 43,4 Millionen Erwerbspersonen, die ihre Arbeitsleistung anbieten. Im Jahr 2008 waren davon 35,8 Millionen als Arbeitnehmer beschäftigt, 4,5 Millionen waren Selbständige und 3,1 Millionen arbeitslos. Mit 30,2 % sind die meisten Beschäftigten im öffentlichen und privaten Dienstleistungssektor tätig, 24,9 % in Handel, Gastgewerbe und Verkehr, 17,3 % im Bereich Finanzierung und Unternehmensdienstleistung. Nur noch 27,6 % der Erwerbstätigen sind in der Produktion tätig (Industrie 19,9 %, Bau 5,5 % und Land- und Forstwirtschaft 2,1 %).*

Arbeitsmarktpolitik *Die Gesamtheit aller Maßnahmen, die zum Ziel haben, dem Entstehen von Arbeitslosigkeit entgegen-*

11 Arbeitslosigkeit in Deutschland

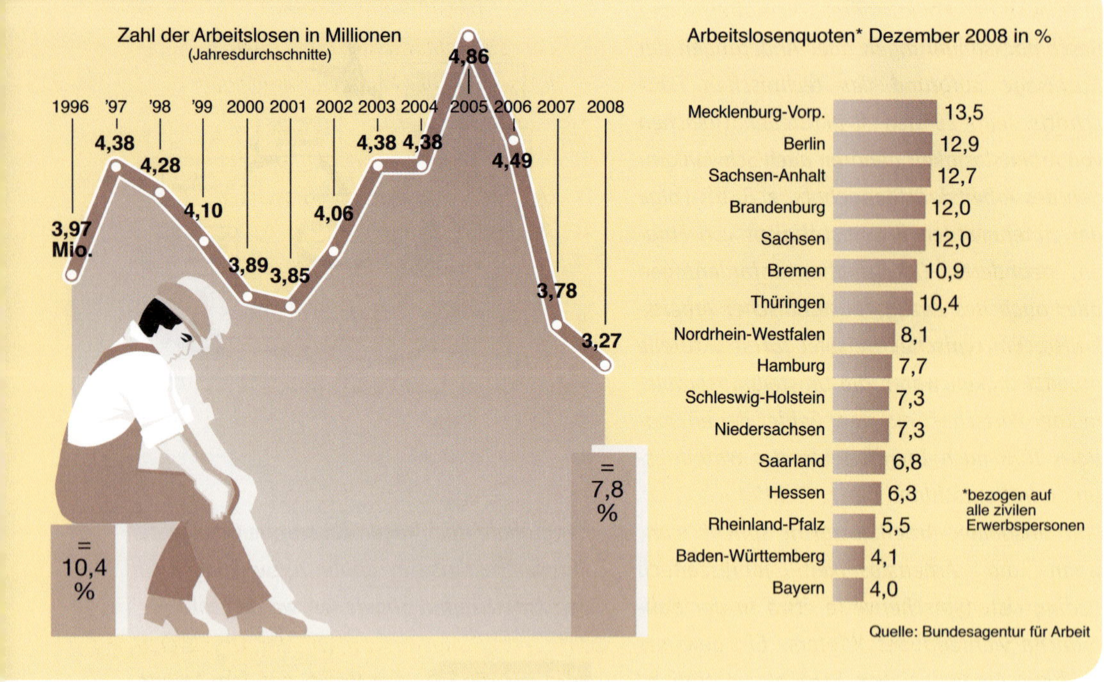

zuwirken, die Dauer der Arbeitslosigkeit zu verkürzen und den Ausgleich von Angebot und Nachfrage auf dem Ausbildungs- und Arbeitsmarkt zu unterstützen. Angestrebt ist ein hoher Beschäftigungsstand und eine ständig verbesserte Beschäftigungsstruktur. Die wesentlichen Zuständigkeiten liegen bei der Bundesagentur für Arbeit insgesamt, den einzelnen Arbeitsagenturen sowie den Arbeitsgemeinschaften.

> *Teilgebiete der Arbeitsmarktpolitik:*

- *Arbeits- und Berufsberatung,*
- *Vermittlung von Arbeits- und Ausbildungsplätzen,*
- *Förderung der beruflichen Bildung,*
- *Förderung der Arbeitsaufnahme (z. B. durch **Ein-Euro**- oder Mini-Jobs oder die Förderung von Existenzgründungen),*
- *Förderung von Arbeitsbeschaffungsmaßnahmen durch die Gewährung von Lohnkostenzuschüssen für die Einstellung von Arbeitslosen, die Arbeiten im öffentlichen Interesse ausführen (z. B. im Umweltschutz),*
- *Zahlung von Arbeitslosenunterstützung bzw. Kurzarbeitergeld.*

Bei der Arbeitslosenunterstützung unterscheidet man:

- *Arbeitslosengeld I: Anspruch auf Arbeitslosengeld hat, wer arbeitslos ist und sich persönlich beim Arbeitsamt arbeitslos gemeldet hat, der Arbeitsvermittlung zur Verfügung steht, Arbeitslosengeld beantragt hat und in den letzten 2 Jahren vor der Arbeitslosmeldung mindestens 12 Monate auf Grund einer Beschäfti-*

gung oder aus sonstigen Gründen beitragspflichtig war. Das Arbeitslosengeld I beträgt 60 % des beitragspflichtigen pauschalierten Nettoentgeltes, das der Arbeitslose im Durchschnitt der letzten 52 Wochen vor Beginn der Arbeitslosigkeit bezogen hatte, wenn der Arbeitslose Kinder hat, 67 %. Die Bezugsdauer von Arbeitslosengeld I hängt davon ab, wie lange der Empfänger zuvor Beiträge zur Arbeitslosenversicherung gezahlt hat und wie alt er ist. Arbeitslosengeld I wird höchstens 24 Monate gezahlt.

- *Arbeitslosengeld II: Arbeitslosengeld II (Grundsicherung für Arbeitsuchende) löste die frühere Arbeitslosenhilfe und die Sozialhilfe ab. Es erhalten Personen, die arbeitslos gemeldet sind und deren Anspruch auf Arbeitslosengeld I ausgelaufen ist oder die vor Beginn der Arbeitslosigkeit nur kurz gearbeitet haben. Das Arbeitslosengeld II setzt sich aus einer Regelleistung sowie den anteiligen, angemessenen Kosten für Unterkunft und Heizung zusammen. Bei der Berechnung des Arbeitslosengeldes II wird das eigene Einkommen und Vermögen der Lebensgemeinschaft berücksichtigt. Die Regelleistung beträgt bei alleinstehenden Erwachsenen 351 Euro monatlich, Partner einer Bedarfsgemeinschaft erhalten 316 Euro.*

Arbeitsrecht *Zusammenfassender Begriff für eine Vielzahl von Gesetzen und Vorschriften, die den Inhalt und die Ausgestaltung von Arbeitsverhältnissen behandeln. Hauptsächliche Felder des Arbeitsrechts sind:*

> *Arbeitsverträge:*
- *Tarifverträge*
- *Betriebsvereinbarungen*

> *Mindestarbeitsbedingungen:*
- *Lohnfortzahlung im Krankheitsfall*
- *Festlegung der Mindesturlaubsdauer*
- *Kündigungsschutz*
- *Mutterschutz und Erziehungsurlaub*
- *Gefahren- und Gesundheitsschutz*

> *Mitbestimmung:*
- *innerbetriebliche Mitbestimmung*
- *Mitbestimmung im Aufsichtsrat*

Arbeitsschutz *Begriff für die Gesamtheit aller Maßnahmen, die den Zweck verfolgen, das Leben und die Gesundheit der Arbeitnehmer vor Gefahren zu schützen, die bei der Arbeit oder durch die Arbeit entstehen. Die staatlichen Arbeitsschutzvorschriften, insbesondere das Arbeitsschutzgesetz, und die Unfallverhütungsvorschriften der Unfallversicherungsträger verpflichten die Arbeitgeber, Maßnahmen durchzuführen, die Unfälle bei der Arbeit und arbeitsbedingte Gesundheitsgefahren verhüten und die Arbeit menschengerecht gestalten.*
Unter den Arbeitsschutz fallen folgende Bereiche:

- *Arbeitsstätten einschließlich Betriebshygiene,*
- *Maschinen, Geräte und technische Anlagen,*
- *Gefahrstoffe,*
- *Arbeitszeitregelungen,*
- *Schutz bestimmter Personengruppen,*
- *Arbeitsschutzorganisation im Betrieb,*
- *arbeitsmedizinische Vorsorge.*

Arbeitsteilung *Aufteilung der Produktion eines Gutes oder der Erstellung einer Dienstleistung auf mehrere in sich abgeschlossene Arbeitsgänge. Gemeint ist auch die Aufglie-*

derung der Produktion eines Erzeugnisses auf eine Vielzahl von Unternehmen, unter Umständen in unterschiedlichen Ländern. Beispiel: Ein Auto besteht aus mehreren tausend Einzelteilen, die in verschiedenen Unternehmen der Zulieferindustrie (z. B. Gummi- und Kunststoffverarbeitung, Stahl- und Elektrotechnik) hergestellt, an die Autohersteller geliefert und von diesen zusammengebaut werden. Arbeitsteilung schafft ***Produktivitätsgewinne*** *durch Spezialisierung und so eine kostengünstigere Herstellung der Einzelteile.*

Arbitrage *Die Ausnutzung von Preisunterschieden für gleichartige Güter an verschiedenen Märkten. Beispiel: Der Kurs eines bestimmten* ***Wertpapiers*** *in Düsseldorf beträgt 202 Euro, in Zürich 200 Euro. Der Arbitrageur (derjenige, der ein Arbitragegeschäft macht) wird das Wertpapier in Zürich kaufen und in Düsseldorf sofort wieder verkaufen. Voraussetzung für den Erfolg des Geschäfts ist, dass die anfallenden Kosten niedriger sind als die Kursdifferenz. Durch Arbitragegeschäfte werden Kursdifferenzen für gleichartige Güter an unterschiedlichen Märkten weitgehend abgebaut.*

Assekuranz *siehe* ***Versicherung***

Assoziierung *Ein völkerrechtliches Abkommen zwischen Staaten mit dem Ziel enger Kooperation. Insbesondere die Europäische Union hat Assoziierungsabkommen mit europäischen Staaten abgeschlossen, die EU-Mitglieder werden wollen, deren Beitritt derzeit aus wirtschaftlichen oder politischen Gründen noch nicht möglich ist. Hauptinhalt derartiger Abkommen ist der Abbau gegenseitiger Handelshemmnisse mit dem Ziel, die Integration der beteiligten Volkswirtschaften zu fördern. Zusätzlich finden sich auch Regelungen zum politischen Dialog und die Zusammenarbeit bei Kultur, Wissenschaft und Bildung. Assoziierungsverträge bestehen aktuell zwischen der EU und Kroatien, mit dem Beitrittsgespräche laufen, und Montenegro.*

Auflassung *Die Eigentumsübertragung an Grundstücken erfordert eine formelle Einigung zwischen Käufer und Verkäufer sowie die Eintragung in das* ***Grundbuch****. Diese formelle Einigung wird als Auflassung bezeichnet; sie muss vor einem Notar erklärt und von diesem beurkundet werden.*

Aufschwung *siehe* ***Konjunktur***

Aufsichtsrat *siehe* ***Aktiengesellschaft***

Auftragsstimmrecht *siehe* ***Aktiengesellschaft***

Aufwand *siehe* ***Erfolg***

Aufwertung *siehe* ***Wechselkurs***

Auktion *siehe* ***Versteigerung***

Ausfuhr *siehe* ***Außenhandel***

Ausgaben *siehe* ***Erfolg***

Außenhandel *Warenverkehr eines Landes mit anderen Ländern. Werden Waren aus einem Land im Ausland verkauft, spricht man von Ausfuhr oder Export. Waren, die im Ausland gekauft werden, sind Einfuhren oder Importe.*

*Für Deutschland spielt der Außenhandel eine außerordentlich wichtige Rolle. 2008 wurden für 994,9 Mrd. Euro Waren exportiert und für 818,6 Mrd. Euro eingeführt (**Schaubild 12**). Der Außenbeitrag (Exporte – Importe) macht 6,3 % des Bruttoinlandsprodukts aus. Die Warenexporte betrugen 2008 rd. 40 % des Bruttoinlandsprodukts (BIP), im Jahr 2000 waren dies noch 29 %. Mehr als ein Drittel der Arbeitnehmer in der Bundesrepublik arbeitet direkt oder indirekt (bei Zulieferern) für den Export. Wichtigste Kunden und Lieferanten sind die EU-Länder (64,8 % in 2007) und die USA (7,6 %). Die bedeutendsten Exportartikel der Bundesrepublik sind Straßenfahrzeuge und Produkte des Maschinenbaus sowie der elektrotechnischen Industrie.*

Deutschland ist trotz des Aufkommens von China auch noch 2008 die größte Exportnation der Welt gewesen. Im Zuge der Globalisierung mit einer umfassenderen Arbeitsteilung zwischen den Ländern nimmt der Anteil importierter Güter und Vorleistungen an den deutschen Ausfuhren zu. Inzwischen sind rund 40 % der deutschen Exporte zuvor eingeführt worden.

*Bei der Exportquote ist freilich zu sehen, dass der Handel mit Ländern der Eurozone, der eigentlich Binnenhandel ist, 2007 42,8 % der Exporte und 39,7 % der Einfuhren betrug. (siehe auch **Zahlungsbilanz**).*

12 Handel mit aller Welt

Autarkie *Streben eines Landes oder einer Gruppe von Ländern, wirtschaftlich möglichst unabhängig zu sein und sich selbst mit Gütern und Dienstleistungen zu versorgen. Dies ist für die Höhe des Lebensstandards meist nicht vorteilhaft, weil so Vorteile der internationalen **Arbeitsteilung**, vor allem die mit einer Spezialisierung verbundenen **Produktivitätsgewinne** nicht genutzt werden.*

Automation *Die Organisation des Arbeitsablaufs in der Weise, dass die Bearbeitung und Weiterleitung von Produkten weitgehend von Automaten übernommen wird. Die Tätigkeit der Arbeitnehmer verlagert sich dabei auf die Steuerung der Automaten, auf Überwachung, Wartung und Reparaturen.*

*Beispiel: An einer Drehbank bearbeitet nicht mehr der Facharbeiter das Werkstück, sondern der elektronisch gesteuerte Fräsroboter. Die Automation ist eine spezielle Form der **Rationalisierung** und Produktivitätssteigerung, die durch die Entwicklung der elektronischen Datenverarbeitung inzwischen in allen Bereichen der Wirtschaft anzutreffen ist.*

Aval Übernahme einer **Bürgschaft** durch eine Bank, mit der sie für die Verbindlichkeimten eines Kunden eintritt, wenn dieser zahlungsunfähig werden sollte. Die Bankbürgschaft ist eine Sicherheit, die der Bankkunde verwenden kann, wenn er bei einem Dritten ein Darlehen aufnimmt. Aus Sicht der Bank handelt es sich um einen Kredit an ihren Kunden.

B

BaFin Die Bundesanstalt für Finanzdienstleistungsaufsicht (**BaFin**) bündelt seit ihrer Gründung im Mai 2002 die Aufsicht über Banken, Finanzdienstleister, Versicherer und den Wertpapierhandel unter einem Dach. Sie ist eine selbständige Anstalt des öffentlichen Rechts und unterliegt der Rechts- und Fachaufsicht des Bundesministeriums der Finanzen. Die BaFin finanziert sich aus Gebühren und Umlagen der beaufsichtigten Institute und Unternehmen. Ihr Hauptziel ist es, ein funktionsfähiges, stabiles und integres deutsches Finanzsystem zu gewährleisten.

Baisse Vor allem an der **Börse** verwendeter Begriff für einen länger dauernden Preisrückgang. Das Gegenteil ist eine **Hausse**.

Bank Ein **Unternehmen**, das Bankgeschäfte betreibt und u. a. den Regelungen des Kreditwesengesetzes unterliegt, entsprechend auch als Kreditinstitut bezeichnet.

> Zu den Bankgeschäften gehören vor allem:

- Kreditgeschäft: Vergabe von Krediten,
- Einlagengeschäft: Entgegennahme von Einlagen sowie Ausgabe von Schuldverschreibungen,
- Abwicklung des Zahlungsverkehrs im Inland und mit dem Ausland,
- Effektengeschäft: Kauf, Verkauf und Verwahrung von Wertpapieren für Kunden sowie Beteiligung an Wertpapieremissionen.

Das **Schaubild 13** gibt einen Überblick über das Bankensystem in der Bundesrepublik. Zu den einzelnen Gruppen:

> Universalbanken: Kreditinstitute, die alle oder den größten Teil der oben genannten Bankgeschäfte betreiben. Sie werden auch als Geschäftsbanken bezeichnet. Der Anteil der Universalbanken am Geschäftsvolumen aller Kreditinstitute in der Bundesrepublik beträgt rund 75 %. Zu den Universalbanken gehören:

- Großbanken: Banken, die auf Grund ihrer Größe und der überregionalen Ausrichtung ihres Geschäfts ein besonderes Gewicht haben, z. B. die Deutsche Bank, die Hypo-Vereinsbank, die Commerzbank und die Postbank.
- Regionalbanken: Banken, deren Geschäftsbereich ursprünglich auf eine bestimmte Region beschränkt war oder es noch heute ist. Einige große Regionalbanken sind inzwischen weltweit tätig.
- Privatbankiers: Inhaber privater Banken, die unter Einsatz ihres Eigentums bei voller Haftung Bankgeschäfte betreiben. (Statistisch bei den Regionalbanken erfasst.)
- Zweigstellen ausländischer Banken: rechtlich unselbstständige Niederlassungen von ausländischen Banken in Deutschland.
- Landesbanken: öffentlich-rechtliche regionale Zentralinstitute der Sparkassen. Sie operieren als zentrale Verrechnungsstel-

13 Das Bankensystem in der Bundesrepublik Deutschland (Zahl der Institute Ende 2008)

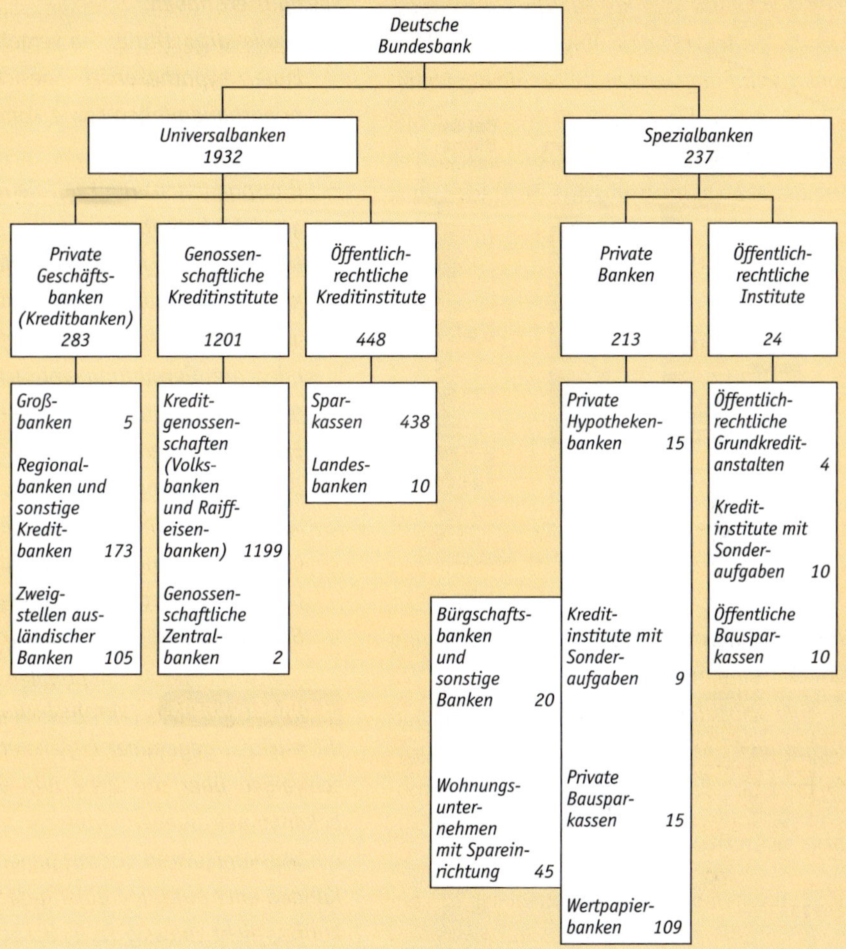

le im Zahlungsverkehr der Sparkassen. Darüber hinaus betreiben sie alle banküblichen Geschäfte. In dieser Funktion sind sie auch „Hausbanken" des Bundeslandes, in dem sie ihren Sitz haben.

- *Sparkassen: mit wenigen Ausnahmen öffentlich-rechtliche Kreditinstitute, die ursprünglich nur Spareinlagen hereinnahmen und diese Gelder meist an die Kommunen oder die lokale Wirtschaft ausliehen. Heute betreiben sie im Prinzip ebenfalls alle Bankgeschäfte.*
- *Genossenschaftliche Kreditinstitute: Banken, die genossenschaftlich (siehe* ***Genossenschaft****) organisiert sind (Volks- und Raiffeisenbanken). Sie betreiben prinzipiell alle Bankgeschäfte. Genossenschaftliche Zentralbanken üben dabei im Wesentlichen die gleiche Funktion für den Genossenschaftsbereich aus wie Girozentralen bei öffentlich-rechtlichen Instituten.*

\> *Spezialbanken: Banken, die sich entweder auf einen bestimmten Kundenkreis (zum Bei-*

14 Konkurrenz um Geldkunden

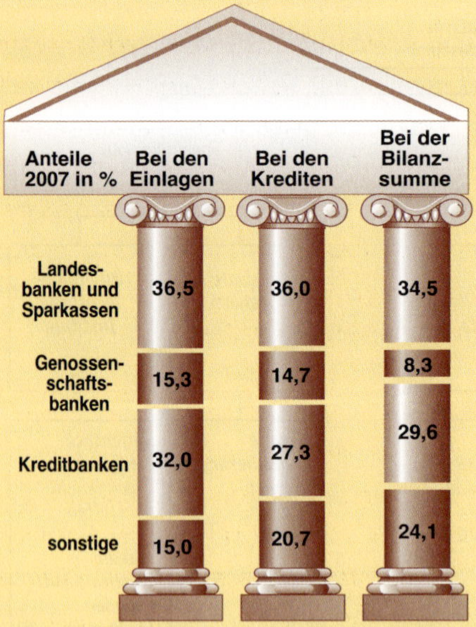

spiel Reedereien, Mittelstandsbetriebe, kommunale Institutionen usw.) oder Spezialzweige des Bankengeschäfts (z. B. die Vergabe von Hypothekenkrediten; Wertpapiergeschäfte) spezialisiert haben.

- Realkreditinstitute: Sie vergeben in erster Linie hypothekarisch gesicherte Wohnungsbaudarlehen sowie Kommunaldarlehen.
- Bausparkassen: Banken, die das Bauspargeschäft betreiben.
- Kreditinstitute mit Sonderaufgaben: Banken mit besonderer Spezialisierung, etwa auf die Entwicklungshilfefinanzierung oder die Gewährung von subventionierten Krediten an den Mittelstand oder an Existenzgründer.
- Bürgschaftsbanken: Banken, die Bürgschaften an Unternehmen gewähren, die ansonsten keine ausreichenden Kreditsicherheiten bieten können. (Siehe auch **Schaubild 14**).

Bankgeheimnis Verpflichtung eines Kreditinstituts, gegenüber Außenstehenden Stillschweigen über sämtliche ihm über Kunden bekannt gewordenen Tatbestände zu bewahren. Auskünfte sind nur mit Genehmigung des Kunden oder aufgrund einer gesetzlichen Auskunftspflicht zulässig (z. B. bei Strafverfahren oder dem Tod des Kunden).

Bankkundenkarten Die in Deutschland im Umlauf befindlichen Bankkundenkarten (früher ec-Karte genannt; seit 2007: girocard) enthalten auf der Rückseite einen Magnetstreifen. Darauf sind eine Reihe von Informationen, die für die Benutzung an Geldautomaten und POS-Kassen wichtig sind. Mit der Bankkarte und der persönlichen Geheimzahl (PIN) kann jeder Karteninhaber an einem entsprechend gekennzeichneten Geldautomaten Bargeld abholen. Derzeit sind in Deutschland *rund 93 Millionen Bankkarten im Umlauf. Im In- und Ausland können Bankkunden überall dort, wo sie das electronic-cash-Logo oder Maestro-Zeichen sehen, mit ihrer Karte und Geheimzahl bezahlen. In Europa stehen mehr als 4,5 Millionen Akzeptanzstellen zur Verfügung, weltweit sind es fast 8 Millionen. Darüber hinaus können Karteninhaber weltweit an rund 860 000 mit dem Maestro-Logo gekennzeichneten Geldautomaten Bargeld beschaffen.*

Bankleitzahl *Eine neunstellige Zahl, die eine Bankstelle genau kennzeichnet. Sie dient vor allem der automatisierten Abwicklung des Zahlungsverkehrs. Für grenzüberschreitende Zahlungen wurde eine internationale Bankleitzahl (IBAN – International Bank Account Number) entwickelt.*

Banknoten *Das von einer Notenbank herausgegebene Papiergeld, das als gesetzliches Zahlungsmittel genutzt werden kann. In Deutschland sind dies die auf Euro lautenden Banknoten der Europäischen Zentralbank.*

Bankrott *Vom Unternehmer selbst durch grob fahrlässiges oder vorsätzliches Handeln herbeigeführte* ***Insolvenz****, die nach § 283 Strafgesetzbuch geahndet werden kann.*

Bargeld *Sammelbegriff für* ***Banknoten*** *und* ***Münzen****, die als gesetzliches Zahlungsmittel genutzt werden können. Im Gegensatz zum Bargeld ist Buchgeld die Bezeichnung für die Guthaben von Unternehmen, privaten und öffentlichen Haushalten bei Banken.*

Barwert *Eine rechnerische Größe, mit der der heutige Wert von in der Zukunft erfolgenden Zahlungen bestimmt wird. Der Barwert wird durch Abzinsen der in der Zukunft anfallenden Zahlungen mit einem rechnerischen Zinssatz ermittelt. So kann berücksichtigt werden, dass Einnahmen, die in späteren Jahren anfallen, aufgrund von Inflation eine geringere Kaufkraft haben als heute, oder dass mit dem schon heute verfügbaren Betrag in den Jahren bis zur Zahlungsfälligkeit Zinseinnahmen erzielt werden könnten.*

Bausparen *Geldanlage bei einer Bausparkasse (siehe* ***Bank****) zum Zweck der späteren Finanzierung des Neubaus, des Erwerbs, der Renovierung oder des Umbaus eines Eigenheimes oder einer Eigentumswohnung (****Schaubild 15****). Bausparmittel können auch zur Entschuldung von Wohneigentum verwendet werden. Wenn nach Ablauf einer bestimmten Wartezeit (Zuteilungsfrist) ein vertraglich festgelegter Teil der vereinbarten Bausparsumme angespart worden ist, bekommt der Bausparer neben diesem Betrag einen Hypothekenkredit zu günstigen, festen Zinsen. Bausparen wird steuerlich und im Rahmen der staatlichen Förderung der* ***Vermögensbildung*** *gefördert (****Schaubild 16****).*

Bausparkasse *siehe* ***Bank***

Beamter *siehe* ***Arbeitnehmer***

Beherrschungsvertrag *siehe* ***Unternehmensverträge***

Beiträge ***Abgaben*** *für öffentliche Leistungen, die unabhängig von der Inanspruchnahme durch den Zahlenden erhoben werden. Beispiel sind Erschließungs- und Straßenanliegerbeiträge, die von Immobilieneigentümern*

15 Bausparkassen

Bausparkassen, Verträge, Bausparsumme, Bauspareinlagen[1]					
Geschäftstätigkeit	**Einheit**	**2005**	**2006**	**2007**	**2008**
Verträge insgesamt	1 000	32 663	31 940	31 059	30 521
Neugeschäft im Jahr	1 000	3 734	3 496	3 129	3 549
Zugeteilte Verträge im Jahr	1 000	1 760	1 848	2 019	-
Bausparsumme aus zugeteilten Verträgen	Mill. EUR	32 536	35 975	41 113	-
Bauspareinlagen insgesamt	Mill. EUR	121 258	124 983	124 950	121 025
Hypotheken und Zwischenkredite insgesamt	Mill. EUR	96 867	97 007	98 820	102 082

Quelle: Statistisches Bundesamt

gezahlt werden müssen. Bei der gesetzlichen **Sozialversicherung** (Renten-, Arbeitslosen-, Kranken- und Pflegeversicherung) sind Beiträge die Zahlungen, die zur späteren Erlangung einer Versicherungsleistung fällig werden.

Beitragsbemessungsgrenze Die Beiträge zur Sozialversicherung (siehe **Versicherung**) bemessen sich nach der Höhe des Einkommens. Die Beitragsbemessungsgrenze ist die Einkommensschwelle, ab der kein höherer Beitrag mehr erhoben wird. Sie ist gleichzeitig der Maßstab für die höchstmögliche Leistung aus der Renten- und Arbeitslosenversicherung. Sie wird jährlich neu festgesetzt. 2009 beläuft sich die Beitragsbemessungsgrenze für die Renten- und Arbeitslosenversicherung in Westdeutschland auf 5 400 Euro pro Monat, in Ostdeutschland auf 4 550 Euro monatlich. Bei der Kranken- und Pflegeversicherung gilt eine einheitliche Beitragsbemessungsgrenze von 3 675 Euro im Monat.

Beleihungsgrenze Kredite, mit Ausnahme reiner Konsumentenkredite, werden von Banken üblicherweise nur gegen die Stellung von Sicherheiten durch den Kreditnehmer gewährt. Dies kann in Form von Immobilienvermögen, Wertpapieren oder Forderungen an Kunden geschehen. Da der Wert dieser Sicherheiten im Falle einer Verwertung schwanken kann, setzen Banken oder Versicherungen jeweils einen niedrigeren Wert, den Beleihungswert, an. Das gerade noch akzeptable Verhältnis zwischen Beleihungswert und Marktwert wird als Beleihungsgrenze bezeichnet. Abhängig von der Art der Sicherheit kann sie individuell festgelegt werden. Für Hypothekendarlehen ist sie gesetzlich auf 60 % des Werts der Immobilie festgelegt.

Bergrechtliche Gewerkschaft
siehe **Rechtsform**

Berufsgenossenschaft Träger der gesetzlichen Unfallversicherung siehe **Versicherung**

Beschaffung Gesamtheit aller Tätigkeiten eines Unternehmens, die darauf gerichtet sind, das Unternehmen mit Material, Dienstleistungen, Arbeits- und Betriebsmitteln, Informationen und Rechten zu versorgen, die es für die Erstellung seiner Produkte und die Betriebsführung benötigt.

Besitz tatsächliche Herrschaft über eine Sache. Siehe **Eigentum**

Beteiligung Anteil am **Eigenkapital** eines Unternehmens, der so hoch ist, dass der Beteiligungsgeber neben den generellen Rechten eines Anteilseigners (z. B. Anspruch auf anteilige Gewinnausschüttung) Einfluss auf die Geschäftspolitik des Unternehmens ausüben kann. Man spricht von einer Mehrheitsbeteiligung, wenn ein Kapitalgeber mehr als 50 % der Kapitalanteile eines Unternehmens besitzt. Eine Minderheitsbeteiligung liegt vor, wenn der Kapitalgeber weniger als die Hälfte der Kapitalanteile besitzt, aber stark genug ist, um Entscheidungen zu verhindern, die gegen seine Interessen gerichtet sind (meist bei Anteilsbesitz von mehr als 25 % bis 50 %). Eine wichtige Rolle spielen internationale Beteiligungsgesellschaften, deren Geschäftszweck der Erwerb von Unternehmensbeteiligungen und daraus folgende Wertsteigerungen sind.

Betriebsrat Vertretung der Arbeitnehmer eines Unternehmens siehe **Mitbestimmung**

Betriebsverfassungsgesetz siehe **Mitbestimmung**

Bewertung Zuordnung von Geldgrößen (= Werte) auf die betrieblichen Vermögensgegenstände im Rahmen des **Jahresabschlusses**, der Steuererklärung und der Kostenrechnung. Maßstäbe können die Anschaffungskosten, die Herstellungskosten, der Marktwert oder ein Teilwert sein. Handels- und Steuerrecht enthalten für die einzelnen Bilanzpositionen Bewertungsgrundsätze. Generell soll die Ver-

16 Sparhöchstbeträge und Prämien nach dem Wohnungsbau-Prämiengesetz

Anlage nach dem Wohnungsbau-Prämiengesetz und andere begünstigte wohnungswirtschaftliche Aufwendungen	5. Vermögensbildungsgesetz begünstigter Höchstbetrag pro Jahr	 v.H.-Satz der Arbeitnehmer-Sparzulage	Prämienhöchstbetrag
a) Bausparen und andere Anlageformen des WoPG b) Aufwendungen zum Bau, Erwerb oder zur Erweiterung eines Wohngebäudes sowie zur Erfüllung hiermit verbundener Verbindlichkeiten	470 EUR	9 %	8,8 % für geleistete Aufwendungen (maximal 512 Euro bei Alleinstehenden, 1 024 Euro bei Ehegatten), soweit hierfür nicht gleichzeitig eine Arbeitnehmer-Sparzulage gewährt wird. Einkommensgrenze: 25 600 Euro bei Alleinstehenden bzw. 51 200 Euro bei Verheirateten

mögenslage eines Unternehmens realistisch und zugleich unter Beachtung kaufmännischer Vorsicht dargestellt werden (siehe auch **Niederstwertprinzip**). Buchwert ist der Wert, mit dem Vermögen und Schulden eines Kaufmanns in den Geschäftsbüchern und in der Bilanz stehen.

Bezogener siehe **Wechsel**

Bezugsrecht siehe **Aktie**

BGB-Gesellschaft siehe **Rechtsform**

Bilanz siehe **Jahresabschluss**

Blankopapier Ein bewusst noch nicht vollständig ausgefülltes Papier. Beispiele:

> Blankoscheck: ein unterschriebener Scheck, auf dem der Scheckbetrag fehlt.

> Blankokredit (auch Personalkredit genannt): ein Kredit, bei dem das Kreditinstitut von seinem Kunden keine Sicherheit verlangt. Voraussetzung hierfür ist eine ausreichende Bonität des Kunden.

Bonds Englische Bezeichnung für festverzinsliche **Wertpapiere**.

Bonität Bezeichnung für die wirtschaftliche Leistungsfähigkeit einer Person oder eines Unternehmens. Die Bonität spielt eine wichtige Rolle bei der Anbahnung von Geschäften und bei der Aufnahme von Krediten (Kreditwürdigkeit). Bonitätsauskünfte erteilt beispielsweise die **SCHUFA**. Bonitätsbeurteilungen von Unternehmen oder auch Ländern werden von **Ratingagenturen** vorgenommen.

Bonus

> 1. Preisnachlass in Form einer Rückvergütung am Jahresende (siehe **Rabatt**)

> 2. Gehaltsbestandteil bei Angestellten, der bei Erreichen vertraglich vereinbarter Erfolgsziele meist jährlich zusätzlich zum fixen Gehalt fällig wird.

Boom siehe **Konjunktur**

Börse Ein organisierter, regelmäßig stattfindender **Markt**, auf dem Güter gehandelt werden, deren Beschaffenheit nach Maß, Zahl oder Gewicht genau definiert ist, so dass Güter gleicher Art und Qualität untereinander austauschbar (fungibel) sind. Man unterscheidet:

> Waren- oder Produktenbörse: Handel mit Waren, meist Rohstoffen, wie z. B. Kaffee, Kakao, Metalle, Weizen, Erdöl und Mineralölprodukte.

> Dienstleistungsbörsen: Handel mit Dienstleistungen, z. B. Versicherungen.

> Effekten- oder Wertpapierbörse: Handel mit Wertpapieren (Aktien, Anleihen, Optionen), **Schaubild 17**.

In Deutschland gibt es die Wertpapierbörsen Berlin, Düsseldorf, Frankfurt, Hamburg, Hannover, München und Stuttgart.

Das Börsengeschäft kann nur von dem zum Börsenhandel zugelassenen Personenkreis abgewickelt werden:

> Händler: die Vertreter von Kreditinstituten. Privatpersonen, die Wertpapiere kaufen oder verkaufen wollen, wenden sich deshalb an die Wertpapierabteilung einer Bank.

> Amtliche Kursmakler: Sie vermitteln die Geschäfte zwischen den Händlern und ermitteln die Kurse. Sie werden von dem Bundes-

land bestellt und vereidigt, in dem die Börse ihren Sitz hat.

> Freimakler: Sie vermitteln ebenfalls die Geschäfte zwischen den Händlern. Anders als die amtlichen Kursmakler dürfen sie auch Geschäfte im eigenen Namen und für eigene Rechnung ausführen. Sie erhalten ihre Zulassung vom Börsenvorstand.

An der Aktienbörse unterscheidet man verschiedene Marktsegmente:

> Amtlicher Markt: Teil des General Standards, des Segments der Aktienbörse, das der staatlichen Aufsicht unterliegt. Zur amtlichen Notiz werden nur Wertpapiere von Aktiengesellschaften zugelassen, die mehr als 3 Jahre bestehen, einen Emissionsprospekt, die Bilanz und einen Zwischenbericht veröffentlichen. Die Kurse im amtlichen Handel werden von den amtlichen Kursmaklern festgestellt.

> Im nicht amtlichen Markt, auch Freiverkehr genannt, werden Wertpapiere gehandelt, die noch nicht zum amtlichen Verkehr an der Börse zugelassen sind bzw. für die keine Zulassung zum amtlichen Handel beantragt wurde. Im Freiverkehr werden vor allem Wertpapiere gehandelt, deren umlaufendes Volumen für den amtlichen Handel zu gering ist, oder Wertpapiere von Unternehmen, welche die relativ hohen Kosten der amtlichen Notierung vermeiden wollen. Die Kurse im Freiverkehr werden von freien Maklern ermittelt; eine amtliche Kursfestsetzung erfolgt nicht.

Man unterscheidet geregelte und ungeregelte Märkte.

> Der Geregelte Markt unterscheidet sich vom amtlichen Markt vor allem durch weniger umfangreiche Publizitätspflichten für die Unternehmen.

> General Standard: Ein Börsensegment, für das die Mindestanforderungen des Amtlichen oder Geregelten Marktes gelten. Er enthält Unternehmen, die sich vorwiegend an nationale Anleger richten.

> Prime Standard: Hier werden Aktien von Unternehmen gehandelt, die sehr weitreichende Transparenz- und Publizitätsanforderungen erfüllen. Dies ist Voraussetzung für die Aufnahme in die wichtigen Aktienindizes.

> Im ungeregelten Freiverkehr, auch Telefonverkehr genannt, werden Papiere gehandelt, die die Bedingungen der anderen Börsensegmente nicht erfüllen. Der Handel in

17 Die größten Börsen der Welt

Aktienumsätze 2006/2007 in Milliarden US-Dollar

Rang	Börse	2006	2007
1	New York (NYSE)[1]	21 789	29 910
2	New York (Nasdaq)	11 807	15 320
3	London	7571	10 333
4	Tokio	5 823	6 476
5	Euronext[1 2]	3 853	5 640
6	Frankfurt	2 737	4 325
7	Shanghai	736	4 070
8	Spanien [3]	1 934	2 970
9	Mailand	1 591	2 312
10	Hongkong	832	2 137
11	Shenzhen (China)	423	2 103
12	Seoul	1 342	2 006

1 NYSE und Euronext haben sich im April 2007 zu NYSE Euronext zusammengeschlossen.
2 Amsterdam, Brüssel, Lissabon, Paris
3 Barcelona, Bilbao, Madrid, Valencia

Quelle: World Federation of Exchanges

diesen Papieren erfolgt zwischen Banken über Telefon. Auch diese Papiere müssen zum Handel zugelassen werden. Es handelt sich meist um Titel kleinerer, meist auch ausländischer Unternehmen.

Die Ermittlung eines Börsenkurses: Die bei den einzelnen Kreditinstituten eingehenden Kauf- und Verkaufsaufträge werden an die Makler weitergegeben. Auf Grund der vorliegenden Aufträge stellt der Makler den Kurs fest, bei dem der größte Umsatz möglich ist. Das ***Schaubild 18*** *zeigt ein Beispiel: Fünf Kaufaufträgen stehen fünf Verkaufsaufträge für eine Aktie eines Unternehmens gegenüber.*

Der Makler wird einen Kurs von Euro 252 feststellen, weil bei diesem Preis der höchste Umsatz (drei Aktien zu Euro 252 = 756 Euro) möglich ist. Dieses Verfahren wird grundsätzlich im Parketthandel und im XETRA-System angewandt.

Die Wertpapierkurse werden von Nachrichtenagenturen im Wirtschaftsteil großer Zeitungen, in der Fachpresse, in Rundfunk und Fernsehen veröffentlicht. Wegen der laufenden Aktualisierung hat die Kursveröffentlichung im Internet gerade für Privatanleger große Bedeutung, so dass diese über Onlinebanken oder entsprechende Handelsplattformen ihre Anlageentscheidungen wesentlich schneller als früher umsetzen können.

Bei den veröffentlichten Kursen stehen oft Abkürzungen, sog. Kurszusätze, die die Marktsituation einzelner Papiere darstellen (Erläuterung im ***Schaubild 19****).*

Die Bedeutung der Börse besteht in ihrer Kapitalversorgungsfunktion für Unternehmen wie auch den Staat einerseits, andererseits sichert die Börse für die Anleger die Chance auf eine gewinnbringende Geldanlage.

18 Wie sich ein Börsenkurs entwickelt

EIN KÄUFER	möchte für eine Aktie höchstens zahlen	EIN VERKÄUFER	möchte für eine Aktie mindestens erzielen
A	EUR 250	F	EUR 254
B	EUR 251	G	EUR 253
C	EUR 252	H	EUR 252
D	EUR 253	I	EUR 251
E	EUR 254	K	EUR 250

Boykott *siehe* ***Sanktionen***

Branche *Wirtschaftszweig, wie zum Beispiel Bergbau, Textilindustrie, Maschinenbau.*

Break-even-Point *Begriff für den Grad an Beschäftigung (Produktion, Kapazitätsauslastung) eines Betriebes, bei dem die Erlöse aus dem Umsatz einer Periode gerade die angefallenen Kosten der gleichen Periode abdecken. Der Break-even-Point wird auch als Gewinnschwelle bezeichnet, da erst danach Gewinne anfallen.*

Bretton-Woods-System *1944 in Bretton Woods (USA) beschlossenes internationales Währungssystem mit einem System fester, in engen Schwankungsbreiten anpassungsfähiger Wechselkurse auf Basis des mit einer Goldparität versehenen US-Dollars. Ziel war die freie Austauschbarkeit der* ***Währungen*** *(Konvertibilität). Zur Abstützung der Währungsvereinbarungen wurde der* ***Internationale Währungsfonds*** *(IWF) errichtet, der Kredite für Länder mit Zahlungsbilanzschwierigkeiten bereitstellen sollte. Parallel wurde die* ***Weltbank*** *zur Finanzierung von Entwicklungsprojekten gegründet. IWF und Weltbank erfüllen*

19 So liest man ein Kursblatt

G	Geldkurs	Auf dieser Kursbasis ist nur Nachfrage vorhanden.
B	Briefkurs	Auf dieser Kursbasis ist nur Angebot vorhanden. Wenn Kurse nur mit dem Zeichen G oder B ohne weiteren Zusatz versehen sind, so sind bei diesen Papieren keine Umsätze getätigt worden.
b, bz oder bez.	bezahlt	Angebot und Nachfrage waren ausgeglichen.
bG	bezahlt Geld	Die zum festgestellten Kurs limitierten Kaufaufträge sind nicht vollständig ausgeführt; es bestand weitere Nachfrage.
bB	bezahlt Brief	Die zum festgestellten Kurs limitierten Verkaufsaufträge sind nicht vollständig ausgeführt; es bestand weiteres Angebot.
etw. bG	etwas bezahltes Geld	Die zum festgestellten Kurs limitierten Kaufaufträge konnten nur zu einem geringen Teil ausgeführt werden.
etw. bB	etwas bezahlt Brief	Die zum festgestellten Kurs limitierten Verkaufsaufträge konnten nur zu einem geringen Teil ausgeführt werden.
bG rep.	bezahlt Geld repartiert	Die zum Kurs und höher limitierten sowie die unlimitierten Kaufaufträge konnten nur durch beschränkte Zuteilung ausgeführt werden.
bB rep.	bezahlt Brief repartiert	Die zum Kurs und niedriger limitierten sowie die unlimitierten Verkaufsaufträge konnten nur durch beschränkte Abnahme ausgeführt werden.
– G	gestrichen Geld	Es lagen Billigst-Kauforders vor ohne Angebot.
– B	gestrichen Brief	Es lagen Bestens-Verkaufsorders vor ohne Nachfrage.
T	Taxkurs	Vom Kursmakler geschätzter Kurs eines Wertpapiers, das nicht gehandelt wurde.
ex D oder ex Div.	ausschließlich Dividende	Kurszusatz am Tag des Dividendenabschlags; in der Regel am Börsentag nach der Hauptversammlung; von diesem Tag an wird das Wertpapier ohne Anspruch auf die fällige Dividende gehandelt.
ex B oder ex BR	ausschließlich Bezugsrecht	Kurszusatz am Tag des Bezugsrechtsabschlags, dessen Höhe von der Börse bekannt gegeben wird, in der Regel am ersten Tag des Bezugsrechtshandels; von diesem Tag an werden alte Wertpapiere ohne Anspruch auf den Bezug junger Aktien gehandelt.
ex BA	ausschließlich Berichtigungsaktien	Kurszusatz am Tage des Berichtigungsaktien-Abschlags; von diesem Tag an werden die Wertpapiere ohne Anspruch auf Bezug von Berichtigungs- oder Zusatzaktien gehandelt.

auch heute noch wichtige Aufgaben in der Entwicklungsfinanzierung und der Stabilisierung internationaler Finanzbeziehungen. Das System von Bretton Woods wurde 1973 beendet.

Briefkastenfirmen *Bezeichnung für Unternehmen mit Sitz in Ländern mit geringen rechtlichen Anforderungen oder einer niedrigen Steuerbelastung (Niedrigsteuerländer bzw. Steueroasen oder Offshore-Zentren). Häufig werden Briefkastenfirmen, die nur aus* *einem Sitz (Adresse) und einem Briefkasten bestehen, zur Übertragung von Einkommen und Vermögen gegründet, um so der höheren Steuerbelastung bzw. umfassenderer Regulierung im Herkunftsland zu entgehen. Das deutsche Steuerrecht hat für inländische Steuerzahler die Möglichkeiten, mit Hilfe solcher Tochterunternehmen die Steuerlast zu mindern, erheblich eingeengt.*

Broker *Bezeichnung für Börsenhändler (siehe* ***Börse****) in den USA, England und Japan.*

Buchwert *siehe* ***Bewertung***

Bürgerversicherung *Eine spezielle Form der Sozialversicherung, die als Alternative zum derzeitigen System der gesetzlichen Sozialversicherung diskutiert wird. Zielsetzung ist die Senkung der Beitragssätze durch eine Ausweitung der Bemessungsgrundlage auf alle Einkünfte und die Einbeziehung aller Bürger, also auch der Selbständigen und Beamten. Bisher sind die Beiträge zu Sozialversicherung an die bestehenden Arbeitsverhältnisse und die Lohnhöhe gekoppelt. Die Abnahme der Zahl der erwerbstätigen Bevölkerung, ein gestiegenes Arbeitsplatzrisiko sowie die höhere Lebenserwartung mit vermehrten Leistungen muss dann zu stetig steigenden Beiträgen führen, wenn nicht entsprechende Gegenmaßnahmen verabschiedet werden.*

Bürgschaft *Ein* ***Vertrag****, durch den sich eine Person oder ein Unternehmen (der Bürge) verpflichtet, die Verbindlichkeiten eines Dritten zu erfüllen, wenn dieser seinen Verpflichtungen gegenüber seinem Gläubiger nicht nachkommt (siehe auch* ***Aval****). Bei Privatpersonen bedarf die Bürgschaft der Schriftform.*

Bundesanstalt für Finanzdienstleistungsaufsicht *siehe* ***Bafin***

C

Cash-Flow *Die von einem Unternehmen während einer bestimmten Periode selbst erwirtschafteten liquiden (siehe* ***Liquidität****) Mittel. Der Cashflow ist eine Kennzahl, die Auskunft über die Ertragslage und die Liquiditätssituation eines Unternehmens gibt. Aus der Gewinn- und Verlust-Rechnung lässt sich der Cashflow wie folgt ermitteln:*

Jahresüberschuss
\+ *Abschreibungen*
\+ *Veränderung der Rückstellungen*
= *Cashflow*

Charter ***Vertrag*** *über die Miete eines Schiffes oder Flugzeugs. Der Vertrag kann sich auch lediglich auf einen Teil oder einen bestimmten, genau beschriebenen Raum eines Schiffes oder eines Flugzeugs beziehen.*

Charts *Grafische Darstellung von Kurs- und Umsatzbewegungen von Wertpapieren,* ***Devisen*** *oder* ***Rohstoffen*** *während eines bestimmten Zeitraums. Die Chartanalyse versucht, durch eine statistische Analyse der Kursbewegungen frühzeitig Signale für Kauf- bzw. Verkaufsentscheidungen zu erhalten.*

cif *Abk. für Cost, Insurance, Freight; siehe* ***Incoterms***

Clearing Verrechnung gegenseitiger Forderungen und Verbindlichkeiten zwischen Unternehmen oder Staaten. Effektiv bezahlt wird lediglich der Differenzbetrag. Man unterscheidet bilaterales Clearing (Clearing zwischen zwei Beteiligten) und multilaterales Clearing (mehr als zwei Beteiligte). Beim bargeldlosen Zahlungsverkehr zwischen Kreditinstituten in Deutschland sind die Landeszentralbanken die Clearingstellen der Banken. Die Aufrechnung von Forderungen und Verbindlichkeiten zwischen Industrieunternehmen wird als Industrieclearing bezeichnet. Auch im Wertpapiergeschäft wird dieses Verfahren angewendet: Die Banken gleichen die eingegangenen Kauf- und Verkaufsaufträge gegeneinander ab.

Corporate Governance Regelungskodex mit den wesentlichen gesetzlichen Vorschriften zur Leitung und Überwachung deutscher börsennotierter Gesellschaften. Er enthält international und national anerkannte Standards guter und verantwortungsvoller Unternehmensführung. Der Kodex soll das deutsche Corporate Governance System transparent und nachvollziehbar machen und will das Vertrauen der internationalen und nationalen Anleger, der Kunden, der Mitarbeiter und der Öffentlichkeit in die Leitung und Überwachung deutscher börsennotierter Gesellschaften fördern.

Courtage Die **Provision**, die **Makler** für ihre Vermittlungstätigkeit bei Wertpapier-, Immobilien- oder sonstigen Dienstleistungsgeschäften erhalten. Der Anspruch auf die Courtage entsteht erst bei der tatsächlichen Vermittlung eines Geschäfts.

D

Damnum siehe ***Agio***

Darlehen siehe ***Kredit***

Datenschutz Schutz vor Missbrauch persönlicher Daten. Durch die Verwendung der elektronischen Datenverarbeitung können Unternehmen und Verwaltungen die bei ihnen gespeicherten persönlichen Daten des einzelnen Bürgers relativ schnell und ohne großen Aufwand für verschiedene Zwecke auswerten. Das Bundesdatenschutzgesetz (BDSG) bestimmt, dass die Daten natürlicher Personen nur unter bestimmten Voraussetzungen gespeichert und übermittelt werden dürfen. Jeder Bürger hat das Recht der informationellen Selbstbestimmung: Er kann Auskunft verlangen, ob eine bestimmte Stelle Daten über ihn gespeichert hat, welchen Inhalt die Daten habe und wofür sie verwendet werden. Ergänzend kann er die Änderung, Sperrung oder Löschung von Daten fordern, die ihn betreffen. In Behörden und Unternehmen, die personenbezogene Daten speichern, soll der Datenschutzbeauftragte einen eventuellen Missbrauch personenbezogener Daten (z. B. Einkommens- und Vermögensverhältnisse) verhindern.

DAX Abk. für: Deutscher Aktienindex. Ein Index, der aus den Kursen der Aktien der 30 nach Aktienumsatz und Marktkapitalisierung größten deutschen Unternehmen ermittelt wird. Der DAX verdeutlicht die Kursentwicklung an der deutschen Aktienbörse, so dass er mit ähnlichen Indices ausländischer Börsen (z. B.

20 Defizite von Bund, Ländern und Gemeinden (in Mrd. Euro)

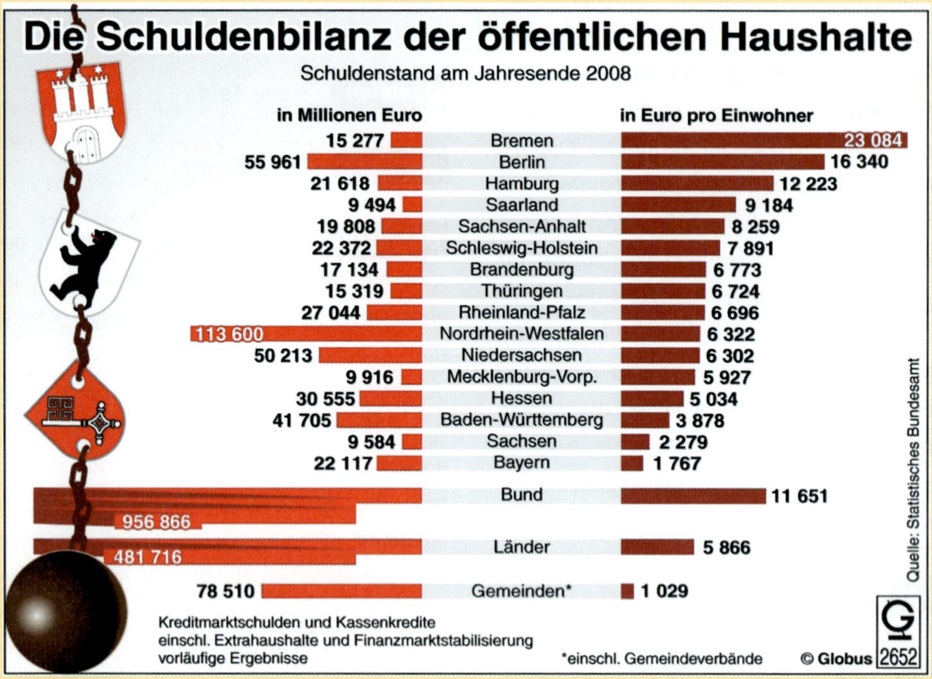

Dow Jones, Nikkei usw.) verglichen werden kann. Er dient auch als Basis für ***Termingeschäfte*** *(DAX-Future). Weitere Aktienindizes der Deutschen Börse sind*

- *MDAX: Er enthält die 50 Werte, die den DAX-Unternehmen folgen.*
- *SDAX: Index für die danach folgenden 50 Unternehmen.*
- *TECDAX: Ein Index, der die Kursentwicklung der Aktien der 30 größten Technologieunternehmen abbildet, die nicht in den anderen DAX-Indices enthalten sind.*

Die in den DAX-Indices vertretenen Aktien unterliegen den Regeln des Prime Standards (siehe ***Börse****).*

Debitoren

- *Schuldner, die Waren oder Dienstleistungen auf Kredit bezogen haben.*
- *Die Forderungen an diese Schuldner sowie die entsprechenden Buchhaltungskonten.*

Deckungsstock *Summe der Vermögenswerte einer Versicherungsgesellschaft, die zur Deckung aller Risiken aus dem Versicherungsgeschäft erforderlich ist. Nur Vermögenswerte mit hohen Qualitätsmerkmalen sind deckungsstockfähig. Die Merkmale wie* ***Bonität*** *des Emittenten, Rentabilität und Liquidität werden von der Bundesanstalt für Finanzdienstleistungsaufsicht (****BaFin****) festgelegt. Deckungsstockfähig sind z. B. öffentliche Anleihen, Pfandbriefe, Grundstücke u. ä.*

Defizit *Ein anderer Ausdruck für Fehlbetrag. Ein Defizit tritt auf, wenn die laufenden Ausgaben von Unternehmen oder öffentlichen Haushalten die laufenden Einnahmen* *übersteigen. Das Gegenteil von Defizit ist der Überschuss (**Schaubild 20**).*

Deflation *Ein allgemeiner, anhaltender Preisrückgang, verbunden mit Einkommens- und Gewinnminderungen in einer Phase der Konjunkturabschwächung. Zu unterscheiden sind Preisrückgänge, die auf niedrigere Produktionskosten, vermehrten Wettbewerb (z. B. Senkung der Telefongebühren) oder auch sinkende Importpreise zurückzuführen sind. Deflation kann zu einer Kaufzurückhaltung führen, da die Konsumenten mit günstigeren Preisen in der Zukunft rechnen können. Das Gegenteil von Deflation ist **Inflation**.*

Depot *Aufbewahrungsort für **Wertpapiere** und Wertsachen.*

Depression *siehe **Konjunktur***

Deregulierung *siehe **Liberalisierung***

Derivate *Bezeichnung für Finanzinstrumente, die aus anderen Finanzinstrumenten (den Basiswerten) „abgeleitet" werden. Basiswerte können die Kurse von Wertpapieren, Indizes, Geldmarktpapieren, Devisen u. ä. sein. Beispiele sind Zinsterminvereinbarungen (Forward-Rate-Agreements), **Optionen**, **Futures**, **Swaps** und **Zertifikate** (**Schaubild 21**). Derivative Instrumente bilden die Kursbewegungen der Basiswerte überproportional ab, so dass sie zur Absicherung bestehender Wertpapiervermögen oder Zahlungsverpflichtungen, aber auch für Spekulationszwecke verwendet werden können. Die Marktentwicklung zeigt, dass der Spekulationszweck stark im Vordergrund steht. Dies hat auch zur Verstärkung der Finanzmarktkrise seit 2007 beigetragen.*

Deutsche Bundesbank *Die Zentralbank der Bundesrepublik Deutschland, seit dem 1. Januar 1999 Bestandteil des **Europäischen Systems der Zentralbanken,** so dass sie seither keine eigenständige Geld- und Kreditpolitik mehr betreibt. Der Bundesbankpräsident ist Mitglied des EZB-Rates und bestimmt über die Geldversorgung und die Geldpolitik im*

21 Derivate – Wetten an der Börse?

Jahr	*Anzahl der Kontrakte in Millionen*
1995	*58,1*
2000	*334,8*
2001	*444,5*
2002	*477,3*
2003	*621,2*
2004	*647,0*
2005	*753,4*
2006	*1828,4*
2007	*976,4*
2008	*950,5*

Kontrakte in Prozent (in 2008)

- *DAX-Optionen (Grundlage: Deutscher Aktienindex) 11 %*
- *BOBL-Future (Grundlage: Mittelfristige Bundesschuldverschreibungen) 16 %*
- *DAX-Future 5 %*
- *Bund-Future (Grundlage: langfristige Bundesschuldverschreibungen 27 %*
- *Aktienoptionen (Grundlage: Standard-Aktien) und sonstige 25 %*
- *Optionen auf Futures 13 %*

Quelle: Factbook 07 Deutsche Börse

Euro-Währungsgebiet mit. Zu den weiteren Aufgaben gehören das Finanz- und Währungssystem, die Bankenaufsicht und der unbare Zahlungsverkehr sowie das Bargeld. Sie ist Hausbank des Staates und verwaltet die Devisenreserven der Bundesrepublik Deutschland.

Deutsche Mark – DM Am 20. Juni 1948 in den drei Westzonen eingeführte Währungseinheit, die bis zum 31. Dezember 1998 Währung der Bundesrepublik Deutschland war. Mit Wirkung ab dem 1. Juli 1990 war die DM auch Währung der DDR, ab dem 3. Oktober 1990 auch des geeinten Deutschland. Seit dem 1. 1. 1999 ist der Euro Währung der Bundesrepublik Deutschland. Die auf D-Mark lautenden Banknoten und Münzen waren noch bis Ende 2001 gesetzliches Zahlungsmittel. Noch vorhandene DM-Noten oder Münzen können zeitlich unbegrenzt bei der Deutschen Bundesbank in Euro umgetauscht werden.

Devisen Guthaben oder Forderungen (Wechsel, Schecks, Wertpapiere) in ausländischer Währung. Ausländische Zahlungsmittel (Banknoten und Münzen) werden als **Sorten** bezeichnet. (Siehe auch **Schaubild 22**)

Devisenbewirtschaftung Die Beschränkung des Zahlungsverkehrs mit dem Ausland durch staatliche Vorschriften und Kontrollen vor allem, wenn Devisen knapp sind oder eine massive **Kapitalflucht** befürchtet wird. Bei Devisenkontrollen bedürfen Geldgeschäfte mit dem Ausland einer besonderen Genehmigung. Auslandsreisende dürfen dann nur eine beschränkte Devisenmenge ausführen; auch Kurssicherungsgeschäfte von Exporteuren oder Importeuren sind dann häufig nur mit Einschränkungen möglich. Beschränkungen des Devisenverkehrs mit dem Ausland sind heute vor allem noch in Entwicklungsländern verbreitet. In der EU wurde ab dem 1. 7. 1990 der grenzüberschreitende Kapitalverkehr vollständig liberalisiert. Diese Maßnahme war zugleich die erste Stufe auf dem Weg zur **Europäischen Wirtschafts- und Währungsunion**.

Devisenmarkt Der Markt, an dem **Devisen** gehandelt werden. Der Devisenhandel findet im Wesentlichen zwischen Banken statt. 2007 belief sich der weltweite Umsatz im Devisenhandel auf etwa 3200 Mrd. Dollar pro Tag. Hiervon entfielen 34 % auf London, 17 % auf New York, 6 % auf Zürich, Tokio und Singapur, 4 % auf Sydney und Hongkong, 3 % auf Paris und 2,5 % auf Frankfurt. Die mit Abstand am meisten gehandelte Währung war der US-Dollar, der an 86 % aller Devisengeschäfte beteiligt war. An zweiter Stelle folgte der Euro mit 37 %, dann der japanische Yen mit 16,5 %, das britische Pfund mit 15 %, der australische Dollar mit 6,7 % und der Schweizer Franken mit 6 %. Der Handel zwischen Dollar und Euro war mit 27 % der größte Teilmarkt.

DGB Abk. für Deutscher Gewerkschaftsbund; siehe **Gewerkschaften**

Dienstleistungen Leistungen, bei denen Herstellung und Verbrauch zum gleichen Zeitpunkt stattfinden. Zu unterscheiden sind personenbezogene (Arzt, Friseur) und sachbezogene Dienstleistungen (Steuerberatung, KFZ-Reparatur). Zu den Dienstleistungsunternehmen zählen u. a. Banken, Transportunternehmen, Reisebüros, Unternehmensberatungen, etc. Von besonderer Bedeutung sind die unternehmensbezogenen Dienstleistungen.

Direktinvestitionen Kapitalanlage im Ausland, die auf eine unternehmerische Beteiligung abzielt. Zu den Direktinvestitionen zählen u. a. die Errichtung von Auslandsniederlassungen, der Kauf von ausländischen Unternehmen, der Erwerb von ausländischen Beteiligungen oder die Ausstattung ausländischer verbundener Betriebsstätten mit Anlagemitteln oder Zuschüssen. Motive für Direktinvestitionen sind vor allem die Erschließung neuer Absatzmärkte, günstigere Produktionsbedingungen sowie die Nähe zu benötigten Rohstoffen. Im Rahmen der **Zahlungsbilanz** zählen die Direktinvestitionen zum Kapitalverkehr. Richtung und Umfang der Direktinvestition können u. a. ein Anhaltspunkt dafür sein, ob ein Land international als attraktiver Standort gilt oder nicht (**Schaubild 23**). Ende 2006 ergab sich ein Bestand deutscher Direktinvestitionen im Ausland von insgesamt 811,4 Mrd. Euro. Der Bestand an Direktinvestitionen aus dem Ausland in Deutschland betrug insgesamt 439,5 Mrd. Euro.

Direktversicherung siehe **Altersversorgung**

Direktzusage siehe **Altersversorgung**

Dirigismus Staatliche Eingriffe in den Wirtschaftsablauf. Sie werden meist damit gerechtfertigt, der Markt sei nicht in der Lage, wirtschafts- und vor allem sozialpolitisch erwünschte gesamtwirtschaftliche Ziele zu verwirklichen (These vom Marktversagen). Typische Beispiele sind staatliche Vorgaben für Investitionen (Investitionslenkung) oder Devisenkontrollen, aber auch **Subventionen**. Da diese staatlichen Eingriffe Marktergebnisse korrigieren sollen, führt Dirigismus im Sinne der reinen Marktsteuerung zur Fehllenkung von Ressourcen und damit langfristig für die Volkswirtschaft zu Verlusten an Effizienz, Beschäftigung und ökonomischem und sozialem Wohlstand. In dieser Sicht überwiegen die negativen Wirkungen die positiven Effekte, die man sich durch staatliches Eingreifen in den Marktprozess verspricht.

22 Wo ist der Urlaub am billigsten?

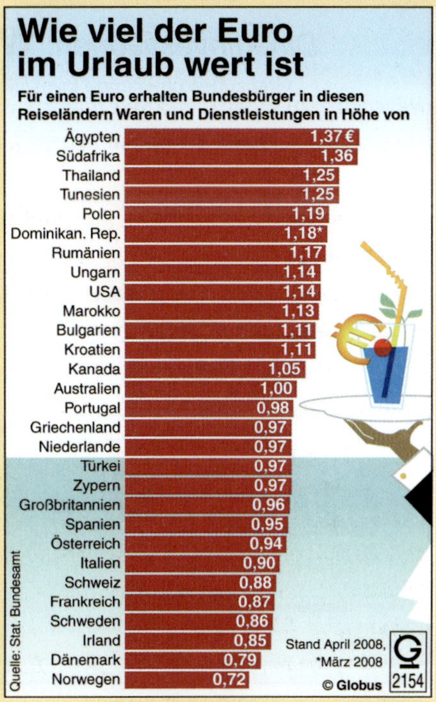

Disagio siehe **Agio**

Discounter Form des Einzelhandels, bei der durch einfache Geschäftsgestaltung, den Verzicht auf Bedienung, ein standardisiertes Angebot und eine große Einkaufsmacht niedrige **Kosten** und damit auch niedrige **Preise** für den Verbraucher möglich sind. Im Lebens-

23 Deutsche Investoren in aller Welt

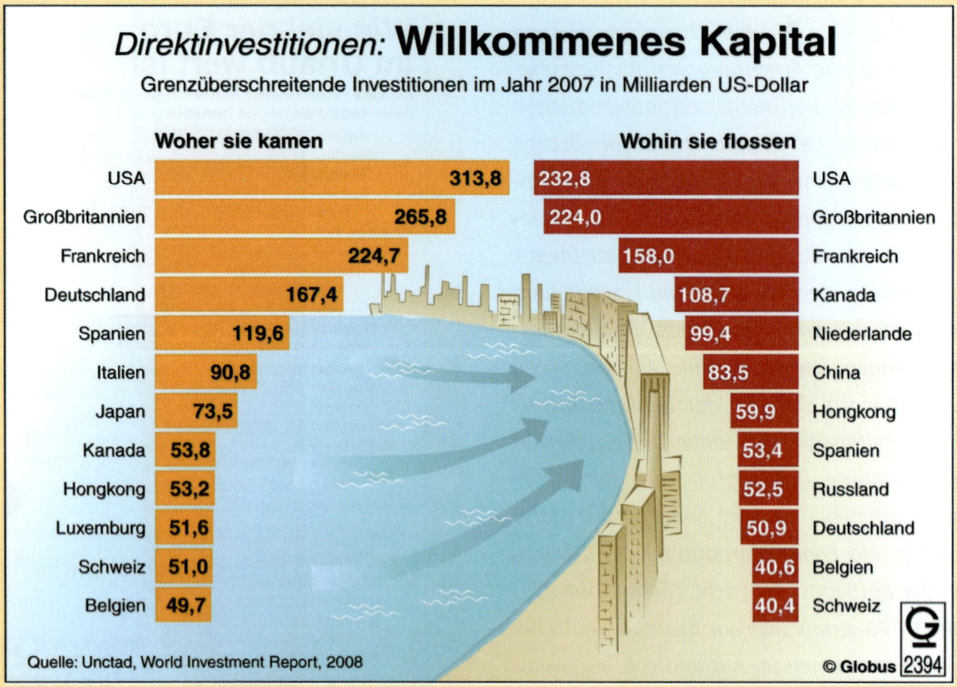

mitteleinzelhandel haben die Discounter mittlerweile einen Marktanteil von 44 %.

Diskontierung *1. Verkauf bzw. Erwerb einer noch nicht fälligen Forderung. Der Verkäufer der Forderung, die im Regelfall als* ***Wechsel*** *verbrieft ist, erhält auf diese Weise* ***Liquidität****. Das kaufende Kreditinstitut verlangt hierfür einen Zins, den Diskontsatz, sowie eine Provision.*

2. Finanzmathematisch die Abzinsung einer in Zukunft fälligen Zahlung (siehe ***Barwert****).*

Dispositionskredit *Von einem Dispositions- oder Überziehungskredit spricht man, wenn eine Bank ihrem Kunden die Möglichkeit einräumt, sein laufendes Konto bis zu einem bestimmten Betrag zu überziehen. Meist wird keine Sicherheit verlangt, weshalb die Bonität des Kreditnehmers entscheidend ist. Der Dispositionskredit ist der Kontokorrentkredit für Privatkunden.*

Diversifizierung *Die bewusste und gezielte Ausweitung des Angebots eines Unternehmens auf verschiedenartige Güter, um sich mehrere „Standbeine" zu schaffen. Unternehmen mit nur einem Produkt haben zwar u. U. technische und kostenmäßige Vorteile, sind aber anfällig gegenüber Veränderungen der Marktstruktur und gegenüber Konjunkturschwankungen. Durch die Angebotsausweitung werden diese Risiken begrenzt. Die Umsetzung einer Diversifizierungsstrategie kann aufwändig sein, wenn der Zielmarkt von spezialisierten Wettbewerbern geprägt ist.*

Dividende siehe **Aktie**

Doppelbesteuerung 1. Zur Vermeidung der doppelten Besteuerung der gleichen Einkünfte beim gleichen Steuerpflichtigen in verschiedenen Ländern (z. B. der bereits versteuerte Gewinn einer Auslandsniederlassung, der zur Muttergesellschaft transferiert wird und dort nochmals zu versteuern wäre; Dividendenbesteuerung ausländischer Aktien) bestehen zwischen einzelnen Staaten Doppelbesteuerungsabkommen.
2. Im Inland wird durch besondere Regelungen (Schachtelprivileg) bei wesentlichen **Beteiligungen** (Anteilsbesitz von mindestens 25 % des **Grund**- oder **Stammkapitals** einer Gesellschaft) eine Mehrfachbelastung des Gewinns bei der Einkommen- bzw. Körperschaftssteuer und der Gewerbesteuer vermieden.

Dritte Welt siehe **Entwicklungsländer**

Dubiose Zweifelhafte Forderungen. Beispiel: Ein Unternehmer hat Waren geliefert und erhält dafür zum vereinbarten Zahlungszeitpunkt nicht den Kaufpreis bezahlt; die Forderung wird zweifelhaft. In der **Bilanz** muss die Forderung entsprechend abgewertet werden.

Dumping Verkauf von Waren zu Preisen, die erheblich unter den Preisen für vergleichbare Güter liegen, ggf. auch unterhalb der Herstellungskosten. Dumping wird vor allem von ausländischen Anbietern eingesetzt, um neue Absatzmärkte zu erobern. Häufig wird Dumping durch mit **Subventionen** verbilligte Exporte vollzogen.

E

ec-Karte siehe **Bankkundenkarte**

Eckzins Zins für Spareinlagen (siehe **Einlagen**) mit der gesetzlichen Kündigungsfrist von drei Monaten.

ECOFIN Bezeichnung für den Rat der Wirtschafts- und Finanzminister der Europäischen Union (EU)

Effekten Allgemeiner Begriff für **Wertpapiere**

Effektive Stücke siehe **Tafelgeschäft**

Effektivklausel

> Der Zusatz „effektiv" neben einer Schuldsumme in ausländischer **Währung**, die im Inland zahlbar ist, bedeutet, dass die Bezahlung in der betreffenden Auslandswährung erfolgen muss und nicht in der Landeswährung.

> Bei **Tarifverträgen** bestimmen Effektivklauseln, dass tariflich vereinbarte Lohnerhöhungen für jeden Arbeitnehmer gleichermaßen gelten, auch wenn dessen Lohn über dem bisherigen Tariflohn lagen. Die Lohnerhöhung bezieht sich damit in vollem Umfang auf den effektiv gezahlten bisherigen Lohn.

EFTA Abk. für: European Free Trade Association, deutsch: Europäische Freihandelszone. Die EFTA wurde 1960 von Dänemark, Großbritannien, Norwegen, Österreich, Schweden und der Schweiz gegründet mit dem Ziel, ein Handelsgebiet ohne Zölle und Kontingentie-

rungen im Inneren zu errichten. Die meisten EFTA-Mitglieder sind mittlerweile der EU beigetreten, sie besteht nur noch aus Norwegen, dem 1970 beigetretenen Island, der Schweiz und Liechtenstein. Anders als in der EU, die gemeinsame Außenzölle festlegt, kann jedes EFTA-Mitglied seine Wirtschaftsbeziehungen gegenüber Drittstaaten autonom bestimmen. Bereits 1983 waren die letzten Zollbarrieren zwischen der EG und der EFTA gefallen. Auf diese Weise entstand in Europa eine große Freihandelszone mit dem Kernbereich der EG. 1994 vereinbarten die beiden Wirtschaftsblöcke die Schaffung eines ***Europäischen Wirtschaftsraumes*** *(****EWR*** *– siehe auch dort).*

Eigenkapital *Der Gesamtbetrag der in ein Unternehmen investierten Mittel (Geld, Sachwerte), die dem Eigentümer des Unternehmens gehören. Eigenkapital entsteht aus Kapital- und Sacheinlagen des Eigentümers bzw. der Gesellschafter sowie aus nicht ausgeschütteten Gewinnen, die im Unternehmen belassen werden. Zum Eigenkapital im weiteren Sinne gehören auch die in der* ***Bilanz*** *eines Unternehmens nicht ausgewiesenen Stillen Reserven.*

Eine angemessene Eigenkapitalausstattung ist Basis der Kreditwürdigkeit eines Unternehmens, da das Eigenkapital im Insolvenzfall zur Befriedigung der Gläubiger diesen. 2006 betrug die Eigenmittelquote (Eigenkapital und Rücklagen) deutscher Unternehmen 25,2 % der Bilanzsumme. Gegenüber dem Jahr 1997 mit 16,2 % war dies eine wesentliche Verbesserung.

Für die einzelnen Unternehmens-Rechtsformen gibt es unterschiedliche Bezeichnungen für das Eigenkapital und verschiedenartige Anforderungen an die Mindestausstattung:

> *Das Eigenkapital einer* ***Aktiengesellschaft*** *wird Grundkapital genannt; es muss mindestens 50 000 Euro betragen. Es setzt sich zusammen aus dem von den Aktionären eingezahlten Gegenwert der Aktien und aus den Rücklagen, die aus einbehaltenen Gewinnen sowie dem Agio, das bei der Ausgabe von Aktien anfällt, gebildet werden.*

> *Das Stammkapital (= Eigenkapital) einer* ***Gesellschaft mit beschränkter Haftung (GmbH)*** *muss mindestens 25 000 Euro betragen. Es setzt sich zusammen aus den von den Gesellschaftern gezeichneten Geschäftsanteilen und den Rücklagen.*

> *In Personengesellschaften haften in der Regel die Gesellschafter auch mit ihrem Privatvermögen für die Verbindlichkeiten des Unternehmens (Ausnahme: die Kommanditisten in einer Kommanditgesellschaft). Die Vermögenswerte der Gesellschafter werden deshalb dem Eigenkapital zugerechnet.*

Eigentum *Das umfassende Recht an einer Sache. Der Eigentümer kann über die ihm gehörenden beweglichen und unbeweglichen Sachen grundsätzlich frei verfügen. Eigentum ermöglicht dem Einzelnen wirtschaftliche und gesellschaftliche Eigenverantwortung, Eigenvorsorge und einen gewissen Grad an Unabhängigkeit. Es ist Grundlage der marktwirtschaftlichen Wirtschaftsordnung. In der Bundesrepublik ist das Eigentum durch das Grundgesetz verfassungsmäßig geschützt. Das Grundgesetz legt zugleich aber fest, dass Eigentum einer sozialen Verpflichtung unterliegt und sein Gebrauch nicht willkürlich sein darf. In zu begründenden Ausnahmefällen ist deshalb auch eine Enteignung gegen Entschädigung möglich.*

Im Gegensatz zum Eigentum ist der Besitz die augenblickliche tatsächliche Herrschaft über eine Sache, ohne dass auch Eigentum daran bestehen muss. Typischerweise sind bei Miet- oder Leasingverträgen Eigentum und Besitz getrennt. Dem Vermieter gehört die Wohnung, der Mieter besitzt sie zur Nutzung. Das geleaste Fahrzeug gehört dem Leasinggeber, der Leasingnehmer ist aber Besitzer und zur Nutzung berechtigt. Genau wie das Eigentum gewährt auch der Besitz besondere Rechte gegenüber Dritten.

Eigentumsvorbehalt *siehe* ***Kaufvertrag***

Ein-Euro-Jobs *Ein-Euro-Jobs sind ein Element der Arbeitsmarktpolitik. Arbeitslose, die schwer zu vermitteln sind, führen sozialabgabenfreie gemeinnützige Tätigkeiten für Wohlfahrtsverbände oder Kommunen aus. Die Entlohnung beträgt meist einen Euro bis maximal zwei Euro pro Stunde, die ergänzend zur Grundsicherung für Arbeitslose (Arbeitslosengeld II) gezahlt wird. Wer mehr als 15 Wochen-Arbeitsstunden in einem Ein-Euro-Job tätig ist, wird in der Statistik der Bundesagentur für Arbeit nicht mehr als arbeitslos geführt. Die Maßnahme dient vor allem dazu, Arbeitslose wieder an geregelte Tätigkeiten heranzuführen, um so Vermittlungshemmnisse abzubauen.*

Einfuhr *siehe* ***Außenhandel***

Einheitliche Europäische Akte
siehe ***Europäische Union***

Einkommen *Im weitesten Sinne Geldbeträge oder Güter, die Personen oder Unternehmen aus Arbeit, Besitz oder anderen Quellen zufließen. Man unterscheidet*

- *Arbeitnehmerentgelt: Löhne und Gehälter (einschließlich der Arbeitgeberanteile zur Sozialversicherung),*
- *Unternehmenseinkommen: Gewinne,*
- *Vermögenseinkommen: Zinsen, Mieten, Pachten u. Ä.,*
- *Monetäre Sozialleistungen: Renten, Pensionen, Arbeitslosengeld, Grundsicherung etc.*

Die Summe aus Arbeitnehmerentgelt sowie Unternehmens- und Vermögenseinkommen ist das Volkseinkommen. Das verfügbare Einkommen der privaten Haushalte setzt sich zusammen aus den Nettolöhnen und -gehältern, Betriebsüberschüssen, Selbstständigeneinkommen, dem Saldo der Vermögenseinkommen, monetären Sozialleistungen, abzüglich Abgaben auf Sozialleistungen sowie dem Saldo der laufenden Transfers.
Das durchschnittliche monatliche Arbeitnehmerentgelt incl. der Arbeitgeberbeiträge zur Sozialversicherung je Arbeitnehmer belief sich im Jahr 2007 auf 2 795 Euro brutto, als tatsächlich verfügbares Nettogehalt verblieben davon 2007 1 471 Euro. (Siehe ***Schaubild 24****)*

Einlagen *1. Guthaben, die vom Kunden auf Konten bei einem Kreditinstitut (siehe* ***Bank****) gehalten werden. Einlagen entstehen durch Einzahlung von Bargeld, Überweisung oder Einreichung eines Schecks bei der Bank. Man unterscheidet:*

- *Sichteinlagen: Bankguthaben, über die der Einleger jederzeit verfügen kann, weshalb sie auch täglich fällige Gelder genannt werden. Es erfolgt meist keine oder nur eine geringe Verzinsung.*

24 Veränderung der Nettolöhne je Arbeitnehmer (in % gegen Vorjahr)

	nominal	real
1994	0,1	– 2,5
1995	0,7	– 1,0
1996	– 0,2	– 1,6
1997	– 1,3	– 3,1
1998	1,1	0,2
1999	1,8	1,2
2000	2,1	0,7
2001	3,3	1,3
2002	1,0	– 0,4
2003	0,7	– 0,3
2004	2,4	0,8
2005	0,4	– 1,6
2006	– 0,2	– 1,8
2007	0,9	– 1,2

Quelle: Statistisches Bundesamt

> Termineinlagen: Einlagen, die für eine bestimmte Zeit dem Kreditinstitut überlassen und über die in der Frist i. d. R. nicht verfügt werden kann. Entsprechend ist die Verzinsung höher.

> Spareinlagen: Guthaben auf einem Sparkonto, über das eine Urkunde, meist als Sparbuch, ausgestellt wird. Im Regelfall sind vor der Verfügung Kündigungsfristen zu beachten.

2. Der Begriff Einlagen wird auch verwendet für die Zahlungen oder Sachleistungen, mit denen ein Gesellschafter Anteile an einem Unternehmen erwirbt. Er tätigt dann eine Einlage bei dem Unternehmen, an dem er sich beteiligt (siehe **Eigenkapital**).

Einlagensicherung Sicherung von Kundeneinlagen bei Kreditinstituten für den Fall, dass eine Bank insolvent (siehe **Insolvenz**) wird. Das Guthaben der Kunden privater Banken wird seit 1976 durch den Einlagensicherungsfonds, der aus Beiträgen der Mitgliedsinstitute gespeist wird, geschützt. Der Schutz erstreckt sich auf alle Einlagen eines Kunden bis zur Höhe von 30 % des haftenden Eigenkapitals der jeweiligen Bank. Diese Sicherheitsgarantie umfasst die Guthaben von Privatpersonen, Wirtschaftsunternehmen und öffentlichen Stellen, nicht aber die Guthaben von Banken bei anderen Kreditinstituten. Auch die Sparkassen und die genossenschaftlichen Kreditinstitute haben Einlagensicherungssysteme mit vollständiger Absicherung der Einlagen. Soweit Kreditinstitute keinem dieser Sicherungssysteme angehören gilt die gesetzliche Einlagensicherung – gesichert sind 90 % der Einlage bis zu 20 000 Euro. Insbesondere bei ausländischen Banken ist auf Umfang und Qualität der Einlagensicherung zu achten.

Einnahme siehe **Erfolg**

Einzelunternehmen siehe **Rechtsform**

Einzugsermächtigung siehe **Lastschrift**

Electronic Commerce Ausdruck für Geschäfte über das Internet. Das Internet hat sich in den letzten Jahren weitgehend als Standardmedium durchgesetzt. In Deutschland nutzen mittlerweile 42,8 Mio. Menschen das Internet. Das sind 66 % der Wohnbevölkerung ab 14 Jahren. Mittlerweile bestimmt das Internet das Einkaufsverhalten: 97,1 Prozent (40,54 Mio.) der Nutzer informieren sich über

Produkte. Führend bei der Online-Recherche sind Urlaubs- und Last-Minute-Reisen, Bücher, Eintrittskarten, Hotels und Musik-CDs. Der Anteil der Online-Shopper unter den Internetnutzern liegt bei 84,9 Prozent, d. h. 35,47 Millionen Menschen haben in den vergangenen zwölf Monaten Waren im Internet gekauft. Auch für die Unternehmen ist die Nutzung des Internets unabdingbar. 97 % der Unternehmen haben eine Internetanbindung und 77 % verfügen über einen eigenen Webauftritt.

Embargo siehe **Sanktionen**

Emission

> Erstausgabe von **Wertpapieren**. Der Begriff umfasst den gesamten Vorgang von der Vorbereitung bis zum endgültigen Verkauf der Papiere an die Anleger. In den meisten Fällen versuchen die Aussteller der Wertpapiere (die Emittenten) nicht selbst, die neuen Papiere abzusetzen (zu platzieren), sondern bedienen sich hierbei der Dienste von Banken. Der Ausgabekurs für neue Wertpapiere ist der Emissionskurs.

> Der Begriff Emission wird auch im Bereich Umweltschutz für den Ausstoß von Schadstoffen verwendet. siehe hierzu auch **Immission, Umweltschutz**

Energiewirtschaft Wirtschaftszweig, der Energiequellen und -vorräte nutzbar macht. Hierbei unterscheidet man folgende Energieträger, die in Endenergie umgewandelt werden:

> Primärenergieträger sind die in der Natur vorkommenden Stoffe, aus denen Energie gewonnen werden kann. Hierzu gehören u. a.: Erdöl, Steinkohle, Braunkohle, Erdgas, Uran.

25 Das Energiejahr 2008

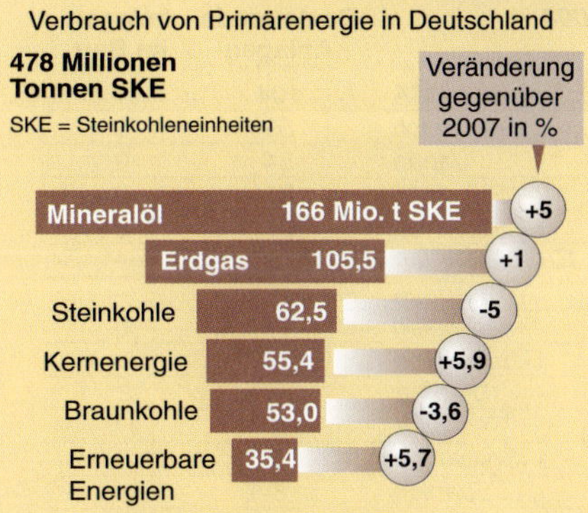

Quelle: Arbeitsgemeinschaft Energiebilanzen

Um aus ihnen Energie zu gewinnen, müssen sie umgewandelt werden zu

> Sekundärenergieträger wie z. B. Benzin, leichtes und schweres Heizöl, Koks, Briketts.

Die Vorräte an fossilen Energieträgern sind begrenzt. Beim gegenwärtigen Niveau des Energieverbrauchs (**Schaubild 25**) und dem derzeitigen Technikstand ist es wahrscheinlich, dass insbesondere Öl- und Gasvorräte innerhalb von zwei oder drei Generationen verbraucht sind. Die Kohlevorräte reichen weiter, allerdings ist Kohle wegen des hohen CO_2-Gehalts als Energieträger unter dem Aspekt des Klimaschutzes problematisch. Deswegen wird aktuell neben dem Ausbau alternativer Energiegewinnung aus Wind, Wasser, Sonne, Biomasse oder Biothermie wieder über eine weitere Nutzung der Kernenergie (**Schaubild 26**) diskutiert. Es ist eine der wichtigsten Aufgaben der Wirtschaftspolitik mittel- und langfristig für eine ausreichende Energieversorgung zu sorgen, die gleichzeitig auch den Zielen des Klimaschutzes verpflichtet ist (siehe **Schaubild 74**, Seite 139).

26 Kernkraftwerke in der Welt

2008	Bestehende Anlagen	Anlagen im Bau
USA	104	1
Frankreich	59	1
Japan	54	2
Russland	31	8
Südkorea	20	5
Großbritannien	19	–
Kanada	18	–
Indien	17	6
Deutschland	17	–
Ukraine	15	2
China	11	11
Schweden	10	–
Spanien	8	–
Belgien	7	–
Taiwan	6	2
Slowakei	4	–
Tschechien	6	–
Schweiz	5	–
Finnland	4	1
Ungarn	4	–
Bulgarien	2	2
Argentinien	2	1
Pakistan	2	1
Brasilien	2	–
Mexiko	2	–
Südafrika	2	–
Rumänien	2	–
Armenien	1	–
Niederlande	1	–
Litauen	1	–
Slowenien	1	–
Iran	–	1
Gesamt	438	44

Quelle: IAEA

In Deutschland belief sich der Primärenergieverbrauch 2007 auf 473,6 Millionen Tonnen Steinkohleeinheiten (SKE), was gegenüber 2006 einen Rückgang von 4,8 % bedeutete. Insgesamt ist die Produktivität je Energieeinheit innerhalb der letzten Jahre erheblich gestiegen. Außerdem hat sich der Einsatz regenerativer Energieformen wie Sonnen- oder Windenergie auch aufgrund staatlicher Förderprogramme in einem Jahrzehnt verdoppelt.

Enteignung *Entzug des Eigentums, i. d. R. durch den Staat. Das Grundgesetz der Bundesrepublik garantiert jedem Bürger sein Eigentum. Dieses Recht kann aber in Ausnahmefällen durchbrochen werden. Dies darf jedoch nur auf Grund eines Gesetzes und zum Wohle der Allgemeinheit geschehen, verbunden mit dem Anspruch auf angemessene Entschädigung (Art. 14 GG). Beispiel: Enteignung von privatem Grund wegen des Baus einer Autobahn.*

Entgeltfortzahlung *(Auch Lohnfortzahlung genannt.) Erkrankt ein Arbeitnehmer und ist deshalb gehindert, seine Arbeitsleistung zu erbringen, so ist der Arbeitgeber verpflichtet, in den ersten sechs Wochen der Arbeitsunfähigkeit Lohn oder Gehalt zu zahlen. Nach diesen sechs Wochen erhält der Arbeitnehmer von der gesetzlichen Krankenversicherung bis zu 78 Wochen lang Krankengeld in Höhe von 70 % des Regelentgelts. Das deutsche System der Entgeltfortzahlung ist im Vergleich zu den meisten Nachbarländern in der Europäischen Union relativ großzügig.*

Entsendegesetz *Das Entsendegesetz von 1996 verpflichtet ausländische Unternehmen, die in Deutschland tätig sind oder Mitarbeiter nach Deutschland entsenden, die in der Bundesrepublik geltenden Tarifvereinbarungen einzuhalten. Das Entsendegesetz gilt für das Bauhauptgewerbe, das Baunebengewerbe, Briefdienstleister und Gebäudereiniger. Seit 2008 umfasst das Entsendegesetz auch Regelungen über die Höhe eines von den Tarifparteien festzulegenden* ***Mindestlohns****. Voraussetzung hierfür ist, dass die tarifgebundenen Arbeitgeber eines Wirtschaftszweiges bundesweit oder regional mindestens 50 Prozent der unter den Geltungsbereich aller Tarifverträge* *fallenden Arbeitnehmerinnen und Arbeitnehmer beschäftigen.*

Entwicklung *siehe* ***Forschung***

Entwicklungshilfe *Umfassende Bezeichnung für öffentliche und private Maßnahmen zur Förderung des Wirtschaftswachstums, der Infrastruktur und der sozialen Entwicklung in den* ***Entwicklungsländern****. Die Ziele, die bis 2015 erreicht werden sollen, wurden im Jahr 2000 in der sog. Milleniumserklärung von 189 Ländern konkretisiert: Halbierung des Anteils der Weltbevölkerung, der unter extremer Armut und Hunger leidet; Grundschulausbildung für alle Kinder; Stärkung der Rechte der Frauen und Gleichstellung der Geschlechter; Verringerung der Kindersterblichkeit, Verbesserung der Gesundheit der Mütter; Bekämpfung von AIDS, Malaria und anderer übertragbarer Krankheiten; verbesserter Schutz der Umwelt und Aufbau einer weltweiten Entwicklungspartnerschaft.*

Man unterscheidet folgende Formen der Entwicklungshilfe:

> *Öffentliche Entwicklungshilfe:*

- *Kostenlose technische Hilfe: Entsendung und/oder Bezahlung von Experten, Ausrüstungen und Waren, Ausbildung.*
- *Kredite: Niedrigverzinsliche Kredite, die für den Aufbau von Betrieben, zur Verbesserung der Verkehrswege, Bau von Krankenhäusern, Schulen etc. gewährt werden.*
- *Zuschüsse: Zuschüsse für Projekte internationaler Organisationen, wie z. B. der* ***Europäischen Gemeinschaften*** *und der* ***Weltbank****.*
- *Handelspolitische Maßnahmen: Gewährung von Zollvergünstigungen für Importe aus Entwicklungsländern oder von Absatzgarantien (siehe auch* ***Lomé-Abkommen****).*

> *Private Entwicklungshilfe:*

- *Investitionen: Investitionen der privaten Wirtschaft in Entwicklungsländern. Ausbildung und Vermittlung von technischem Wissen in den Werken.*
- *Zuwendungen und Privatinitiativen: Durchführung spezieller Projekte, initiiert von Privatpersonen bzw. privaten Hilfsorganisationen.*

Das internationale Ziel, den Entwicklungsländern öffentliche Mittel in Höhe von 0,7 % des Bruttonationaleinkommens zuzuleiten, wird weitgehend verfehlt. Die Bundesrepublik hat 2007 0,37 % des Bruttonationaleinkommens hierfür ausgegeben. Die Auswirkungen der seit 2007 wirkenden Finanzkrise dürften dazu führen, dass die Bereitschaft zu Ausgabensteigerungen eher abnimmt, gleichzeitig aber auch die Aufbaubemühungen bei den Entwicklungsländern einen Rückschlag erleiden werden. In der Summe ist festzustellen, dass die Lebensbedingungen in den Ländern der Dritten Welt zwar verbessert werden konnten, dies allerdings weit hinter den Erwartungen zurückbleibt. Demgegenüber erzielten Schwellenländer durch die Globalisierung erhebliche Erfolge.

Entwicklungsländer *Das Entwicklungsprogramm der Vereinten Nationen (UNDP) stuft in seinem Index der menschlichen Entwicklung (HDI) für die Jahre 2007/2008 insgesamt 107 von 177 erfassten Staaten als Länder mit geringer oder mittlerer Entwicklung ein (siehe* ***Schaubild 28****). Zu den am wenigsten entwickelten Ländern werden 2007 50 Länder gerechnet. Kriterium ist ein*

27 Entwicklungshilfe 2007

	Öffentliche Leistungen in Millionen US-Dollar	in % der Wirtschaftsleistung (% BIP)
	21 753	0,16
Deutschland	12 267	0,37
Frankreich	9 940	0,39
Großbritannien	9 921	0,36
Japan	7 691	0,17
Niederlande	6 215	0,81
Spanien	5 744	0,41
Schweden	4 334	0,93
Italien	3 929	0,19
Kanada	3 922	0,28
Norwegen	3 727	0,95
Dänemark	2 563	0,81
Australien	2 471	0,30
Belgien	1 953	0,43
Österreich	1 798	0,49
Schweiz	1 680	0,37
Irland	1 190	0,54
Finnland	973	0,40
Griechenland	501	0,16
Portugal	403	0,19
Luxemburg	365	0,90
Neuseeland	315	0,27
Summe	**103655**	**0,28**
EU	**62 095**	**0,40**
G7-Länder	**69 422**	**0,23**
Nicht-G7-Länder	**34 232**	**0,52**

Quelle: OECD 2008

Pro-Kopf-Einkommen von weniger als 750 US-Dollar pro Jahr, ein niedriger Wert in einem Index, der die Lebensqualität erfasst (Ernährung, Gesundheit, etc.) sowie ein Indikator, der die wirtschaftliche Anfälligkeit abbildet. Diese Darstellung bildet die Situation der Entwicklungsländer besser ab als die frühere Klassifizierung in Erste bis Dritte Welt, da es einigen früheren Entwicklungsländern in Asien und Südamerika mittlerweile gelungen ist, die Chancen der Globalisierung positiv zu nutzen. Entwicklungserfolge werden aber häufig durch die demographische Entwicklung zunichte gemacht. Bevölkerungsprognosen sprechen davon, dass im Jahre 2025 in Asien mehr als dreimal so viele Menschen leben wie im Jahre 1950, in Afrika sogar siebenmal so viele. Insgesamt wird prognostiziert, dass im Jahre 2025 ca. acht Milliarden Menschen die Erde bevölkern, im Jahr 2050 etwa 9,2 Milliarden, so dass dann möglicherweise besonders Probleme der Ernährung, Energieversorgung und Migration besondere Herausforderungen darstellen werden.

Erfolg *Das in Geldgrößen erfasste Ergebnis der wirtschaftlichen Tätigkeit von Unternehmen. Der Erfolg wird als Saldo aus in Geldeinheiten gemessenen Vorgängen einer Periode ermittelt und als* ***Gewinn*** *oder Verlust ausgewiesen. Je nach Berechnungsart unterscheidet man zwischen*

Ertrag – Aufwand
Einnahmen – Ausgaben
Leistungen – Kosten

> *Erträge sind die einer Rechnungsperiode sachlich zuzurechnenden Einnahmen; Aufwand ist die Summe der einer Rechnungsperiode sachlich zuzurechnenden Ausgaben.*

> *Einnahmen sind die in einer Rechnungsperiode dem Unternehmen tatsächlich zufließenden, Ausgaben die aus dem Unternehmen abfließenden Beträge.*

> *Leistungen und Kosten sind die in einer Rechnungsperiode anfallenden Erträge (bzw. der Aufwand), die in unmittelbarem Zusammenhang mit der eigentlichen betrieblichen Tätigkeit stehen.*

Ergänzungsabgabe *Ein – meist befristeter – Zuschlag zur Einkommen- und Körperschaftsteuer. Ergänzungsabgaben werden* erhoben, um bestimmte außerordentliche öffentliche Aufgaben (z. B. die Finanzierung der Kosten der deutschen Einheit durch den Solidaritätszuschlag von 5,5 % auf die Einkommen- oder Körperschaftsteuer 1990/91 und wieder seit 1994) zu finanzieren. Eine Ergänzungsabgabe kann auch zur Abschöpfung eines Teils der gesamtwirtschaftlichen Nachfrage in einer Boomphase eingesetzt werden. Dies war zwischen 1968 und 1974 der Fall.

ERP-Sondervermögen Abk. für: European Recovery Program – Europäisches Wiederaufbauprogramm. Ein Sondervermögen des Bundes, das aus den Mitteln des Marshall- Planes, dem amerikanischen Aufbauprogramm für die durch den 2. Weltkrieg zerstörten europäischen Länder, gebildet wurde.
Aus diesem Sondervermögen werden im Rahmen bestimmter Programme (Wirtschafts- und Innovationsförderung, Umweltschutz) Kredite zu günstigen Konditionen vorzugsweise an Existenzgründer und mittelständische Unternehmen vergeben. Zuständig ist die KFW-Industriebank, Im Jahre 2006 wurden an 8 671 Unternehmen Kredite von 5,1 Mrd. Euro vergeben.

Ertrag siehe **Erfolg**

Erwerbspersonen Alle Personen der Bevölkerung, die eine auf Erwerb gerichtete Tätigkeit ausüben oder ausüben wollen. In der Bundesrepublik mit 82,1 Millionen (Mio.) Einwohnern waren Ende 2008 43,6 Mio. Erwerbspersonen. Davon waren:

- 40,7 Mio. Erwerbstätige: Personen, die eine Tätigkeit ausüben,

28 Die dreigeteilte Welt

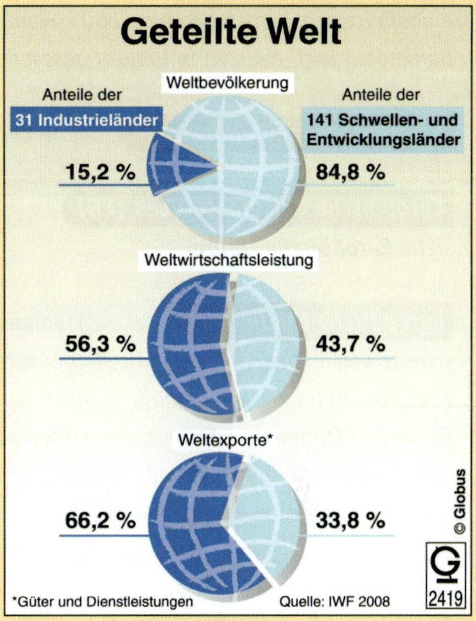

- 4,4 Mio. Selbstständige: Personen, die ein eigenes Unternehmen führen.
- 36,3 Mio. Abhängig Beschäftigte (Arbeitnehmer).
- 2,9 Mio. Erwerbslose: Personen, die keiner gewerblichen Tätigkeit nachgehen, aber einen Arbeitsplatz suchen.

Nicht zu den Erwerbspersonen (46,8 % der Bevölkerung) zählen Kinder, Jugendliche in der schulischen Ausbildung, Studenten, Hausfrauen und -männer, Rentner und Müßiggänger.

Etat siehe **Öffentliche Haushalte**

Euratom siehe **Europäische Union**

Euro Bezeichnung der einheitlichen **Währung**, die mittlerweile in 16 Ländern der

Europäischen Wirtschafts- und Währungsunion gültig ist. Der Euro wurde zum 1. 1. 1999 eingeführt, ab dem 1. Januar 2002 wurden Banknoten und -Münzen in Umlauf gebracht.

Europäische Freihandelszone *siehe* ***EFTA***

Europäische Gemeinschaften (EG) *siehe* ***Europäische Union***

Europäische Union (EU) *Zusammenschluss von aktuell 27 europäischen Staaten (Belgien, Bulgarien, Dänemark, Deutschland, Estland, Finnland, Frankreich, Griechenland, Großbritannien, Irland, Italien, Lettland, Litauen, Luxemburg, Malta, Niederlande, Österreich, Polen, Portugal, Rumänien, Schweden, Slowakei, Slowenien, Spanien, Tschechien, Ungarn, Zypern), siehe* ***Schaubild 29****.*

Die Europäische Union entstand am 1. 11. 1993 als Fortentwicklung der Europäischen Gemeinschaften (EG) mit dem Inkrafttreten des Maastricht-Vertrages (vereinbart am 7. Dezember 1991) und ergänzt durch den Amsterdamer Vertrag von 1997 sowie den Vertrag von Nizza (2003).

Im Juli 2004 vereinbarten die Staats- und Regierungschefs einen Verfassungsvertrag für die EU, dessen Ratifizierung scheiterte. Seine Inhalte finden sich weitgehend im Lissabon-Vertrag vom 13. Dezember 2007, der in Kraft tritt, wenn ihn alle Mitgliedsländer ratifiziert haben. Mittlerweile haben ihn 25 Länder ratifiziert, in Tschechien fehlt noch die Zustimmung des Senats und die Unterschrift des Präsidenten, in Irland wurde der Vertrag mit einem Referendum abgelehnt. Es wird aber für eine weitere Abstimmung geworben.

Wesentliches Anliegen des Lissabon-Vertrags ist eine Vergrößerung der Effizienz der Entscheidungen, die Stärkung der demokratischen Prozesse in der EU und eine verbesserte Vertretung nach außen.

> Die Europäische Union ruht auf drei Säulen:

- *Verstärkung einer gemeinsamen Außen- und Sicherheitspolitik mit einem zuständigen „Außenkommissar". Der Vertrag von Lissabon nennt die allgemeinen Grundsätze und Ziele der Außenpolitik der Europäischen Union: Demokratie, Rechtsstaatlichkeit, universelle Gültigkeit und Unteilbarkeit der Menschenrechte und Grundfreiheiten, die Achtung der Menschenwürde, der Grundsatz der Gleichheit und der Grundsatz der Solidarität.*
- *Enge Zusammenarbeit in den Bereichen Justiz und Inneres. Der Vertrag von Lissabon soll die Handlungsfähigkeit auf europäischer Ebene verbessern, indem fast immer die „Gemeinschaftsmethode" Anwendung findet, das heißt die Beschlussfassung mit qualifizierter Mehrheit auf Grundlage von Vorschlägen der Kommission. Als inhaltliche Problemfelder gelten insbesondere das Grenzregime (Migration, Asylpolitik,* ***Schengen****), die Bekämpfung der Kriminalität (Drogen, organisierte Kriminalität) und die Zusammenarbeit in der Justiz und im Zollwesen.*
- *Europäische Gemeinschaften, ergänzt durch den gemeinsamen Binnenmarkt und die bestehende Wirtschafts- und Währungsunion. Die Europäischen Gemeinschaften sind eine Sammelbezeichnung für die „Europäische Gemeinschaft für Kohle und Stahl" (EGKS oder Montanunion), die „Europäische Wirtschaftsge-*

29 Europäische Union: Die Menschen und die Wirtschaft

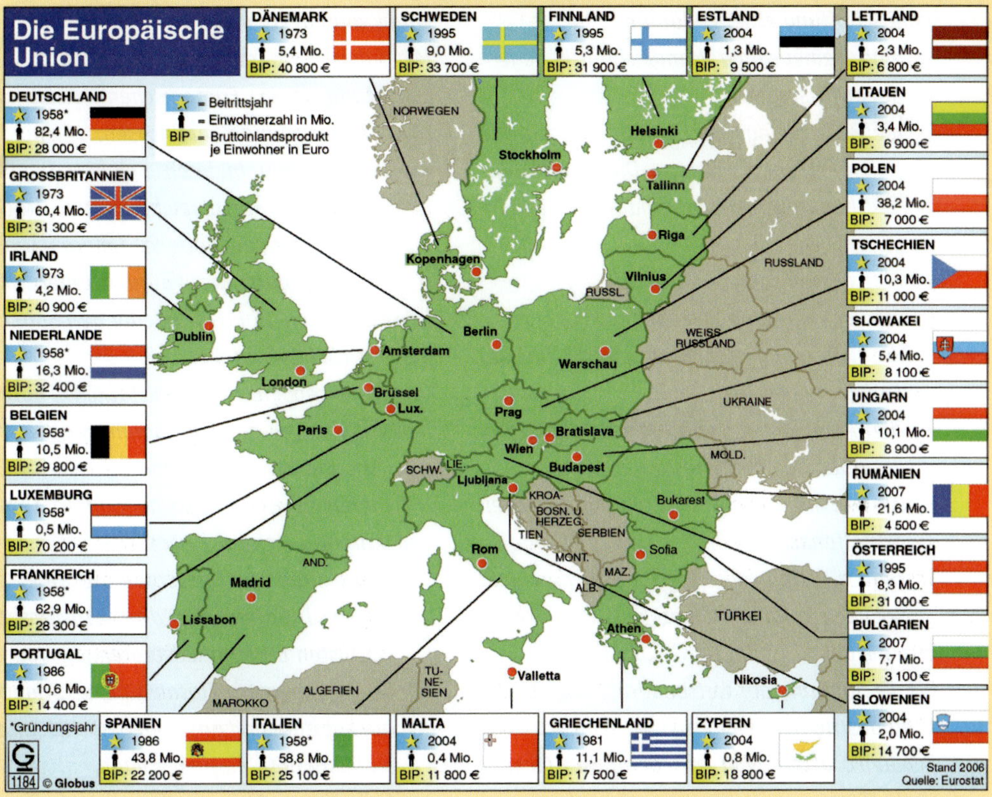

meinschaft" (EWG), die „Europäische Atomgemeinschaft" (Euratom bzw. EAG). Juristisch sind diese drei Gemeinschaften nach wie vor selbstständige Einrichtungen, auch wenn ihre Organe seit 1967 zu gemeinschaftlichen Institutionen verschmolzen sind.

> Die Gemeinschaften

- Europäische Gemeinschaft für Kohle und Stahl (EGKS, Montanunion): Die Bundesrepublik Deutschland, Belgien, Frankreich, Italien, Luxemburg und die Niederlande schufen 1952 einen gemeinsamen Markt für Kohle und Stahl, Erz und Schrott. Zölle und Kontingente wurden abgeschafft und ein gemeinsamer Außenzoll eingeführt.
- Europäische Wirtschaftsgemeinschaft (EWG): Kernstück der Europäischen Gemeinschaften. Ihr Ziel ist die Errichtung eines gemeinsamen Marktes in Europa und – hiermit zusammenhängend – die schrittweise Annäherung der Wirtschaftspolitik zwischen den Mitgliedstaaten der Gemeinschaft.

Der EWG-Vertrag wurde am 25. 3. 1957 unterzeichnet und trat am 1. 1. 1958 in Kraft. Er wurde durch die Einheitliche Europäische Akte (1987) und durch den Maastricht-Vertrag

(1993) ergänzt. Konkrete Zielsetzungen des Vertrages sind:

- *die Schaffung einer Zollunion,*
- *eine gemeinsame Handelspolitik gegenüber Drittstaaten,*
- *die Beseitigung von Hemmnissen für den freien Personen-, Waren-, Dienstleistungs- und Kapitalverkehr innerhalb der Gemeinschaft,*
- *eine gemeinsame Agrarpolitik,*
- *eine gemeinsame Verkehrspolitik,*
- *die Förderung des Wettbewerbs in der Gemeinschaft,*
- *die Angleichung von Rechtsvorschriften zwischen den Mitgliedstaaten,*
- *eine Sozialpolitik mit einem Europäischen Sozialfonds,*
- *die Stärkung des wirtschaftlichen und sozialen Zusammenhalts,*
- *eine gemeinsame Umweltpolitik,*
- *die Stärkung der Wettbewerbsfähigkeit der Industrie der Gemeinschaft,*
- *die Förderung von Forschung und Technologien,*
- *die Förderung des Auf- und Ausbaus transeuropäischer Netze,*
- *hohes Gesundheitsschutzniveau,*
- *Bildung und Kultur,*
- *Entwicklungszusammenarbeit,*
- *Assoziierung überseeischer Länder und Gebiete,*
- *Verbesserung des Verbraucherschutzes,*
- *Energie, Katastrophenschutz, Fremdenverkehr.*

Ein Vielzahl dieser Ziele ist inzwischen verwirklicht. Die Zollunion wurde 1968 realisiert. Im Warenhandel mit Nicht-Mitgliedstaaten gilt ein gemeinsamer Außenzolltarif. Außerdem wurde der gemeinsame ***Agrarmarkt*** *geschaffen. Auf anderen Gebieten, wie z. B. bei der Entwicklung einer gemeinsamen Verkehrspolitik, ist die Gemeinschaft dagegen bislang kaum vorangekommen.*

Mit dem Maastricht-Vertrag wurde die Errichtung einer Europäischen Wirtschafts- und Währungsunion beschlossen.

*Ab Januar 1999 bildeten Belgien, Deutschland, Finnland, Frankreich, Irland, Italien, Luxemburg, die Niederlande, Österreich, Portugal und Spanien die Währungsunion. Mittlerweile haben 16 EU-Mitglieder den Euro eingeführt (**Schaubild 34**).*

Die übrigen EU-Mitgliedstaaten können nachfolgen. Vor einer Aufnahme in die Wirtschafts- und Währungsunion müssen sie Eintrittsbedingungen, die so genannten Konvergenzkriterien, erfüllen, nämlich:

- *hoher Grad an Preisstabilität, orientiert an der Inflationsrate der höchstens drei stabilsten EU-Mitgliedstaaten,*
- *keine extremen Zinsabstände, orientiert am Kapitalmarktzins in den höchstens drei stabilsten EU-Mitgliedstaaten,*
- *kein übermäßiges öffentliches Defizit. Mindestbedingungen: das laufende Defizit darf nicht mehr als 3 % des Bruttoinlandsprodukts betragen, die gesamten öffentlichen Schulden dürfen nicht mehr als 60 % des Bruttoinlandsprodukts betragen,*
- *Teilnahme am Wechselkursmechanismus des Europäischen Währungssystems.*

Seit Errichtung der EWG hat sich der Handelsaustausch zwischen den Ländern der heutigen EU versechsfacht. Fast ein Fünftel aller auf dem Weltmarkt gehandelten Waren stammt aus Mitgliedsländern der Union, die mit 493 Mio. Einwohner rund 7 % der Weltbevölkerung stellt.

- *Europäische Atomgemeinschaft (Euratom oder EAG): Gleichzeitig mit der EWG wurde*

30 So funktioniert die EU

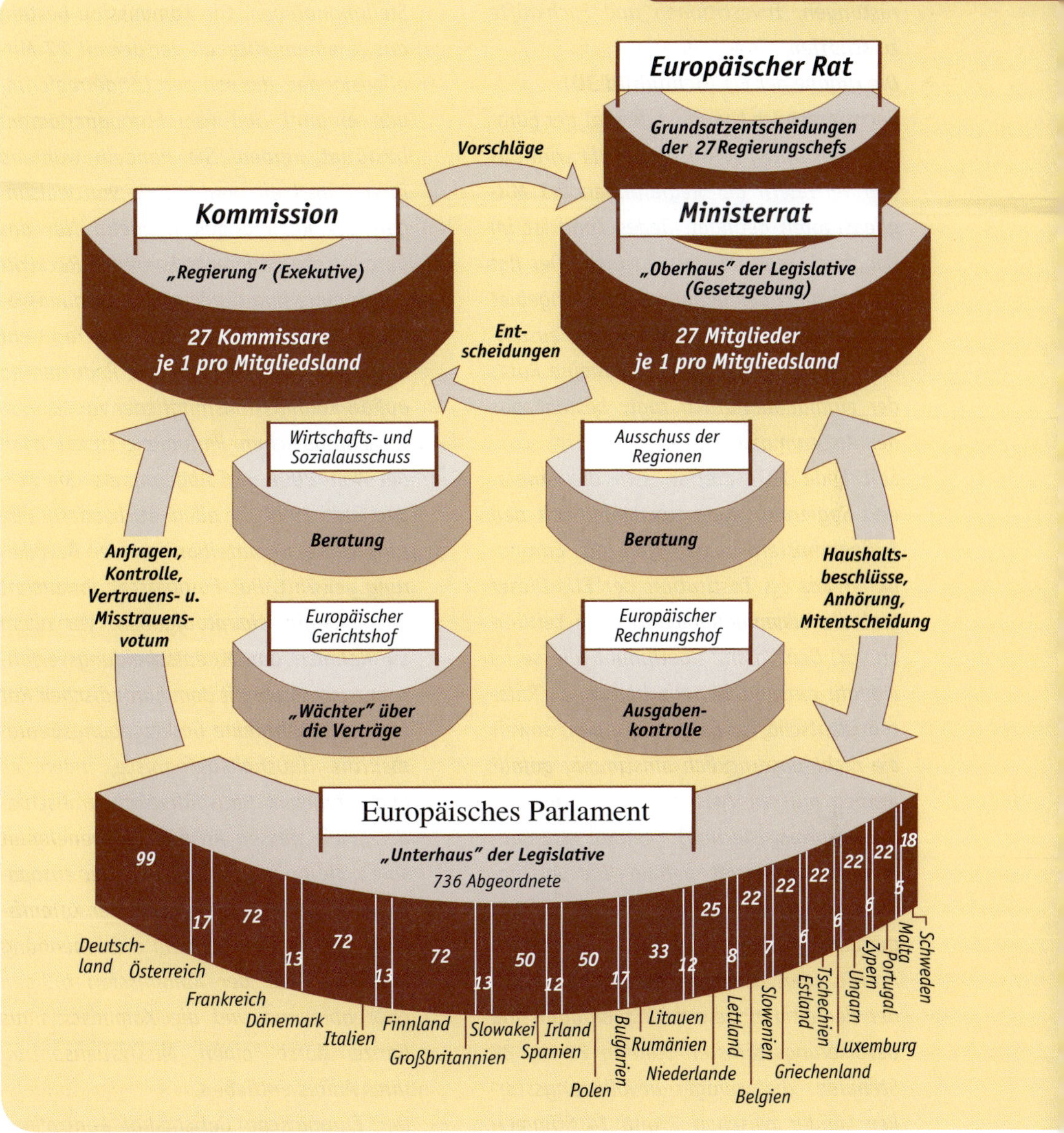

1958 Euratom gegründet mit der Aufgabe, die erforderlichen Voraussetzungen für die schnelle Entwicklung der Kernindustrie in den Mitgliedsländern zu schaffen. Euratom fördert die Forschung, die Ausbreitung technischer Kenntnisse und die Investitionen in diesem Wirtschaftszweig. Sie hat außerdem für den Gesundheitsschutz zu sorgen, die Versorgung mit Erzen und Kernbrennstoffen sicherzustellen und einen gemeinsamen Markt für die auf dem Gebiet der friedlichen Nutzung *der Kernenergie verwendeten Stoffe, Ausrüstungen, Investitionen und Fachkräfte zu schaffen.*

> *Die Organe der EU (**Schaubild 30**)*

- *Rechtsetzendes Organ ist der Rat der Europäischen Union (Ministerrat). Er wird aus den Vertretern der Regierungen der Mitgliedstaaten gebildet. Jedes Land ist im Rat durch eine Person vertreten. Der Rat setzt sich je nach behandeltem Sachgebiet aus den jeweiligen Fachministern zusammen (Ministerrat). Der „Allgemeine Rat", der einmal monatlich tagt, besteht aus den Außenministern.*
- *Seit Ende 1974 treffen sich die Staats- und Regierungschefs zusammen mit den Außenministern regelmäßig als Europäischer Rat als Institution der EU. Dieser gibt die allgemeinen politischen Leitlinien vor. Den Vorsitz übernimmt alle sechs Monate ein anderes Mitgliedsland (Ratspräsidentschaft). Entscheidungen, soweit sie nicht ausdrücklich einstimmig gefällt werden müssen (wie z. B. in Fragen der Steuerharmonisierung), werden mit qualifizierter Mehrheit gefällt. Die Abstimmung mit qualifizierter Mehrheit im Rat der Europäischen Union erfolgt nach dem Prinzip der Stimmengewichtung. Nach der derzeitigen Gewichtung erhalten die bevölkerungsstärksten Staaten 27 bis 29 Stimmen, die weniger bevölkerungsstarken Länder zwischen 7 und 14 Stimmen und die „kleinen Länder" 3 oder 4 Stimmen. Zur Beschlussfassung sind 255 von 345 Stimmen erforderlich.*
- *Die Europäische Kommission sorgt für die Durchführung der Verträge und Abmachungen und gibt Anstoß zu gemeinschaftlichen Aktionen in Form von Empfehlungen, Richtlinienvorschlägen und Stellungnahmen. Die Kommission besteht aus je einem Mitglied der derzeit 27 Mitgliedsländer, die von den Länderregierungen ernannt und vom Europaparlament bestätigt werden. Sie handeln während ihrer Dienstzeit unabhängig von Weisungen der Regierungen handeln. Nur das Europäische Parlament kann den Rücktritt der Kommission durch ein Misstrauensvotum erzwingen. Der Lissabon-Vertrag sieht aus praktischen Gründen eine Reduzierung auf 18 Kommissionsmitglieder vor.*
- *Im Europäischen Parlament sitzen nach der Wahl 2009 736 Abgeordnete. Sie werden seit 1979 in allen EU-Ländern alle fünf Jahre unmittelbar von der Bevölkerung gewählt. Das Europäische Parlament hat folgende Hauptaufgaben: Vor allem im Rahmen des Mitentscheidungsverfahrens zusammen mit dem Europäischen Rat eine eingeschränkte Gesetzgebungsbefugnis; die Haushaltsbefugnisse, indem es den jährlichen Haushaltsplan verabschiedet sowie dessen Ausführung genehmigt sowie die politische Kontrolle der europäischen Organe, insbesondere der Kommission. Das Parlament kann die Ernennung der Mitglieder der Kommission billigen oder ablehnen und die Kommission als Ganze durch einen Misstrauensantrag ihres Amtes entheben.*
- *Der Europäische Gerichtshof kontrolliert die Gültigkeit der Rechtsakte der Legislative wie auch das Handeln der Exekutive. Außerdem überwacht er die Einhaltung des Gemeinschaftsrechts und legt dieses verbindlich aus. Wichtig ist dabei die Kontrolle, ob nationale Gesetze, Verordnun-*

gen oder auch Gerichtsentscheidungen mit dem EU-Recht in Einklang stehen.

Zur Unterstützung von Rat und Kommission gibt es eine Reihe weiterer Einrichtungen wie den Wirtschafts- und Sozialausschuss mit Vertretern von Wirtschafts- und Arbeitgeberverbänden und Gewerkschaften, den Ausschuss der Regionen, die Europäische Investitionsbank, die **Europäische Zentralbank** sowie 30 weitere Einrichtungen (z. B. Europol).

Der Haushalt der EU wird seit 1980 aus eigenen Einnahmen finanziert.

> Die Mittel (2009: 133,8 Mrd. Euro) stammen aus drei Quellen:

- Zölle und Agrarabschöpfungen (17 % des Haushalts 2006),
- EU-Anteile aus den nationalen Mehrwertsteuereinnahmen (17 %),
- EU-Eigenmittel als auf das Bruttonationaleinkommen der Mitgliedsländer angewandter einheitlicher Satz (65 %),
- sowie 1 % Sonstiges insbesondere aus Einkommensteuern der EU-Bediensteten.

2009 entfällt der größte Anteil des EU-Haushalts von 133,8 Mrd. Euro – 45 % bzw. 60 Mrd. Euro – auf Maßnahmen in den Bereichen Forschung, Innovation, Beschäftigung und regionale Entwicklung. Die Mittelausstattung für die Landwirtschaft beläuft sich auf mehr als 40 % der EU-Ausgaben, etwa 53 Mrd. Euro, und bleibt damit stabil. Die Ausgaben für die Bereiche Umwelt und Entwicklung des ländlichen Raums werden um 2,9 % erhöht. Die Ausgaben für die auswärtige Tätigkeit der EU werden 2009 ebenfalls aufgestockt, u. a. werden die Mittel zur Finanzierung der Nahrungsmittelfazilität – 1 Mrd. EUR – um 0,6 Mrd. EUR erhöht, damit die Entwicklungsländer auf die steigenden Nahrungsmittelpreise besser reagieren können. Die Ausgabenstruktur des EU-Haushalts zeigt **Schaubild 31**.

Europäische Währungspolitik Schon zu Zeiten des **Bretton-Woods-System** versuchte man die währungspolitische Zusammenarbeit in Europa zu verstärken. 1964 wurde der Ausschuss der Zentralbankgouverneure der EWG-Zentralbanken geschaffen. 1970 scheiterte ein erster Anlauf zur Errichtung einer **Europäischen Wirtschafts- und Währungsunion** („Werner-Plan"). Am 24. 4. 1972 wurde der Europäische Wechselkursverbund (Währungsschlange) in Kraft gesetzt, in dem die Währungen der Teilnehmerländer enger aneinander gebunden waren als nach dem Bretton-Woods-System erforderlich. Nach dem Übergang zum Floating (siehe **Wechselkurssystem**) im März 1973 blieb der Wechselkursverbund bestehen, reduzierte sich allerdings allmählich auf einen D-Mark-Block.

Am 13. 3. 1979 trat das Europäische Währungssystem (EWS) in Kraft. Das EWS sah feste

31 Haushalt der Europäischen Gemeinschaften 2009

Ausgabenschätzung nach EU-Politikbereichen

(in Mrd. Euro)	
1. Nachhaltiges Wachstum	60,2
2. Natürliche Ressourcen	56,1
3. Unionsbürgerschaft, Freiheit Sicherheit und Recht	1,5
4. Die EU als globaler Partner	8,1
5. Verwaltung	7,7
6. Ausgleichszahlungen zugunsten der neuen Mitgliedstaaten	0,2
Insgesamt	133,8

*Wechselkurse innerhalb einer Schwankungsbreite von 2,25 bzw. 6 % um den Leitkurs zwischen den Währungen vor. Nach Devisenmarktturbulenzen wurden am 1. 8. 1993 die Schwankungsbreiten auf 15 % ausgeweitet. Bei Überschreiten dieser Schwelle mussten die Notenbanken durch entsprechende Käufe bzw. Verkäufe intervenieren. Mit der Einführung des **Euro** wurde das EWS für die Länder, die an der Währungsunion teilnehmen, überflüssig. Seit dem 1. 1. 1999 gibt es ein EWS II für die Währungen der EU-Länder, die noch nicht der Währungsunion angehören und so an den Euro gebunden sind. Dänemark, Estland, Lettland und Litauen sind aktuell Mitglieder des EWS II. Dabei gilt eine Schwankungsbreite von ± 15 %, für die dänische Krone von ± 2,25 %. Jedoch halten die Notenbanken der einzelnen Teilnehmerstaaten die Wechselkurse in einem sehr engen Rahmen. Die Teilnahme am EWS II ist eine der Voraussetzungen für den Beitritt zur Währungsunion.*

Europäische Wirtschafts- u. Währungsunion
siehe ***Europäische Union***

Europäischer Agrarmarkt und -politik
Ziel der Gemeinsamen Agrarpolitik (GAP) ist die Sicherung eines angemessenen Lebensstandards der Landwirte, die Versorgung der Verbraucher mit hochwertigen Nahrungsmitteln zu vernünftigen Preisen und die Erhaltung des ländlichen Erbes. Lebensmittelsicherheit, Schutz der Umwelt, ein positives Kosten-Leistungsverhältnis und die Nutzung von Kulturpflanzen als Energieträger sind immer stärker in den Mittelpunkt gerückt. Die Subventionierung der Massenproduktion und das Aufkaufen von Überschüssen zur Sicherung der Nahrungsmittelversorgung gehören weitgehend der Vergangenheit an. Heute geht es bei der EU-Agrarpolitik vor allem darum, dass die Erzeuger von Nahrungsmitteln – ob Getreide, Vieh, Gemüse oder Obst – auf den Märkten in Europa und weltweit auf eigenen Füßen stehen können. Wurden in den 70er Jahren noch 70 % des EU-Haushalts für die Agrarpolitik ausgegeben, so sind dies im Haushalt 2007 – 2013 im engeren Sinne noch 34 %. 11 % des Haushalts gehen in die Förderung der ländlichen Entwicklung.

Europäischer Binnenmarkt *Mit dem Inkrafttreten der Einheitlichen Europäischen Akte 1987 verpflichteten sich die EG-Mitgliedstaaten, bis Ende 1992 auf dem Gebiet der Gemeinschaft einen einheitlichen Binnenmarkt zu schaffen. Dieser Binnenmarkt ist definiert als Wirtschaftsraum ohne Binnengrenzen, in dem der freie Verkehr von Personen, Waren, Dienstleistungen und Kapital gewährleistet ist.*

Das Binnenmarktprogramm hat der wirtschaftlichen und sozialen Entwicklung in der Gemeinschaft einen kräftigen Anstoß gegeben. Durch Grenzsperren verursachte Behinderungen sind fortgefallen; die Arbeitsteilung innerhalb der Gemeinschaft wurde intensiviert und die Wettbewerbsfähigkeit der europäischen Wirtschaft erheblich verbessert.

> *Schritte in Richtung auf den Binnenmarkt:*

- *Beseitigung technischer Handelshemmnisse (z. B. über die Vereinheitlichung von **Normen**),*
- *Angleichung von Patent- und Urheberrecht,*
- *Liberalisierung des öffentlichen Auftragswesens,*
- *Neuordnung des Fernmeldewesens auf europäischer Ebene,*

- *Herstellung der Freizügigkeit in Bezug auf Wohnort und Arbeitsplatz innerhalb der Gemeinschaft,*
- *Liberalisierung des grenzüberschreitenden Kapitalverkehrs und Errichtung eines gemeinsamen Dienstleistungsmarktes (insbesondere im Kredit- und Versicherungswesen),*
- *Liberalisierung der Verkehrsmärkte,*
- *Harmonisierung von Steuern.*

Europäischer Wirtschaftsraum (EWR)

*1994 gegründeter Zusammenschluss von Europäischer Union (**EU**) und Europäischer Freihandelszone (**EFTA**) auf wirtschaftlichem Gebiet. Mitglieder sind die Länder der EU und der EFTA ohne die Schweiz, also Island, Liechtenstein und Norwegen. Der EWR dehnt die Freizügigkeit des EU-Binnenmarktes bei Waren-, Dienstleistungs-, Kapital- und Personenverkehr auf die EFTA-Mitgliedsländer aus. Ergänzend wird auch in den Bereichen Forschung, Bildung, Umwelt- und Verbraucherschutz zusammengearbeitet. (**Schaubild 32**).*

Europäisches System der Zentralbanken (ESZB)

Das für die EU zuständige Notenbankensystem. Das ESZB besteht aus der Europäischen Zentralbank (EZB) und den Notenbanken aller EU-Mitgliedsländer. Die EZB und die Notenbanken der Teilnehmerstaaten der Währungsunion bilden das Eurosystem. Die Grundsätze der Geldpolitik in der Währungsunion regelt der EG-Vertrag. Die konkrete Ausformulierung der Grundsätze und weitere Detailregelungen finden sich in der Satzung des ESZB und der EZB. Danach liegen die Kompetenzen für die Erfüllung der Aufgaben des ESZB bei der Europäischen Zentralbank. Die nationalen Notenbanken wirken im obersten Beschlussorgan der Zentralbank, dem EZB-Rat, mit. Sie sind auch im Wesentlichen für die technische Umsetzung der geldpolitischen Entscheidungen verantwortlich.

> *Organe des Eurosystems:*

- *EZB-Rat: Der Rat ist das oberste Entscheidungsgremium. Ihm gehören die Mitglieder des Direktoriums und die Präsidenten der 16 Zentralbanken der Teilnehmerländer an. Der EZB-Rat erlässt die Leitlinien für die Ausführung der Aufgaben, wie sie im Statut vorgesehen sind, und fasst die hierzu erforderlichen grundlegenden Beschlüsse. Insbesondere legt er die Grundlinien der Geldpolitik fest. Dazu gehören vor allem Entscheidungen über die geldpolitischen Zwischenziele, die Leitzinsen, die Bereitstellung von Zentralbankguthaben im Eurosystem und beispielsweise ein Geldmengenziel.*
- *Direktorium: Das Direktorium der Zentralbank besteht aus dem Präsidenten, dem Vizepräsidenten und vier weiteren Mitgliedern. Das Direktorium führt die Geldpolitik im Rahmen der Leitlinien aus, die vom EZB-Rat vorgegeben worden sind. Soweit hierbei die nationalen Notenbanken tätig werden sollen, erteilt ihnen das Direktorium die notwendigen Anweisungen.*
- *Erweiterter Rat: Ein Beschlussorgan, das so lange besteht, bis alle Mitgliedstaaten der EU an der Währungsunion teilnehmen. Er setzt sich zusammen aus dem Präsidenten und dem Vizepräsidenten des EZB sowie den Präsidenten der nationalen Notenbanken aller 27 EU-Mitgliedstaaten. Der Erweiterte Rat bewertet die wirtschaftlichen Fortschritte der noch nicht an der Währungsunion teilnehmenden Staaten, wirkt bei der Erhebung der statistischen*

32 Der europäische Wirtschaftsraum (EWR)

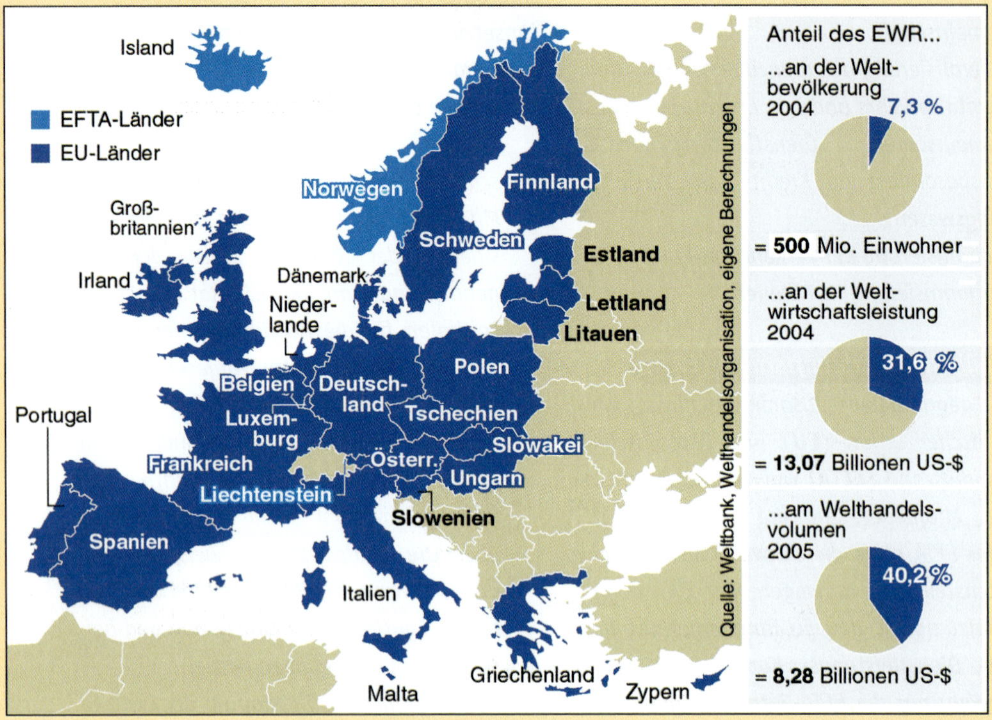

Daten und bei der Vorbereitung der Publikationen der EZB mit und beteiligt sich an den Vorbereitungsarbeiten für die Festlegung der Wechselkurse der Nichtteilnehmer-Währungen gegenüber dem Euro, wenn die betreffenden Länder in die Währungsgemeinschaft eintreten.

> *Aufgaben des ESZB:*

*Vorrangiges Ziel der Geldpolitik in der Währungsunion ist die Gewährleistung der Preisstabilität. Ferner soll das Europäische Zentralbankensystem die allgemeine Wirtschaftspolitik in der Europäischen Gemeinschaft unterstützen, soweit hierdurch die Preisstabilität beeinträchtigt wird (**Schaubild 33**). Unter Beachtung dieser Zielsetzung muss das ESZB folgende Aufgaben erfüllen:*

- *die Geldpolitik festlegen und durchführen,*
- *das reibungslose Funktionieren des Zahlungsverkehrs fördern,*
- *die offiziellen Währungsreserven der Mitgliedstaaten verwalten,*
- *Devisengeschäfte tätigen.*

Die EZB hat das alleinige Recht, die Euro-Banknoten als gesetzliches Zahlungsmittel in der Währungsunion auszugeben. Das Recht, Münzen zu prägen, verbleibt bei den Mitgliedstaaten.

Gemäß EU-Vertrag und Statut des ESZB ist das Zentralbanksystem politisch unabhängig. Die Notenbanken dürfen keine Kredite an die Europäische Union oder die Mitgliedstaaten vergeben. Damit trägt der EU-Vertrag der Erfahrung Rechnung, dass die großen Infla-

33 Die Europäischen Währungshüter

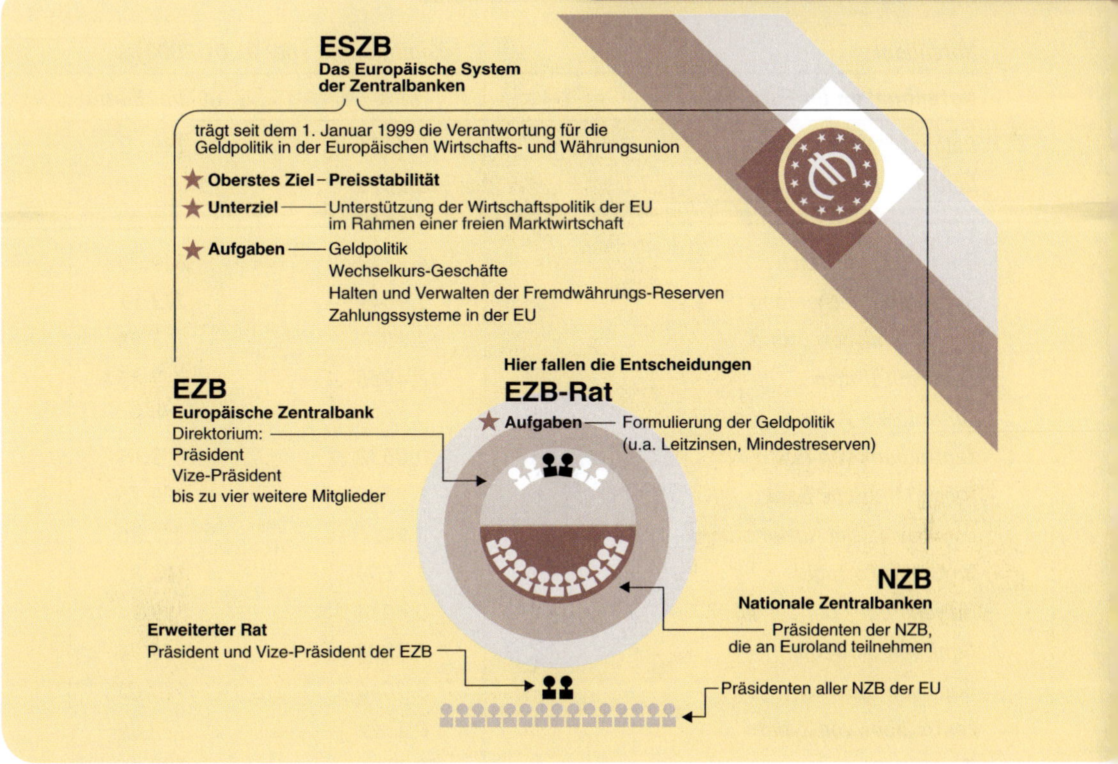

tionen der Geschichte auf Grund massiver Geldschöpfung durch Regierungen entstanden sind.

> *Kapital und Währungsreserven*

Die Europäische Zentralbank wird von den nationalen Notenbanken getragen. Sie bringen das Kapital auf. Insgesamt beträgt das Kapital der EZB zurzeit 5,8 Mrd. Euro. Die Kapitalanteile der nationalen Zentralbanken bemessen sich nach dem jeweiligen Anteil des Landes an der Gesamtbevölkerung sowie am Bruttoinlandsprodukt der Gemeinschaft (siehe ***Schaubild 34****). Auf die Deutsche Bundesbank entfallen rund 19 %. Die Europäische Zentralbank wurde von den Notenbanken der teilnehmenden Staaten nach dem gleichen Schlüssel mit Währungsreserven ausgestattet. Die nationalen Notenbanken erhielten als Gegenwert eine Forderung gegen die EZB in gleicher Höhe. Nach diesem Schlüssel haben die Notenbanken des Euro-Währungsgebietes insgesamt über 40 Mrd. Euro an Währungsreserven auf die EZB übertragen. Die Einzahlung erfolgte zu 15 % in Gold, zu 76,5 % in US-Dollar und zu 8,5 % in japanischen Yen.*

Nach der Übertragung des Kapitals und des eigenen Anteils an den gemeinsamen Währungsreserven auf die EZB verblieben die restlichen Währungsreserven in der nationalen Verfügungsgewalt. Der Rat der Europäischen Zentralbank hat allerdings Leitlinien erlassen, die sicherstellen, dass die nationalen Notenbanken mit ihren eigenen Reserven nur solche Devisengeschäfte betreiben, die die Geldpoli-

34 Grundkapital der Europäischen Zentralbank

Notenbank	Kapitalanteil (per 01.01.2009)	
Notenbanken im Euro-Raum	in %	in Mio. Euro
Belgische Nationalbank	2,4256	139,73
Deutsche Bundesbank	18,9373	1 090,90
Finnische Nationalbank	1,2539	72,23
Bank von Frankreich	14,2212	819,23
Bank von Griechenland	1,9649	113,19
Zentralbank von Irland	1,1107	63,98
Bank von Italien	12,4966	719,89
Zentralbank von Luxemburg	0,1747	10,06
Zentralbank von Malta	0,0632	3,64
Niederländische Bank	3,9882	229,75
Österreichische Nationalbank	1,9417	111,86
Bank von Portugal	1,7504	100,83
Nationalbank der Slowakei	0,6934	39,94
Bank von Slowenien	0,3288	18,94
Bank von Spanien	8,3040	478,63
Zentralbank von Zypern	0,1369	7,89
Zusammen	**69,7915**	**4 020,40**
Notenbanken außerhalb des Euro-Raums		
Dänische Nationalbank	1,4835	5,98
Schwedische Reichsbank	2,2582	9,11
Bank von England	14,5172	58,54
Tschechische Nationalbank	1,4472	5,84
Estnische Nationalbank	0,1790	0,72
Bank von Lettland	0,2837	1,14
Bank von Litauen	0,4256	1,72
Ungarische Nationalbank	1,3856	5,59
Nationalbank von Polen	4,8954	19,74
Zusammen	**30,2085**	**121,81**

Die EU-Notenbanken, die nicht dem Euro-Währungsgebiet angehören, müssen als Beitrag zu den Betriebskosten, die der EZB durch deren Teilnahme am Europäischen System der Zentralbanken (ESZB) entstehen, einen Mindestprozentsatz des von ihnen gezeichneten Kapitals einzahlen. Ab dem 1. Mai 2009 entspricht dieser Beitrag 7 % ihres gezeichneten Kapitals.

tik der europäischen Zentrale nicht stören. Die EZB kann bei Bedarf zusätzliche Währungsreserven anfordern.

> *Die geldpolitische Strategie:*
Anders als die Deutsche Bundesbank, die sich stark am Wachstum der Geldmenge orientierte, verfolgt die EZB eine „Zwei-Säulen-Strategie", die durch eine offensive Öffentlichkeitsarbeit unterstützt wird (siehe ***Schaubild 35****).*

> *Das geldpolitische Instrumentarium:*
Umfang und Entwicklung des Geldvolumens in einer Volkswirtschaft werden letztlich durch die Menge und den Preis des Geldes bestimmt, das eine Notenbank in den Wirtschaftskreislauf einspeist. Dies ist die Basis der konkreten geldpolitischen Steuerungsmaßnahmen einer Zentralbank. Es gibt zwei wesentliche Gruppen von Instrumenten: Zum einen entscheidet die Notenbank über Menge und Preis (Leitzins) des von ihr in den Wirtschaftskreislauf eingespeisten Geldes. Durch zusätzliche Liquidität erweitert sich der Kreditvergabespielraum der Banken, der Zins für kurzfristige Kredite und Einlagen geht tendenziell zurück. Niedrigere Zinsen kann die EZB auch über eine direkte Verbilligung ihrer Kredite an die Banken erreichen. Zum zweiten kann sie mit einer Veränderung der Mindestreservesätze die Fähigkeit des Bankensystems beeinflussen, auf der Basis des Notenbankgeldes Kredite zu geben und somit seinerseits Bankguthaben zu schaffen (Kreditschöpfungsmultiplikator).

- *Hauptrefinanzierungsinstrument: Es handelt sich um regelmäßig erneuerte kurzfristige Kredite der Zentralbank an die Banken. Durch eine Änderung des jeweiligen Kreditvolumens oder des Zinses, zu dem diese Mittel ausgereicht werden, passt die EZB die Zentralbankgeldversorgung der jeweiligen wirtschaftliche Lage an. Der Mindestbietungssatz des Hauptrefinanzierungsinstruments ist der Leitzins der EZB.*
- *Längerfristige Refinanzierungsgeschäfte: Auch Basisrefinanzierung genannt. Dies sind Kredite der EZB an die Banken mit einer mittleren Laufzeit von in der Regel drei Monaten. Auch sie werden bei Fälligkeit üblicherweise neu vergeben.*
- *Feinsteuerungsinstrumente: Sehr kurzfristige Geschäfte am Geld- und Devisenmarkt, mit deren Hilfe die Notenbank eine Feineinstellung des Geldmarktzinses vornehmen kann.*
- *Dauerfazilitäten: Im Rahmen der so genannten Dauerfazilitäten werden den Banken jederzeit in unbegrenzter Höhe Einlagen- und Kreditgeschäfte zu einem festen Zins angeboten. Zum einen können die Kreditinstitute überschüssige Gelder zu einem festen Zins beim Notenbanksystem bis zum Beginn des kommenden Geschäftstages einlegen. Das ist die Einlagenfazilität. Der Zins für diese Einlagen liegt in der Regel unterhalb des Satzes für das Hauptrefinanzierungsgeschäft. Die Kreditinstitute können zum Zweiten bei der Notenbank Kredite in unbegrenzter Höhe bis zum Beginn des kommenden Geschäftstages aufnehmen. Das ist die marginale Refinanzierungsfazilität. Der Zins für diese Kredite liegt über dem Satz für das Hauptrefinanzierungsgeschäft. Diese beiden „Linien" stellen sicher, dass der Tagesgeldsatz am Geldmarkt innerhalb des Zinskorridors gehalten wird, der von den beiden Sätzen für die Dauerfazilitäten definiert ist. Auch der eigentliche Leitzins des ESZB, der Zins für das Hauptrefinan-*

35 Die geldpolitische Strategie des Europäischen Systems der Zentralbanken

1. Definition von Preisstabilität

*Preisstabilität ist dann gegeben, wenn der **Anstieg der Verbraucherpreise**, gemessen am Harmonisierten Verbrauchpreisindex (HVPI) für das Euro-Währungsgebiet, im Vorjahresvergleich **weniger als, aber in der Nähe von 2 %** beträgt.*

2. Geldpolitische Strategie

- ***Beurteilung der Aussichten für die Preisentwicklung und der Risiken für die Preisstabilität** im Euro-Währungsgebiet; für diesen Zweck wird ein **breites Spektrum** wirtschaftlicher und finanzieller Größen als **Indikatoren** für die künftige Preisentwicklung herangezogen.*
- ***Beurteilung der Entwicklung der Geldmenge** in einer weiten Definition (M3) im Hinblick auf mögliche Inflationsrisiken. Das Verhältnis zwischen tatsächlichem Geldmengenwachstum und einem Referenzwert wird regelmäßig und sorgfältig analysiert.*

3. Öffentlichkeitsarbeit

*Das Ergebnis der Analyse der monetären Entwicklung und ihre Bedeutung für die geldpolitischen Entscheidungen werden **der Öffentlichkeit erläutert.***

zierungsinstrument, liegt innerhalb dieser Spanne.

– *Mindestreserve: Mindestreserven sind Guthaben, die die Banken bei der Notenbank unterhalten müssen. Die in diesen Guthaben gebundenen Mittel stehen für eine Kreditvergabe nicht mehr zur Verfügung. Außerdem erhöht die Verpflichtung, Guthaben bei der Notenbank zu halten, die Nachfrage der Banken nach Zentralbankkrediten. Erhöht die EZB die Mindestreservesätze, muss ein größerer Teil der Einlagen „auf Eis gelegt" werden, der Kreditvergabespielraum der Banken verringert sich. Dies führt zu einer Verteuerung der Kredite; die Kreditnachfrage wird tendenziell geringer. Umgekehrt führt eine Senkung der Mindestreservesätze zu einer Ausweitung der Kreditvergabemöglichkeiten der Banken und niedrigeren Kreditzinsen. Die Mindestreserveguthaben werden verzinst. Der Zinssatz, den die Notenbank zahlt, entspricht dem durchschnittlichen Zins für das Hauptrefinanzierungsinstrument während der Mindestreserveerfüllungsperiode. Siehe auch **Schaubild 39**.*

\> *Die Wechselkurspolitik:*

Das Europäische System der Zentralbanken betreibt auch Devisengeschäfte. Theoretisch kann die EZB über diese Transaktionen den Wechselkurs des Euro und damit dessen Außenwert beeinflussen und auch auf diese Weise das interne Preisniveau stabilisieren. Als regelmäßiges Instrument wird die Beeinflussung des Wechselkurses jedoch nicht verwandt. Hiervon zu unterscheiden sind grundsätzliche Entscheidungen über die Einbindung des Euro in internationale Absprachen über Wechselkurse. Diese sind dem Rat der Wirtschafts- und Finanzminister (ECOFIN) vorbehalten. Er kann förmliche Vereinbarungen mit Drittstaaten über die Teilnahme des Euro an einem Wechselkurssystem treffen und „allgemeine Orientierungen" für die Wechselkurspolitik aussprechen. Hierbei muss er jedoch stets die Aufgabe der EZB, den Geldwert stabil zu halten, berücksichtigen, da die Einbindung des Euro in Wechselkursabsprachen die Fähig-

36 Geldpolitik der Europäischen Zentralbank

	Liquiditätsausweitung	Liquiditätsabschöpfung
Offenmarktgeschäfte		
Hauptrefinanzierungsinstrument (Beleihung von Wertpapieren oder Kauf von Wertpapieren mit Rückkaufvereinbarung)	*Neuzuteilung höher als Tilgungen*	*Neuzuteilung niedriger als Tilgungen*
längerfristige Refinanzierungsgeschäfte (Beleihung von Wertpapieren oder Kauf von Wertpapieren mit Rückkaufvereinbarung)	*Neuzuteilung höher als Tilgungen*	*Neuzuteilung niedriger als Tilgungen*
Ständige Fazilitäten		
Spitzenrefinanzierungsfazilität	*Übernachtkredit an Banken*	–
Einlagefazilität	–	*Einlagen von Banken*
Mindestreserve		
	Senkung des Reservesatzes	*Erhöhung des Reservesatzes*
	Anhebung der Zinsen auf das Reserve-Soll	*Senkung der Zinsen auf das Reserve-Soll*
	Einschränkung der reservepflichtigen Verbindlichkeiten	*Ausweitung der reservepflichtigen Verbindlichkeiten*

keit der Notenbank zur wirksamen Geldmarktsteuerung einschränkt. Bei umfangreichen Käufen von Fremdwährungen durch die EZB als Folge solcher Vereinbarungen könnte es zu einem Konflikt mit der eigentlichen Aufgabe der Geldwertsicherung kommen. Bislang ist der Euro lediglich in das Europäische Währungssystem II eingebunden. Dies dürfte die Fähigkeit der EZB, eine stabilitätsgerechte Politik zu betreiben, nicht beeinträchtigen, da die Währungen der anderen Teilnehmerländer an diesem System – Dänemark, Estland, Litauen, Lettland – von relativ geringem Gewicht sind.

Europäische Zentralbank (EZB) *siehe* ***Europäisches System der Zentralbanken***

Eurosystem *siehe* ***Europäisches System der Zentralbanken***

Existenzminimum *Der Betrag, den eine Person oder eine Familie benötigt, um entsprechend dem wirtschaftlichen, technischen und kulturellen Niveau des jeweiligen Landes überleben zu können. Das Bundesverfassungsgericht hat festgelegt, dass ein Einkommen, das gerade das Existenzminimum abdeckt, nicht besteuert werden darf.*

Export *siehe* ***Außenhandel***

F

Factoring *Kauf von Geldforderungen einschließlich des damit verbundenen Risikos. Forderungen eines Unternehmens gegenüber einem Geschäftspartner aus Warenlieferungen oder Dienstleistungen werden an ein so genanntes Factor-Institut (in der Bundesrepublik meistens ein Kreditinstitut oder ein hierauf spezialisiertes Tochterunternehmen einer* ***Bank****) weiterverkauft.*

Bei einem Factoring-Geschäft werden üblicherweise verschiedene Tätigkeiten miteinander kombiniert:

> *Veräußerung der Forderungen an das Factor-Institut gegen sofortige Zahlung des um Zinsen und Gebühren gekürzten Forderungswertes (Finanzierungsfunktion).*

> *Übernahme des Zahlungsrisikos durch das Factor-Institut (Delkrederefunktion).*

> *Übernahme der mit Zahlungsvorgängen verbundenen organisatorischen Aktivitäten, wie z. B. Buchführung, Mahnwesen, Inkasso, durch das Factor-Institut (Dienstleistungsfunktion).*

Der Vorteil des Factorings besteht für den Verkäufer der Forderungen in der vorzeitigen und sicheren Verfügung über die Einnahmen und der Entlastung von der Zahlungsabwicklung. Als Kosten sind die Provision für die Abwicklung und die Abdiskontierung der Forderung zu berücksichtigen. In 2007 wurden Forderungen im Wert von rund 83,5 Mrd. Euro im Factoringmarkt bewegt.

Familienaktiengesellschaft *siehe* ***Aktiengesellschaft***

Familienlastenausgleich *Zusammenfassender Begriff für öffentliche Leistungen und Steuervergünstigungen mit dem Ziel, Ehe und Familie zu fördern. Hierzu gehören u. a. Kindergeld- und -freibeiträge, (siehe* ***Schaubild 40****), das Ehegattensplitting, das Eltern- und Erziehungsgeld, die Mitversicherung von Ehegatten und Kindern in der gesetzlichen Krankenversicherung u. ä. Eine Gesamtdarstellung liefert das* ***Sozialbudget****.*

Festgeld *Termineinlagen mit bei Abschluss festgelegter Laufzeit (siehe* ***Einlagen****).*

Filiale *siehe* ***Niederlassung***

Finanzausgleich *Bezeichnung für Zahlungen zwischen den öffentlichen Haushalten in der Bundesrepublik, mit denen die Unterschiede in der Finanzkraft der einzelnen Gebietskörperschaften (Bund, Länder:* ***Schaubild 38****, Gemeinden) ausgeglichen werden sollen. Da Bund, Länder und Gemeinden eigene Einnahmen haben (z. B. Kfz-Steuer als reine Ländersteuer oder Gewerbesteuer als reine Gemeindesteuer), hängt ihre Finanzausstattung wesentlich von ihrer Bevölkerungs- und Wirtschaftsstruktur ab (Beispiel: Industrie- und ländliche Gebiete, Länder mit geringer oder hoher Bevölkerungsdichte).*

Nach dem Grundgesetz soll ein Grundangebot an öffentlichen Leistungen und Diensten auf vergleichbarem Niveau vorhanden sein, damit vergleichbare Lebensbedingungen im gesamten Bundesgebiet gewährleistet sind. Deshalb müssen der Bund sowie reiche Länder und Gemeinden einen Teil ihrer Einnahmen an die ärmeren Gebietskörperschaften abtreten. Beim vertikalen Finanzausgleich werden Ausgleichsmaßnahmen zwischen Gebiets-

37 Ausgleich für Familien

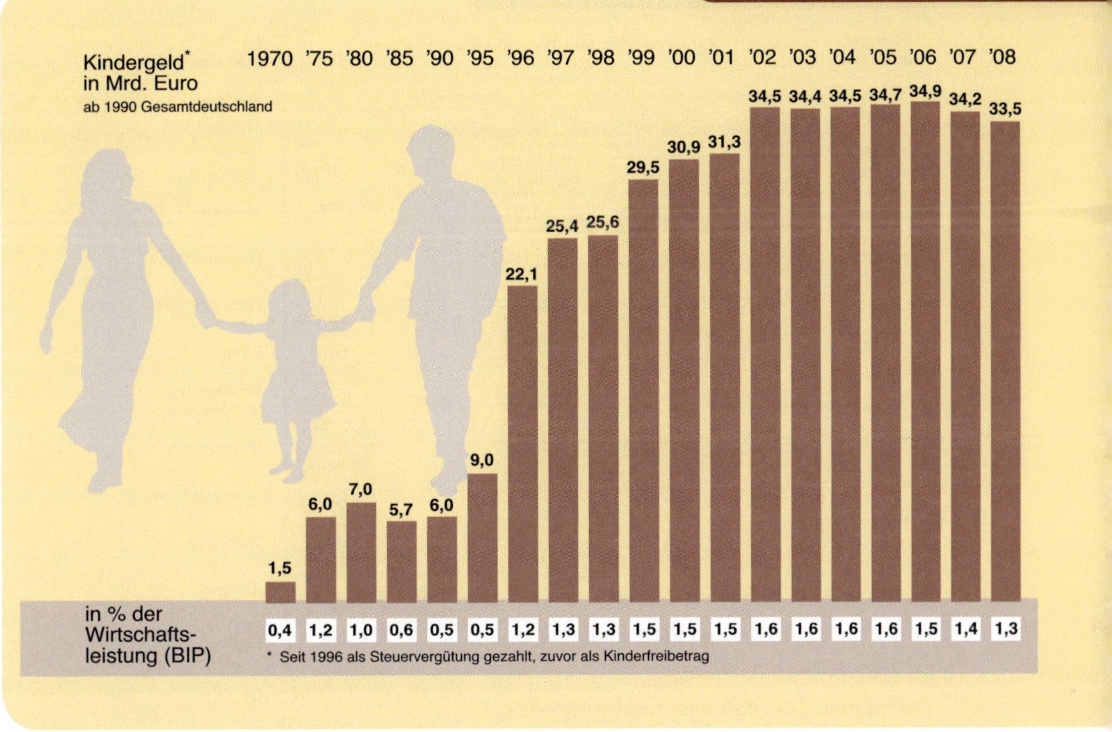

körperschaften verschiedener Ebenen vorgenommen. Hierzu gehören Zuweisungen des Bundes an die Länder und solche der Länder an die Gemeinden. Der horizontale Finanzausgleich führt zu Ausgleichszahlungen zwischen Körperschaften gleicher Ebenen, vor allem zwischen ärmeren und reicheren Bundesländern. Der Länderfinanzausgleich ist teilweise umstritten, da damit der Wettbewerb zwischen den Ländern unterlaufen wird.

Finanzhilfen *siehe* ***Subventionen***

Finanzierung *Die Beschaffung von Zahlungsmitteln. Im Unternehmensbereich unterscheidet man:*

- *Eigenfinanzierung: Dem Unternehmen werden vom Inhaber bzw. den Gesellschaftern Finanzmittel zur Verfügung gestellt. Dies geschieht zum einen als Selbst- oder Innenfinanzierung, indem Gewinne nicht ausgeschüttet, sondern im Unternehmen belassen werden (Gewinnthesaurierung). Zum anderen werden Eigenmittel durch den oder die Firmeninhaber, etwa in Form einer Kapitalerhöhung oder durch die Aufnahme von Gesellschaftern, von außen zugeführt. Im letztgenannten Fall spricht man auch von Beteiligungsfinanzierung; sie ist eine Form der Außenfinanzierung.*
- *Fremdfinanzierung: Beschaffung von Geldmitteln durch Kreditaufnahme. Die wichtigsten Formen sind: Bankkredit, Lieferantenkredit, Hypothekendarlehen und die Ausgabe von* ***Anleihen****. Zur Fremdfinanzierung gehört auch die Bildung von Rückstellungen für künf-*

38 Länderfinanzausgleich: Geben und nehmen

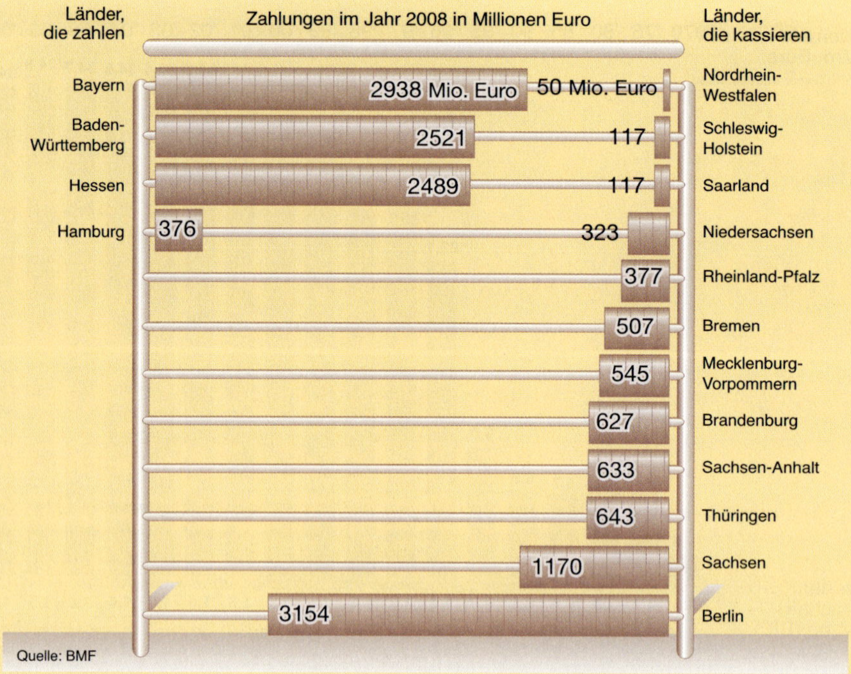

tige, mit großer Wahrscheinlichkeit anfallende Ausgaben („eigengebildetes Fremdkapital" z. B. für Pensionszahlungen). Den Gesamtbetrag der über Fremdfinanzierung aufgenommenen Mittel nennt man ***Fremdkapital****.*

Finanzmarkt *Gesamtbegriff für die Märkte, auf denen Handel mit Kapital ausgeführt wird, im Gegensatz zu den Märkten für reale Güter. Zum Finanzmarkt gehören Geld-, Kredit-, Kapital- und Devisenmärkte.*

Finanzplanung *Planende Vorausschau des künftigen Finanzbedarfs bei Unternehmen und der öffentlichen Hand. Die Finanzplanung bei Unternehmen dient der Abschätzung des künftigen Finanzierungsbedarfs und der Finanzierungsalternativen in Zusammenhang mit Investitionen sowie der Sicherstellung der laufenden Liquidität.*

Die öffentlichen Haushalte stellen jährlich einen Finanzplan für einen mittelfristigen Zeitraum auf, in den Höhe und Zusammensetzung der zu erwartenden Ausgaben und Einnahmen, gestützt auf eine Abschätzung der gesamtwirtschaftlichen Entwicklung, eingehen.

Finanzplatz *Bezeichnung für einen Ort, an dem finanzielle Tätigkeiten stattfinden. Das kann eine Stadt sein, die für die Erbringung von Finanzdienstleistungen besonders bedeutsam ist, wie z. B. London, New York, Tokio, Paris, Zürich oder Frankfurt. Teilweise wird der Begriff „Finanzplatz" auch für ein gesamtes Land genutzt. So spricht man auch vom Finanzplatz Deutschland. Damit ist in der*

Regel die besondere Struktur und der Grad der Effizienz aller in Deutschland erbrachten finanziellen Leistungen gemeint.

Finanzpolitik *siehe* **Wirtschaftspolitik**

Finanzverfassung *Die gesetzlichen Grundbestimmungen für die Finanzpolitik. Hierbei handelt es sich im Wesentlichen um die Festlegung, welche Gebietskörperschaften welche Steuern erheben dürfen und wie ein eventueller Finanzausgleich stattzufinden hat. Die Finanzverfassung der Bundesrepublik ist hauptsächlich in den Artikeln 104a bis 115 Grundgesetz niedergelegt. Im Rahmen der Föderalismusform II wurden im Frühjahr 2009 auch Regelungen für eine eindeutigere Abgrenzung zwischen den Gebietskörperschaften getroffen.*

Fiskus *Die finanzwirtschaftliche Seite der Staatstätigkeit. Fiskalpolitik meint alle wirtschaftspolitischen Maßnahmen des Staates mit Hilfe von Einnahmen und Ausgaben.*

Floaten *siehe* **Europäische Währungspolitik, Wechselkurse**

Fluktuation *Wechsel in der Belegschaft eines Unternehmens, verursacht durch Pensionierung, Neueinstellung oder Entlassung. Fluktuation ist ein normaler Vorgang, der wegen des Know-hows neuer Mitarbeiter auch positiv wirken kann. Ein hohes Maß an Fluktuation ist oft Ausdruck eines schlechten Betriebsklimas und mangelnder Motivation der Mitarbeiter. In der Handels- und Konsumgüterbranche Deutschlands wurde 2007 eine durchschnittliche Fluktuationsrate von 10,3 % festgestellt.*

fob *Abk. für Free On Board; siehe* **Incoterms**

Forfaitierung *Verkauf einer Forderung aus einem Exportgeschäft an ein Kreditinstitut, das zugleich auch das Zahlungsrisiko übernimmt. Der Exporteur erhält sofort Liquidität (nach Abzug von Zinsen und Gebühren). Forfaitierungen kommen in der Regel nur zustande, wenn der Importeur entsprechende Sicherheiten stellen kann.*

Forschung *Im Bereich der Wirtschaft dient die Forschung der Schaffung von neuen Produkten, Verfahren und Organisationsabläufen mit dem Ziel, die Marktposition eines Unternehmens zu verbessern. Die wirtschaftliche Nutzbarmachung von Forschungsergebnissen wird als Entwicklung bezeichnet. Man unterscheidet:*

> *Grundlagenforschung: Forschung, die ohne direkte, konkrete wirtschaftliche Zielsetzung auf die wissenschaftlichen Grundlagen des Untersuchungsgegenstandes gerichtet ist.*

> *Angewandte Forschung: Forschung, die sich mit der Entwicklung von Produkten oder Verfahren für konkrete praktische Fragestellungen befasst.*

Erfolgreiche Forschung und Entwicklung sind eine wesentliche Voraussetzung für wirtschaftliches Wachstum, die Erhaltung der Arbeitsplätze und die Verbesserung der Lebensbedingungen. Das gilt vor allem für ein Land wie Deutschland, das nur in sehr geringem Umfang über natürliche Reichtümer wie Energie und Rohstoffe verfügt und deshalb auf die Herstellung hochwertiger, neuartiger Produkte angewiesen ist.

Zur Erhaltung der technologischen Spitzenposition, die sie auf vielen Gebieten besitzt,

39 Aufwendungen der deutschen Wirtschaft für Forschung und Entwicklung

(2008, in Mrd. Euro)

Insgesamt	56,8
Industrie	40,6
– Fahrzeugbau	22,1
– Büromaschinen, EDV, Elektrotechnik	10,7
– Chemie	9,1
– Maschinenbau	5,6
– andere Industriezweige	3,4
sonstige Wirtschaftssektoren	5,9

müssen ständig Teile des privaten und öffentlichen Vermögens für Forschungszwecke verwendet werden. Inzwischen entfallen rund ein Drittel des Umsatzes der deutschen Unternehmen auf Produkte, die weniger als fünf Jahre alt sind. Die gesamten jährlichen Ausgaben in Deutschland für Forschung und Entwicklung machen rund 2,5 % des BIP aus (ca. 100 Mrd. Euro); in Schweden sind es hingegen 3,8 %. Knapp zwei Drittel der Forschungsaufwendungen werden von den Unternehmen bestritten (s. **Schaubild 39**). Ziel der EU-Staaten ist eine Anhebung des Anteils bis 2015 auf 3 %. Forschung ist für die privaten Unternehmen teuer und risikoreich. Deshalb wird sie durch den Staat gefördert. Die staatliche Forschungsförderung wird im Wesentlichen über zwei Wege abgewickelt: einerseits durch Zuschüsse für konkrete Vorhaben (direkte Forschungsförderung), andererseits durch eine allgemeine finanzielle Unterstützung für betriebliche Forschungstätigkeiten (indirekte Forschungsförderung). Außerdem werden von der öffentlichen Hand generelle (Universitäten) und spezielle Forschungseinrichtungen betrieben bzw. mitfinanziert.

Frachtbrief Eine Urkunde, die Angaben über Bezeichnung, Art, Menge, Gewicht und Verpackung einer Ware sowie über Absender, Frachtführer und Empfänger enthält. Nur der im Frachtbrief genannte Empfänger ist berechtigt, die Auslieferung der Ware zu verlangen.

Franchising Eine Form des Vertriebs. Ein Franchise-Geber (ein Produktions- oder Dienstleistungsunternehmen) ermächtigt ein anderes Unternehmen, den Franchise-Nehmer, seine Waren oder Dienstleistungen meist in seinem Erscheinungsbild zu vertreiben. Der Franchise-Nehmer stellt z. B. Einzelhandelsgeschäfte oder Restaurants in den Dienst eines Konzerns, ohne aber seine Selbstständigkeit zu verlieren. Er ist ermächtigt, Namen, Warenzeichen, Ausstattung des Geschäfts oder Lokal des Franchise-Gebers gegen Zahlung einer Franchise-Gebühr zu benützen.

Freie Berufe Bezeichnung für die Tätigkeit von Personen, die ihr Einkommen als Selbstständige durch die Erzeugung, Bearbeitung oder Verteilung von Sachgütern oder durch die Erbringung von Dienstleistungen erzielen. Zu den freien Berufen zählen u. a. Ärzte, Architekten, Handelsvertreter, Steuerberater, Wirtschaftsprüfer.

Freihafen Ein Teil eines Seehafens, der nicht dem Zollgebiet (dem Inland) zugerechnet wird. Waren, die dorthin verfrachtet werden, bleiben – solange sie nicht ins Inland weitertransportiert werden – zollfrei. Freihäfen sind Plätze, die dazu dienen, Waren aus dem Ausland umzulagern und ggf. nach Bearbeitung wieder ins Ausland zu verschiffen.

Freihandel Von Freihandel spricht man, wenn der Handel zwischen Staaten frei von jeglicher Belastung (z. B. durch Zölle) oder Beschränkungen abgewickelt werden kann, so dass im internationalen Handelsverkehr die gleichen Bedingungen gegeben sind wie auf einem inländischen Markt. Freihandel wird als positiv gesehen, da er die internationale Arbeitsteilung optimal zur Geltung kommen lässt und so für höheres Wachstum und Wohlstand sorgen kann. Damit er voll wirken kann, sind die ungehinderte Niederlassungsfreiheit und uneingeschränkte Kapitalbewegungen wichtige Elemente.
Das Gegenteil von Freihandel ist **Protektionismus**, der sich bemüht, die einheimische Wirtschaft vor Außeneinflüssen zu schützen. Vom Idealzustand eines freien Handels im Weltmaßstab sind wir trotz seiner Vorteile noch weit entfernt. Regional begrenzte Freihandelszonen (**NAFTA**, **AKP-Staaten**) bemühen sich, für ihr Gebiet untereinander Freihandel zu praktizieren. Sie halten allerdings gegenüber dritten Ländern z. T. erhebliche Beschränkungen aufrecht. Im Gegensatz zur **Zollunion**, in der die beteiligten Länder einheitliche Zölle im Warenverkehr mit dritten Ländern erheben, behalten die Teilnehmer an einer Freihandelszone ihre nationalen Außenzölle gegenüber Nichtmitgliedern bei.

Freiverkehr siehe **Börse**

Fremdkapital Die Summe aller zur Finanzierung des Unternehmens aufgenommenen und in der Bilanz auszuweisenden Schulden.

Fungibilität siehe **Börse**

Fusion Zusammenschluss von bisher selbstständigen Unternehmen zu einem rechtlich und wirtschaftlich einheitlichen Unternehmen. Man unterscheidet:

> Horizontale Zusammenschlüsse: Fusionen von Unternehmen, die auf demselben Markt tätig sind (Beispiel: zwei Chemieunternehmen).

> Vertikale Zusammenschlüsse: Fusionen von Unternehmen, die auf Märkten tätig sind, welche im Produktionsablauf vor- oder nachgelagert sind (Beispiel: Verbindung eines Industrieunternehmens mit einem Handelsunternehmen, das die Erzeugnisse des Industrieunternehmens absetzt).

> Konglomerate Zusammenschlüsse: Fusionen von Unternehmen, die auf Märkten tätig sind, die keine Beziehung zueinander haben (Beispiel: Verbindung zwischen Herstellern von Zigaretten und Haushaltsgeräten).

Solche „Verschmelzungen" unterliegen in Deutschland den Vorschriften des Kartellrechts. Das Bundeskartellamt prüft, ob Fusionen zu einer marktbeherrschenden Stellung führen und so eine Gefährdung des Wettbewerbs darstellen, so dass sie ggf. auch zu untersagen sind.
Sind Unternehmen mit europaweiter Bedeutung beteiligt, so wird die Fusionskontrolle von der Kommission der Europäischen Union geprüft.

Fusionskontrolle siehe **Wettbewerb**

Futures Ein Vertrag, bei dem sich Vertragspartner verpflichten, ein bestimmtes, genau bezeichnetes Gut zu einem festgelegten späteren Zeitpunkt und zu einem bei

Vertragsabschluss festgelegten Preis zu liefern oder zu kaufen. Futures sind **Termingeschäfte** und zählen zu den **Derivaten**, da sie sich auf Basiswerte wie bestimmte Waren, Aktien, Anleihen, Währungen oder Indizes beziehen. An den Terminbörsen werden Futures in Form von Kontrakten gehandelt. Dies ist der Mindestumfang, zu dem **Futures** oder **Optionsgeschäfte** abgewickelt werden können. Festgelegt sind zumindest Laufzeit, Menge und Qualität des Gutes, über das das Termingeschäft abgeschlossen werden soll. Die Kontrakte sollen die an den Terminbörsen gehandelten Güter standardisieren und damit leichter handelbar machen.

G

Garantie

> Beim Verkauf einer Ware sichert der Verkäufer im Allgemeinen zu, dass das Produkt frei von Mängeln ist. Zu unterscheiden ist dies von der Gewährleistungsfrist, nach der der Verkäufer auftretende Mängel unentgeltlich beseitigen oder die Ware zurücknehmen muss. Die gesetzliche Gewährleistungsfrist beträgt 24 Monate.

> Ein Sicherungsinstrument im Außenhandel. Hierbei übernimmt i. d. R. eine Bank im Auftrag und für Rechnung eines Kunden dessen Geschäftspartner gegenüber die Verpflichtung, für bei Vertragsstörungen auftretende finanzielle Nachteile einzustehen. Im Gegensatz zur Bürgschaft, bei der der Bürge dafür einsteht, dass die zu Grunde liegende Vereinbarung auch inhaltlich erfüllt wird, soll die Garantie einen finanziellen Ausgleich schaffen, wenn das Grundgeschäft nicht erfüllt wird.

GATT siehe **Welthandelsorganisation – WTO**

Gebühren **Abgaben**, die von natürlichen und juristischen Personen gezahlt werden müssen, wenn sie bestimmte öffentliche Leistungen in Anspruch nehmen. Beispiele hierfür sind Gebühren für das Ausstellen und Ändern von Pässen, Kanalnutzungsgebühren oder Gebühren für die Müllabfuhr. Vor allem die Gemeinden beziehen über Gebühren einen beachtlichen Teil ihrer Einnahmen.

Geld Das in einer Volkswirtschaft allgemein anerkannte Tausch- und gesetzlich geregelte Zahlungsmittel, mit dem man alle Güter und Dienstleistungen erwerben und alle finanziellen Verpflichtungen erfüllen kann. Die Preise von Waren und Dienstleistungen werden in Geldeinheiten ausgedrückt. Die Geldeinheiten sind damit eine abstrakte Größe, hinter der konkrete Güter stehen. Auch Vermögen wird zu einem großen Teil in den Erscheinungsformen des Geldes gehalten. Geld ist damit zugleich Recheneinheit, Zahlungsmittel und Wertaufbewahrungsmittel.
Man unterscheidet:

- Bargeld: Banknoten und Münzen.
- Buch- oder Giralgeld: Guthaben bei Banken, soweit hierüber jederzeit verfügt werden kann, hauptsächlich in Form von Sichteinlagen. Diese **Einlagen** entstehen durch Einzahlung, Überweisung oder Scheckgutschrift. Buchgeld wird durch Abheben vom Konto zu Bargeld.

Geldakkord siehe **Lohn**

Geldautomaten Automaten, an denen mit einer Bankkundenkarte Bargeld von *einem Konto abgehoben werden kann. Der Vorteil besteht für die Bank in einer starken Vereinfachung des bankorganisatorischen Ablaufs, für den Kunden in einer zeitlich nicht gebundenen Nutzungsmöglichkeit. Bankkundenkarten (früher ec-Karten genannt) können instituts- und länderübergreifend eingesetzt werden. Inzwischen sind sie europaweit akzeptiert. Mittlerweile sind in Deutschland annähernd 56 000 Geldautomaten installiert (**Schaubild 40**). Die Vorteile von Bankautomaten haben dazu geführt, dass auch weitere Funktionen (Druck von Kontoauszügen, Geldzählen, Führen von Bankkonten) über sie abgewickelt werden.*

40 Zahl der Geldautomaten in Deutschland (1997–2008)

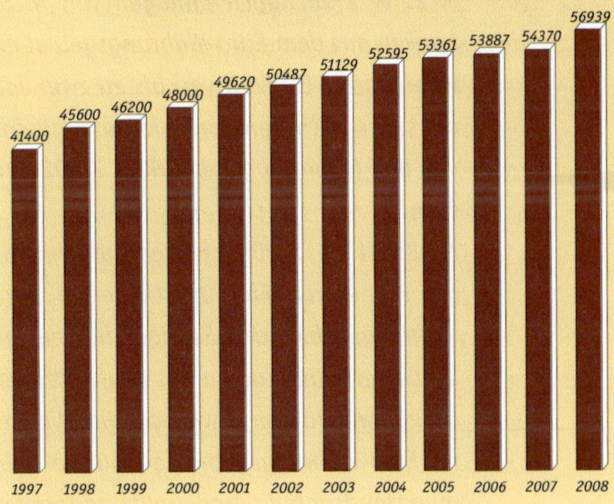

Quelle: Bankenverband

Geldmarkt *Markt für kurzfristige Gelder, vor allem für den Geldhandel zwischen den Banken einschließlich der Notenbank. Bei den gehandelten Guthaben unterscheidet man:*

- *Tagesgeld (Rückzahlung des Guthabens am folgenden Tag);*
- *Tägliches Geld (das Guthaben kann täglich gekündigt werden);*
- *Monatsgeld (das Guthaben wird für einen Monat festgelegt);*
- *Dreimonats-, Sechsmonats-, Jahresgeld (das Guthaben wird für drei, sechs oder zwölf Monate festgelegt);*
- *Ultimogeld (Guthaben, die am Monatsende fällig werden).*

Der Geldmarkt dient dem Liquiditätsausgleich zwischen den Banken: Überschüsse können kurzfristig ausgeliehen, benötigte Liquidität aufgenommen werden.

*Die Zinsen am Geldmarkt bilden sich frei nach Angebot und Nachfrage. Mit ihrer Geld- und Zinspolitik hat die **Europäische Zentralbank** freilich einen wesentlichen Einfluss auf die Zinsbildung.*

Auf dem Geldmarkt werden auch so genannte Geldmarktpapiere an- und verkauft. Dabei handelt es sich um Wertpapiere mit sehr kurzen Laufzeiten, vornehmlich Schatzwechsel des Bundes, der Bahn und der Post, unverzinsliche Schatzanweisungen und kurzfristige Papiere von Unternehmen (sog. Commercial Papers).

Geldmarktfonds siehe ***Investmentgesellschaft***

Geldmenge *Der Gesamtbetrag des in einer Volkswirtschaft oder einem Währungsgebiet umlaufenden Geldes. Je nach Liquiditätsgrad werden verschiedene Geldmengendefinitionen unterschieden.*

- *Die von der Europäischen Zentralbank verwendeten Abgrenzungen:*
  - *M 1: Bargeldumlauf (ohne Bestände bei den Banken) und täglich fällige Einlagen von Nichtbanken aus dem Euro-Währungsgebiet bei monetären Finanzinstituten mit*

Sitz im Euro-Währungsgebiet (Ende 2008: 3 972 Mrd. Euro).

- M 2: M 1 zuzüglich Einlagen von Nichtbanken aus dem Euro-Währungsgebiet mit vereinbarter Laufzeit von bis zu zwei Jahren sowie mit vereinbarter Kündigungsfrist von drei Monaten (Ende 2008: 7 992 Mrd. Euro).
- M 3: M 2 zuzüglich Verbindlichkeiten der monetären Finanzinstitute im Euro-Währungsgebiet aus Repogeschäften und Schuldverschreibungen mit Laufzeiten von bis zu zwei Jahren sowie von Nichtbanken im Euro-Währungsgebiet gehaltene Geldmarktfondsanteile und Geldmarktpapiere (Ende 2008: 9 362 Mrd. Euro).

Die Bezeichnungen M 1 bis M 3 sind auch international gebräuchlich; die exakten Abgrenzungen weichen jedoch voneinander ab. Als geldpolitische Orientierungsgröße verwendet die Europäische Zentralbank in erster Linie die Geldmenge M 3.

Geldordnung siehe **Währungsordnung**

Geldwäsche Ausdruck für Tätigkeiten, die illegal erworbenes oder nicht versteuertes Geldeinkommen oder -vermögen (z. B. aus Drogen- oder Waffengeschäften etc.) in den legalen Geldkreislauf einführen, ohne dass die Herkunft des Geldes erkannt wird. Geldwäsche ist wesentliches Element organisierter Kriminalität. Das Geldwäschegesetz erlegt den Banken umfangreiche Prüf- und Berichtspflichten auf, um Geldwäsche zu verhindern.

Geldwert Kaufkraft des Geldes, Gütermenge, die für eine bestimmte Menge Geld erhältlich ist. **Inflation** mindert den Geldwert.

Gemeinnützige Unternehmen Nicht auf Gewinnerzielung ausgerichtete Unternehmen, die für die Allgemeinheit oder bestimmte Bevölkerungsgruppen nützliche Zwecke verfolgen und deshalb steuerliche Vergünstigungen erhalten. Beispiel: Altersheime, Kindergärten, Kultureinrichtungen.

Gemeinschaftskonto Ein von mehreren Personen (z. B. Ehepartnern) eingerichtetes und genutztes Bankkonto. Gemeinschaftskonten werden geführt als

> Oder-Konto: Jeder einzelne Kontoinhaber kann allein über Guthaben auf diesem Konto verfügen.

> Und-Konto: Die Kontoinhaber können nur zusammen über Guthaben auf diesem Konto verfügen.

Genossenschaft Eine Gesellschaft ohne geschlossene Mitgliederzahl, die die wirtschaftliche Förderung ihrer Mitglieder über einen gemeinschaftlichen Geschäftsbetrieb bezweckt. Beispiele: Konsumgenossenschaften (gemeinsamer Einkauf), Absatzgenossenschaften (gemeinsamer Verkauf), Wohnungsbaugenossenschaften (Errichtung und Wartung von Wohnbauten), Genossenschaftsbanken.

Genussschein Ein **Wertpapier**, das finanzielle Ansprüche wie z. B. auf einen Anteil am Gewinn und/oder am Liquidationserlös, z. T. auch auf Bezugsrechte von Aktien verbrieft. Die Inhaber haben kein Stimmrecht, obwohl sie am Unternehmensrisiko beteiligt sind. Genussscheine sind für Unternehmen anleiheähnliche Finanzierungsinstrumente.

Geregelter Markt siehe **Börse**

Geschäft siehe **Unternehmen**

Geschäftsfähigkeit Die gesetzlich geregelte Fähigkeit einer Person, rechtsgeschäftliche Willenserklärungen wirksam abzugeben und entgegenzunehmen. Je nach Alter werden verschiedene Stufen der Geschäftsfähigkeit unterschieden:

> Geschäftsunfähigkeit von Geburt bis zur Vollendung des 7. Lebensjahres;
> Beschränkte Geschäftsfähigkeit zwischen dem vollendeten 7. bis zum vollendeten 18. Lebensjahr. Hier bedarf es bei Geschäften im Allgemeinen der Zustimmung des gesetzlichen Vertreters wie z. B. der Eltern oder eines Vormunds
> Unbeschränkte Geschäftsfähigkeit ab 18 Jahren.

Gesellschafter Natürliche oder juristische Personen, die Anteile an einer Kapitalgesellschaft halten oder Teil einer Personengesellschaft sind. Die Gesellschafter sind die Eigentümer dieser Unternehmen (siehe auch **Rechtsform**).

Gesellschaft mit beschränkter Haftung (GmbH) Eine Form der Kapitalgesellschaft. Die Haftung der Gesellschafter ist auf ihren Anteil am Stammkapital begrenzt (siehe auch **Rechtsform**). Das Stammkapital einer GmbH muss mindestens 25 000 Euro betragen. Die GmbH ist die klassische **Rechtsform** für mittelständische Unternehmen und in Deutschland sehr verbreitet. Seit 2008 gibt es die Kleine GmbH (Unternehmergesellschaft), durch die die Gründung einer GmbH vereinfacht wird. Hier beträgt das Stammkapital nur 1 Euro. Es müssen jeweils 25 % der Gewinne einbehalten werden, bis 25 000 Euro Stammkapital erreicht sind.

Gewerbe Gewerbe ist jede selbstständige planmäßige Tätigkeit, die auf Dauer angelegt ist und auf die Erzielung von **Gewinn** zielt. Der Begriff Gewerbe umfasst vor allem die Industrie, den Handel, das Handwerk und die Dienstleistungen. Nicht dazu gezählt werden die Land- und Forstwirtschaft und die Freien Berufe.

Gewerbefreiheit Das im Grundgesetz und in § 1 der Gewerbeordnung niedergelegte Recht jedermanns, ein Gewerbe zu betreiben. Dieses Recht gehört zu den Grundpfeilern der marktwirtschaftlichen Ordnung (siehe auch **Grundrechte**).

Gewerkschaften Zusammenschluss von **Arbeitnehmern** oder Arbeitnehmergruppen mit dem Ziel, ihre Interessen gegenüber den Arbeitgebern zu vertreten und die sozialen und wirtschaftlichen Lebensbedingungen zu verbessern. Die ersten Gewerkschaften entstanden im 19. Jahrhundert. Grundsätzlich haben sich die Ziele ihrer Tätigkeit seither nicht geändert. Auch heute sind Gewerkschaften als Interessenvertretung der Arbeitnehmer gegenüber Arbeitgebern, Öffentlichkeit, Politik und Sozialversicherung für ihre Mitglieder tätig. Zusätzlich erbringen sie für ihre Mitglieder Dienstleistungen wie etwa Rechtsschutz bei arbeitsrechtlichen Problemen. Wichtig ist auch die Vertretung der Mitglieder in den Unternehmen wie etwa im Betriebsrat oder im Rahmen der Mitbestimmung im Aufsichtsrat. Die Gewerkschaften sind **Tarifpartner**, d. h. sie verhandeln mit den Arbeitgeberverbänden über neue Tarifverträge, die neben den Lohn-

41 Mitglieder in Gewerkschaften

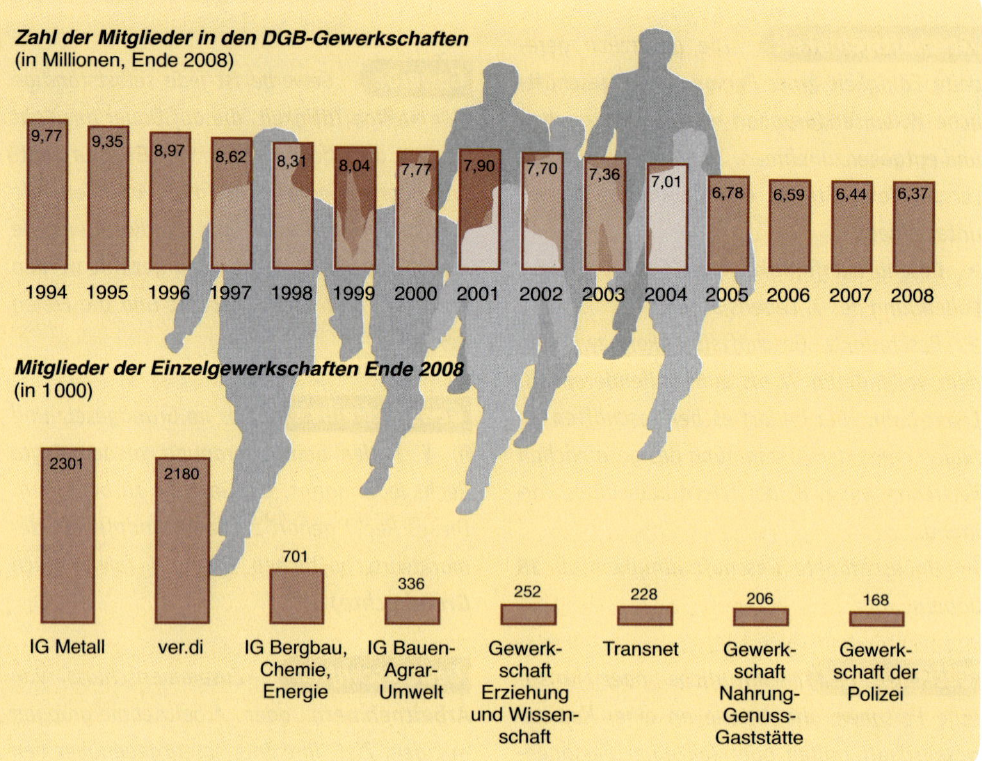

und Gehaltsregelungen auch solche zu den Arbeitsbedingungen beinhalten.

Die Mitgliedschaft in einer Gewerkschaft ist freiwillig. Zurzeit sind in Deutschland rund 25 % aller Arbeitnehmer gewerkschaftlich organisiert. Gegenüber 41 % in 1991 ist dies ein starker Rückgang. Welcher Gewerkschaft ein Arbeitnehmer angehört, wird im Wesentlichen vom Wirtschaftszweig seines Arbeitgeberbetriebs bestimmt

Acht so genannte Industriegewerkschaften sind im Deutschen Gewerkschaftsbund (DGB) zusammengeschlossen. Der DGB hatte Ende 2008 6,37 Millionen Mitglieder (vgl. ***Schaubild 41****). Daneben sind auch der Deutsche Beamtenbund mit gut 1,3 Millionen Mitglieder und der Christliche Gewerkschaftsbund (rund 280 000 Mitglieder) von Bedeutung. Das nach dem Krieg angestrebte Prinzip der Einheitsgewerkschaft wurde also nicht in reiner Form verwirklicht (siehe auch Tarifparteien).*

Gewinn *Der Überschuss der Erlöse über die Kosten in einem Unternehmen in einer Zeitperiode, i. d. R. in einem Jahr. Ziel privatwirtschaftlicher Unternehmenstätigkeit ist die Maximierung des Gewinns über die Steigerung der Erlöse und/oder die Senkung der Kosten. Der Gewinnausweis erfolgt in der* ***Gewinn- und Verlustrechnung*** *des* ***Jahresabschlusses****.*

Der Unternehmensgewinn ist das Entgelt, das der Unternehmer oder die Gesellschafter für die Arbeitsleistung (Unternehmerlohn) und die Bereitstellung des Eigenkapitals erzielen.

Dies beinhaltet auch eine Prämie für das mit der unternehmerischen Tätigkeit verbundene Risiko. Gewinn kann einerseits an die Eigentümer ausgeschüttet werden, andererseits ist er wichtige Finanzierungsbasis für künftige Investitionen.

Die Gewinne der Unternehmen sind wesentliches Steuer- und Motivationselement einer marktwirtschaftlich organisierten Wirtschaft. Die Höhe des Gewinns ist Indikator für den Erfolg unternehmerischer Entscheidungen; siehe auch ***Schaubild 42****.*

Dies trägt dazu bei, Marktlücken aufzuspüren, neue, verbesserte Produkte anzubieten und das Angebot an Waren und Dienstleistungen und damit die Versorgung der Bevölkerung zu verbessern. Die Chance auf höhere Gewinne beschleunigt über Wettbewerbsvorteile auch den technischen Fortschritt etwa durch Rationalisierung und Kostenersparnis oder durch Produktinnovationen. Dies kann in der Summe zu Wettbewerbsvorteilen einer Volkswirtschaft und damit zu einem besseren Lebensstandard der Bevölkerung beitragen. Mögliche Gewinne sind die Basis für die Vornahme von Investitionen.

Die volkswirtschaftliche Gesamtrechnung weist die Summe der insgesamt erwirtschafteten Gewinne und Einnahmen aus Vermögen aus. Im Jahr 2008 beliefen sich die Unternehmens- und Vermögenseinkommen in Deutschland auf 654,32 Mrd. Euro. Das waren 34,8 % des Volkseinkommens. In diesem Betrag sind 149,1 Mrd. Euro kalkulatorischer Unternehmerlohn enthalten. Die Nettoumsatzrendite betrug im Jahr 2006 3,6 %, das heißt je 100 Euro Umsatz erzielten die Unternehmen 3,60 Euro Gewinn. Die Rendite für das eingesetzte Eigenkapital betrug 25,8 %.

42 Grundschema der Inlandsproduktberechnung (in Mrd. Euro 2008

Entstehung	
Bruttowertschöpfung	***2235,12***
+/− Gütersteuern und Gütersubventionen	*256,88*
= Bruttoinlandsprodukt	***2492,00***
Verteilung	
Bruttoinlandsprodukt	***2492,00***
+ Primäreinkommen aus der übrigen Welt	*36,60*
Bruttonationaleinkommen	*2528,60*
− Abschreibungen	*363,12*
= Nettonationaleinkommen	***2165,48***
− Produktions- und Importabgaben	
+ Subventionen	*285,32*
= Volkseinkommen	***1880,16***
Arbeitnehmerentgeld (Inländer)	*1225,84*
Unternehmens- und Vermögenseinkommen	*654,32*
Verwendung	
Bruttoinlandsprodukt	***2492,00***
- Inländische Verwendung	*2336,93*
Konsumausgaben	*1854,29*
Private Haushalte	*1402,25*
Staat	*452,04*
Bruttoinvestitionen	*480,64*
Anlageinvestitionen	*478,67*
Vorratsinvestitionen	*1,97*
= Außenbeitrag	***155,07***
Exporte	*1177,14*
Importe	*1022,07*

Gewinnabführungsvertrag/Gewinngemeinschaft

siehe ***Unternehmensverträge***

Gewinn- und Verlustrechnung *siehe* ***Jahresabschluss***

Girokonto *Ein Konto, über das ein Kunde einer Bank seinen Zahlungsverkehr in Form von Barabhebung, Überweisung, Scheck, Dauer- bzw. Abbuchungsauftrag abwickelt. Ein Girokonto, das mit einem Kontokorrentkredit (siehe* ***Kredit****) verbunden ist, wird auch* Kontokorrentkonto *genannt. Der Inhaber kann das Konto bis zu einem bestimmten, mit der Bank vereinbarten Betrag überziehen. Das Lohn- und Gehaltskonto ist in der überwiegenden Zahl der Fälle ein Kontokorrentkonto.*
Guthaben auf dem Girokonto werden meist gar nicht oder nur gering verzinst.

Girozentralen *siehe* ***Bank***

Globalisierung *Ausdruck für den umfassenden Strukturwandel von Wirtschaft und Gesellschaft seit 1990, der geprägt ist durch zunehmende grenzüberschreitende Aktivitäten und einen wachsenden Wettbewerb über die nationalen Grenzen hinweg. Ursachen dieses vielschichtigen Prozesses sind u. a. der Fall des Eisernen Vorhangs, die Beseitigung von Behinderungen des grenzüberschreitenden Waren-, Dienstleistungs- und Kapitalverkehrs in vielen Ländern, die zunehmende Wettbewerbsfähigkeit bestimmter ehemaliger Entwicklungsländer („aufstrebende" Länder oder Emerging Markets), der technische Fortschritt, speziell im Bereich der Informations- und Kommunikationstechnik sowie des Transportwesens sowie der Ausbau und die Liberalisierung der Finanzmärkte.*

43 Die G-8-Staaten

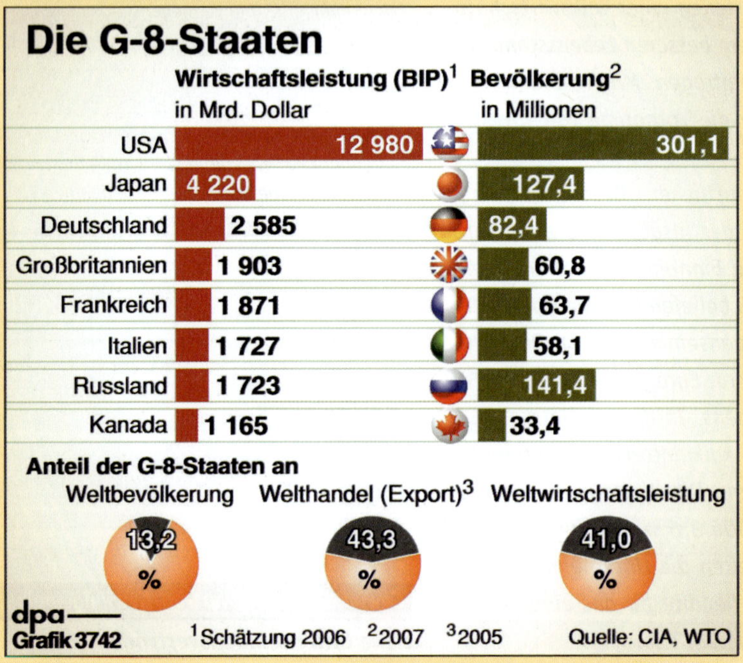

44 Im Grundgesetz der Bundesrepublik verankerte Grundrechte

Schutz der Menschenwürde *(Art. 1)*	*Die Würde des Menschen ist unantastbar.*
Freiheit der Person *(Art. 2)*	*Recht auf freie Entfaltung der Persönlichkeit; Recht auf Leben und körperliche Unversehrtheit; Freiheit der Person ist unverletzlich.*
Gleichheitsgrundsatz *(Art. 3)*	*Alle Menschen sind vor dem Gesetz gleich.*
Glaubens- und Gewissensfreiheit *(Art. 4)*	*Unverletzlichkeit der Glaubens- und Gewissensfreiheit; ungestörte Religionsausübung; Recht auf Wehrdienstverweigerung*
Meinungs- und Pressefreiheit *(Art. 5)*	*Recht auf freie Meinungsäußerung, Pressefreiheit, Freiheit von Kunst, Wissenschaft, Forschung und Lehre*
Schutz von Ehe und Familie *(Art. 6)*	*Besonderer Schutz von Ehe und Familie, Mutterschutz, Gleichstellung ehelicher und unehelicher Kinder*
Schulwesen *(Art. 7)*	*Staatliche Aufsicht über das Schulwesen, Recht auf Betreiben privater Schulen*
Versammlungsrecht *(Art. 8)*	*Recht, sich ohne Erlaubnis friedlich zu versammeln*
Vereinigungsfreiheit *(Art. 9)*	*Recht, Vereine und Gesellschaften zu bilden; Recht, zur Wahrung und Förderung der Arbeits- und Wirtschaftsbedingungen Vereinigungen zu bilden (Gewerkschaften, Arbeitgeberverbände usw.)*
Brief- und Postgeheimnis *(Art. 10)*	*Unverletzlichkeit von Brief-, Post- und Fernmeldegeheimnis*
Freizügigkeit *(Art. 11)*	*Recht auf Freizügigkeit im Bundesgebiet*
Gewerbe- und Berufsfreiheit *(Art. 12)*	*Freie Wahl von Beruf, Arbeitsplatz und Ausbildungsstätte; kein Arbeitszwang mit Ausnahme einer allgemeinen Dienstpflicht*
Schutz der Wohnung *(Art. 13)*	*Unverletzlichkeit der Wohnung*
Schutz von Eigentum und Erbrecht *(Art. 14)*	*Eigentum und Erbrecht werden gewährleistet. Eigentum verpflichtet. Sein Gebrauch soll zugleich dem Wohl der Allgemeinheit dienen. Enteignung zum Wohl der Allgemeinheit auf Gesetzesbasis und gegen Entschädigung möglich.*
Vergesellschaftung *(Art. 15)*	*Vergesellschaftung von Grund und Boden, Naturschätzen und Produktionsmitteln durch Gesetz und gegen Entschädigung möglich.*
Staatsangehörigkeit *(Art. 16)*	*Kein Entzug der deutschen Staatsangehörigkeit; keine Auslieferung an dritte Staaten*
Asylrecht *(Art. 16a)*	*Politisch Verfolgte genießen Asylrecht.*
Petitionsrecht *(Art. 17)*	*Recht, sich mit Bitten oder Beschwerden an zuständige Stellen oder die Volksvertretung zu wenden.*
Freiheitlich demokratische Grundordnung *(Art. 18)*	*Verwirkung von Grundrechten (Art. 5, 8, 9, 10, 14, 16a) bei ihrem Einsatz gegen die Grundordnung*
Gesetzesbindung *(Art. 19)*	*Einschränkungen der Grundrechte nur auf Basis eines Gesetzes möglich, das allgemein gilt und nicht nur für den Einzelfall.*

Die Globalisierung führt zu einer stärkeren Arbeitsteilung in der Welt. Damit wachsen die Chancen für die Bevölkerung vieler Länder, am wachsenden Wohlstand teilzuhaben. Der mit der Globalisierung einhergehende Strukturwandel bedeutet für die „alten" Industrieländern einen verstärkten Wettbewerbs- und Innovationsdruck, der auch für die Bevölkerung mit erheblichen sozialen Umschichtungen verbunden sein kann. In einer kritischen Sicht wird dies bemängelt und eine häufig sozialpolitische Abfederung der Globalisierungsresultate gefordert. Die Bewertung der Globalisierungseffekte ist komplex. Beispielsweise profitieren deutsche Verbraucher durch niedrige Preise von Waren, die in Entwicklungsländern hergestellt werden und dort zu Investitionen und Arbeitsplätzen führen. Andererseits werden dadurch auch Arbeitsplätze gefährdet, soweit es nicht gelingt, technologisch hochwertige Produkte zu entwickeln und zu verkaufen.

Globalsteuerung *Andere Bezeichnung: Makropolitik. Beeinflussung volkswirtschaftlicher Gesamtgrößen (Investitionen, Wachstum, Preisniveau, Beschäftigung, Außenhandel, Geldmenge) durch die* **Wirtschaftspolitik** *der Regierung und die* **Geldpolitik** *der Notenbank. Durch Maßnahmen der Globalsteuerung, wie z. B. Abgaben- oder Zinsveränderungen, werden die Rahmenbedingungen für alle Wirtschaftenden verändert. Das Gegenteil von Globalsteuerung sind politische Maßnahmen, die die Struktur und/oder die Preisbildung auf bestimmten Märkten beeinflussen wollen, indem sie etwa bestimmte Investitionen fördern. Dies geschieht mit Subventionen oder auch öffentlichen Aufträge. In der Praxis findet sich allerdings in allen marktwirtschaftlich organisierten Staaten stets eine Mischung aus global und selektiv ausgerichteten wirtschaftspolitischen Steuerungsmaßnahmen.*

Gold *Ein Edelmetall, das über Jahrhunderte hinweg in vielen Staaten der Erde als Zahlungsmittel diente. Das galt insbesondere im 19. Jhd. als die westeuropäischen Länder, Japan, Russland und die USA zur Goldwährung übergingen. Heute wird Gold von den Notenbanken noch als Währungsreserve gehalten, obwohl es währungspolitisch keine Rolle mehr spielt. Gold hat nach Ansicht der Bundesbank eine stabilitäts- und vertrauensichernde Funktion und stellt als Sachwert eine Anlagealternative zu Devisen dar. Der Bestand an Gold belief sich bei der EZB Ende 2008 auf 349,2 Milliarden Unzen. Eine größere Bedeutung hat Gold heute vor allem als Industrierohstoff. Daneben wird es als Anlageinstrument in Form von Barren oder auch Münzen eingesetzt, wenn Unsicherheiten über die wirtschaftliche Zukunft und hohe Inflationserwartungen bestehen.*

Grenzsteuersatz *siehe* **Steuerprogression**

Grundbuch *Ein Register, in das Lage, Fläche, Größe, Eigentumsverhältnisse, die Belastungen von Grundstücken mit Grundpfandrechten u. ä. eingetragen sind. Es wird beim Grundbuchamt geführt.*

Grundkapital *siehe* **Eigenkapital**

Grundkreditanstalten *siehe* **Bank**

Grundpfandrecht *Ein Recht, das dem Berechtigten die Möglichkeit einräumt, bei*

Vorliegen bestimmter Voraussetzungen (z. B. Nichtrückzahlung eines Darlehens) das durch das Grundpfandrecht belastete Grundstück zwangsvollstrecken zu lassen (Versteigerung des Grundstücks zur Befriedigung des Gläubigers).

> *Grundpfandrechte sind:*

- *Hypothek: Belastung eines bebauten oder unbebauten Grundstücks mit einem Pfandrecht als Sicherheit für einen Kredit (Hypothekarkredit). Die Hypothek wird in das* ***Grundbuch*** *eingetragen. Sie berechtigt den Gläubiger, das Grundstück versteigern zu lassen, wenn das Darlehen nicht zurückgezahlt wird.*
- *Grundschuld: Grundpfandrecht, das nicht von einem Kredit abhängig ist.*
- *Rentenschuld: Besondere Art der Grundschuld, bei der keine feste Geldsumme, sondern eine Rente gezahlt wird.*

Grundrechte *Verfassungsrechtlich gewährleistete Rechte, die die Freiheit der Person vor dem Staat schützen, oder die Gleichheit der Menschen sichern. Basis sind die allgemeinen Menschenrechte. Das Grundgesetz zählt die Grundrechte auf* ***(Schaubild 47).*** *Darunter sind auch solche Grundrechte, die grundlegende Elemente für die Wirtschaftsverfassung als Marktwirtschaft sind (z. B. freie Entfaltung der Persönlichkeit, freie Berufswahl, Schutz des Eigentums).*

Grundschuld *siehe* ***Grundpfandrecht***

G 8 *(G 7; G 20) Bezeichnung für die 8 größten Industrieländer der Welt (Group of 8): USA, Japan, Deutschland, Großbritannien, Frankreich, Italien, Kanada und Russland (siehe* ***Schaubild 43****). Die Staats- und Regierungschefs dieser Länder treffen sich einmal im Jahr, um gemeinsam interessierende Fragen zu erörtern und nach Möglichkeit eine gemeinsame Haltung abzustimmen. Das Treffen wird auch als Weltwirtschaftsgipfel bezeichnet, da v. a. Wirtschafts- und Währungsfragen behandelt werden. Bis 1998 tagte die Gruppe als G7, da Russland erst 1998 in den Kreis aufgenommen wurde. Daneben treffen sich dreimal jährlich die Finanzminister und Notenbankchefs zur Erörterung wirtschafts- und währungspolitischer Themen. An diesen Treffen nimmt auch der geschäftsführende Direktor des Internationalen Währungsfonds teil. Das zeigt zugleich die gewichtige Rolle, die die G 8 bei den internationalen Währungsorganisationen spielen. In Sonderfällen tagen die Finanzminister auch weiterhin als G7, d. h. ohne Russland. Ergänzend wurde 1999 die Gruppe G20 ins Leben gerufen. Hier sind die Finanzminister und Zentralbankchefs von 19 Industrie-, Schwellen- und Entwicklungsländern sowie das* ***IWF*** *und die* ***Weltbank*** *vertreten, um über wichtige Wirtschafts- und Finanzfragen zu diskutieren.*

Güter *Sammelbegriff für Sachen und Dienstleistungen, die der Bedarfsbefriedigung dienen. Nach Art des Einsatzes lassen sich Konsum- und Produktionsgüter, Gebrauchs- und Verbrauchsgüter, Rechte und Dienstleistungen unterscheiden.*

H

Haben *Die rechte Seite eines* ***Kontos.*** *(Vergleiche hierzu auch* ***Soll.****)*

45 Einzelhandel ohne Schwung

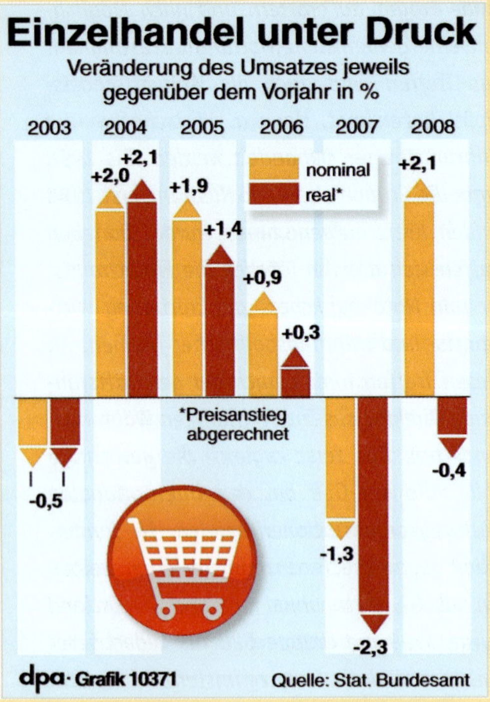

Habenzinsen *Die* ***Zinsen,*** *die* ***Banken*** *für* ***Einlagen*** *zahlen.*

Handel *Bezeichnung für einen Wirtschaftszweig, dessen Unternehmen Güter übernehmen und an andere Unternehmen oder Endverbraucher weiterveräußern.*

Der Handel schlägt die Brücke zwischen Erzeuger und Verbraucher.

> Formen des Handels:

- *Verkauf von Waren direkt ab Werk durch den Produzenten (Werkhandel).*
- *Erwerb von Waren und Weiterveräußerung an andere Handelsunternehmen in meist größeren Einheiten (Großhandel).*
- *Erwerb von Waren und Weiterveräußerung an den Verbraucher oder kleine Gewerbetreibende (Einzelhandel).*

> Beim Einzelhandel unterscheidet man:

- *Fachgeschäfte des Einzelhandels: Einzelhandelsgeschäfte, die auf eine bestimmte Warengruppe spezialisiert sind;*
- *Warenhäuser: Einzelhandelsunternehmen, die ein großes, vielfältiges Angebot unterschiedlicher Waren anbieten. Meistens handelt es sich um große Unternehmen mit mehreren Verkaufsstellen (Filialunternehmen);*
- *Fachmärkte: Spezialisierte großflächige Geschäfte meist als Teil einer Filialkette, die bestimmte Warensegmente in großer Sortimentstiefe (z. B. Autozubehör, Fahrräder, Tierfutter) anbieten, Standorte meist am Ortsrand wegen der Erreichbarkeit;*
- *Discounter: Geschäfte meist als Teil einer Kette mit beschränktem Sortiment, geringem Service und deshalb meist günstigen Preisen;*
- *Versandhandel: Einzelhandelsunternehmen, die die von ihnen veräußerten Produkte überwiegend per Post an ihre Kunden verschicken. Der Versandhandel auf Basis des Internets hat in den letzten Jahren erheblich zugenommen (siehe* ***Electronic Commerce****).*

Im Einzelhandel haben sich seit 1990 die Marktanteile zwischen den einzelnen Erscheinungsformen beträchtlich verschoben. Verbraucher- und Fachmärkte, Filialunternehmen und Discounter konnten ihren Marktanteil ausdehnen, ebenso der in Einkaufsgenossenschaften und freiwilligen Ketten organisierte Handel.

Dagegen haben die nichtorganisierten kleinen Einzelhandelsgeschäfte („Tante-Emma-Läden"), die selbstständigen Fachgeschäfte und auch die Warenhausketten erhebliche Marktanteile eingebüsst (siehe auch ***Schaubild 45****). Zu den Gewinnern gehören auch die Einkaufszentren, die verschiedene Handelsunternehmen unter einem Dach zusammenfassen und gemeinsame Marketingmaßnahmen durchführen. Die Veränderung der Handelsstrukturen basiert auf einer Trennung zwischen bedarfsorientiertem Einkauf der Alltagsgegenstände und dem erlebnisorientierten Shopping auch als Freizeitgestaltung.*

Handelsbilanz

> *Die Bilanz, die ein Unternehmen nach handelsrechtlichen Vorschriften aufstellen muss (siehe auch* ***Jahresabschluss****).*

> *Die Gegenüberstellung der Warenaus- und -einfuhren einer Volkswirtschaft (siehe auch* ***Zahlungsbilanz****).*

Handelsregister *Ein vom Amtsgericht geführtes amtliches Verzeichnis, in dem die die Kaufleute des Bezirks eingetragen sind, die ein* ***Gewerbe*** *betreiben. Es enthält die Firma, Inhaber, Haftung, Gesellschafterverhältnisse, Geschäftssitz. Zweck ist die klare Dokumentation der Rechtsverhältnisse.*

Handelsspanne *siehe* ***Marge***

Handwerk *Erzeugung von Gütern und Erbringung von Dienstleistungen, wobei ein wesentlicher Teil der Leistungserstellung von Hand erfolgt. Im Regelfall muss der Inhaber eine Meisterprüfung abgelegt haben.*

Das Handwerk hat ein beträchtliches Gewicht in der Bundesrepublik Deutschland. 2007 arbeiteten in rund 962 400 Betrieben etwa 4,8 Millionen Menschen, fast 480 000 Lehrlinge hatten dort einen Ausbildungsvertrag, so dass 2007 12,2 Prozent aller Erwerbstätigen und 30,3 Prozent aller Auszubildenden in Deutschland im Handwerk tätig waren. Im Jahr 2007 erreichte der Umsatz im Handwerk rund 490,5 Milliarden Euro (inkl. MwSt). Die TOP 5 der Handwerkszweige (2008): Friseure, Elektrotechniker, Kraftfahrzeugtechniker, Installateure und Heizungsbauer, Maurer und Betonbauer.

Auch das Handwerk ist dem Wandel unterworfen: Der Anteil der Dienstleistungen nimmt zu, Tätigkeiten von Handwerksbetrieben werden in Filialketten zusammengefasst (z. B. Bäcker, Metzger) und die Tätigkeiten zunehmend durch Maschinen erledigt. In einzelnen Bereichen verschwimmt so der Unterschied zwischen handwerklicher und industrieller Fertigung. Die Zuordnung zu Handwerk oder Industrie hängt dann von der Zugehörigkeit zur ***Handwerkskammer*** *oder der* ***Industrie- und Handelskammer*** *ab.*

Handwerkskammer *Öffentlich-rechtliche Institution, die die Interessen der Handwerker in ihrem Bezirk vertritt. Die Mitgliedschaft ist für die dort ansässigen Handwerksunternehmen Pflicht. Die Mitglieder werden in die Handwerksrolle eingetragen. Eine wesentliche Aufgabe der Handwerkskammern ist die Festlegung und Organisation der Berufsausbildung im Handwerk.*

Hartwährungsländer *Länder, deren* ***Währung*** *international frei handelbar und ohne Beschränkungen in andere Währungen eintauschbar (siehe* ***Konvertibilität****) ist. Im Gegensatz dazu müssen „weiche" Währungen*

46 Handwerk in Deutschland

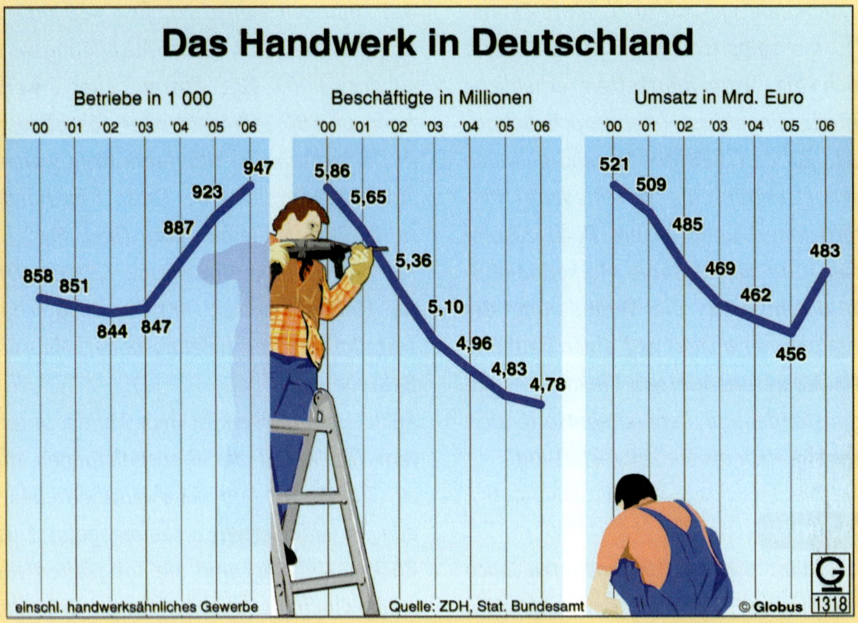

durch Devisenbewirtschaftungsmaßnahmen geschützt werden. Der Begriff Hartwährungsland wird vor allem auf Länder mit niedrigen Preissteigerungsraten angewandt, deren Währungen sich tendenziell aufwerten (beispielsweise der Euro-Raum oder die Schweiz).

Hartz I-IV *Sammelbegriff für 2004 beschlossene* ***Arbeitsmarkt-*** *und Sozialreformen, deren Ziel es war, die Vermittlung in Arbeit nachhaltig zu verbessern und neue Beschäftigungsmöglichkeiten zu schaffen. Die Reformen waren lange umstritten, haben aber ausweislich der Arbeitslosenzahlen gewisse Erfolge erreicht. Die Bezeichnung gibt den Namen des Kommissionsvorsitzenden Peter Hartz wieder.*

Hauptversammlung *siehe* ***Aktiengesellschaft***

Haushalt *Die Wirtschaftsform einer Gemeinschaft von Personen oder Institutionen mit einheitlicher Willensgestaltung. Es gibt*

> *Private Haushalte: Von Ein-Personen-Haushalten bis zu Gemeinschaften von Privatpersonen, die eine wirtschaftliche Einheit bilden, wie Familien, Lebens- und Wohngemeinschaften, Anstalten und ihre Bewohner, wie etwa Altenheime oder Kasernen.*

> *Öffentliche Haushalte: Die ökonomische und finanzielle Seite der Gebietskörperschaften (Bund, Länder, Gemeinden, öffentliche Sondervermögen, EU) und Sozialversicherungen. Der Begriff wird auch auf deren periodische Einnahmen- und Ausgabenrechnung (z. B. Haushalt des Bundes) angewendet. In diesem Sinne spricht man auch von Budget (siehe auch* ***Öffentliche Haushalte****).*

Hausse Vor allem an der **Börse** benutzter Begriff für einen ausgeprägten Preisanstieg über einen längeren Zeitraum hinweg. Das Gegenteil einer Hausse ist die **Baisse**.

Hedgefonds Bezeichnung für Fonds, die in alle Formen von Finanzinstrumenten investieren und dabei eine Vielzahl verschiedener Techniken (u. a. Leerverkäufe, hoher Einsatz von Fremdkapital, Arbitrage) verwenden, so dass sie in positiven wie negativen Marktphasen Gewinne erzielen können. Der Begriff leitet sich ab von **Hedging**, einer Technik, mit der sich Anleger oder Kreditnehmer gegen Risiken absichern können. Hedgefonds sind häufig in Niedrigsteuerländern ansässig und unterliegen derzeit nur sehr geringen staatlichen Kontrollen. Da sie Geschäfte häufig mit rein spekulativer Orientierung bei hoher Kreditfinanzierung durchführen, wird ihnen ein starker Einfluss bei der Entstehung der derzeitigen Finanzmarktkrise zugeschrieben, die positiven Wirkungen einer breiteren Verteilung des Risikos treten in den Hintergrund.

Hedging siehe **Kurssicherung**

Hermesbürgschaft Absicherung der speziellen Risiken im **Außenhandel** durch eine Garantie des Bundes. Dabei übernimmt im Auftrag und für Rechnung der Bundesregierung die Euler-Hermes-Kredit-Versicherungs-AG eine Garantie, mit der der Exporteur gegen Ausfallrisiken aufgrund wirtschaftlicher und politischer Umstände versichert ist. Hermes-Deckungen können von Banken und Exporteuren in Anspruch genommen werden. Die Exportländer werden in Risikokategorien eingeteilt. Die Höhe der Gebühr für die Hermesbürgschaft richtet sich nach dieser Risikoeinstufung.

Holding Eine Gesellschaft, die selbst keine Waren herstellt oder Dienstleistungen erbringt, sondern Eigentümerin anderer Gesellschaften ist und diese Gesellschaften lenkt und kontrolliert.

Homebanking (auch Online-Banking) Bankgeschäfte über das Internet von zu Hause oder aus dem Büro. Der Bankkunde loggt sich mit einem Passwort in das System seiner Hausbank ein und kann dann eine Vielzahl von Transaktionen wie Zahlungsverkehr, Geldanlage oder Börsengeschäfte unabhängig von Öffnungszeiten vornehmen. Die Beachtung von Sicherheitsstandards ist bei der Benutzung von Homebanking unerlässlich. Mittlerweile nützen etwa 24 Millionen Bundesbürger das Homebanking.

Humanisierung des Arbeitslebens
Gesamtheit von Überlegungen und Maßnahmen, die darauf abzielen, Arbeitsbedingungen und Arbeitsabläufe im Betrieb den menschlichen Bedürfnissen entsprechend zu gestalten. Teilaspekte sind der Gesundheitsschutz (ausreichender Platz, gute Belüftung und Beleuchtung, wenig Lärm etc.), eine vernünftige Gestaltung der Arbeitorganisation (keine Monotonie, gleitende Arbeitszeit), aber auch die Beteiligung der Arbeitnehmer an der Planung und Gestaltung des Arbeitsplatzes, ein betriebliches Vorschlagswesen, hinreichende Information und Weiterbildung.

Humankapital Zusammenfassender Begriff für die Fähigkeiten, Fertigkeiten und das Wissen der Bevölkerung, soweit sie wirt-

schaftlich genutzt werden können und zur Entstehung des Bruttoinlandsprodukts beitragen.

Hypothek *siehe* **Grundpfandrecht**

I

IDA *siehe* **Weltbank**

IEA *siehe* **Internationale Energieagentur**

IFC *siehe* **Weltbank**

Ifo-Geschäftsklimaindex *Vom Ifo-Institut in München monatlich veröffentlichter* ***Index*** *über die Stimmungslage in der gewerblichen Wirtschaft. Abgefragt wird in einer ausgewählten Stichprobe die Einschätzung der aktuellen Geschäftslage und die erwartete Geschäftslage der nächsten sechs Monate.*

Immission *Ausstoß von Schadstoffen bei der Produktion oder durch Konsum. Beispiele: Ausstoß von Staub in einem Zementwerk, von Abgasen bei Autos oder von Rauch aus den Kaminen von Häusern. Die auf diese Weise in die Umwelt eingedrungenen Schadstoffe werden unter dem Begriff Immissionen zusammengefasst. Der Begriff Immission wird vor allem in der Umwelttechnik verwendet, in wirtschaftlichen Diskussionen eher der Begriff* ***Emission****.*

Immobilien *Sammelbegriff für bebaute und unbebaute Grundstücke, die Gebäude sowie grundstücksgleiche Rechte wie etwa die Erbpacht. Immobilien finden gerade auch zur Vermögensanlage und Altersvorsorge Verwendung.*

Immobilienfonds *siehe* **Investmentgesellschaft**

Import *siehe* **Außenhandel**

Incoterms *International anerkannte Regeln für die Auslegung von allgemein gebräuchlichen Handelsklauseln im* ***Außenhandel****. Geregelt werden insbesondere die Übernahme von Fracht- und Versicherungskosten durch Lieferanten und Abnehmer sowie die Übernahme des Untergangsrisikos.*

> *Beispiele hierfür sind:*

- *cf Übernahme der Verladekosten und Seefracht bis zum Bestimmungshafen,*
- *cif Übernahme der Verladekosten, Versicherung und Fracht bis zum Bestimmungshafen,*
- *c.l. Waggonladung,*
- *fas frei bis zur Längsseite des Schiffes im Abgangshafen,*
- *fob frei bis an Bord des Schiffes im Abgangshafen,*
- *f.o.a. frei bis an Bord des Flugzeugs,*
- *f.o.c. frei von Kosten.*

Index *Eine statistische Maßzahl, mit deren Hilfe Veränderungen (z. B. der Produktion, der Preise oder von Kursen) gegenüber einem früheren Zeitpunkt erfasst werden. Indizes werden verwendet, um die Entwicklung für eine Gesamtheit von Vorgängen darzustellen. So fasst beispielsweise der Verbraucherpreisindex die Preisentwicklung sehr unterschiedlicher Erzeugnisse (Warenkorb von etwa 750 Produkten und Dienstleistungen) in* einer einzigen Zahl zusammen. Indizes werden in der Wirtschaftsstatistik vor allem für die Darstellung von Produktions-, Auftrags- und Preisentwicklungen verwendet.

Indexierung Eine Vereinbarung, nach der der Geldwert einer Forderung oder Verbindlichkeit (z. B. Miete) an die Entwicklung anderer Preise (Preisindizes) angeglichen wird. Dies geschieht üblicherweise über Wertsicherungsklauseln. Damit sollen bei längerfristigen Vereinbarungen Vermögensverluste durch Geldentwertung ausgeschlossen werden. In Deutschland darf gemäß Preisangaben- und Preisklauselgesetz der Betrag von Geldschulden nicht unmittelbar und selbsttätig durch den Preis oder den Wert anderer Güter oder Leistungen bestimmt werden. Ausnahmen kann das Bundesamt für die gewerbliche Wirtschaft genehmigen. Freigestellt vom Indexierungsverbot sind u. a. Mietverträge und Verträge des Geld- und Kapitalverkehrs.

Indossament siehe **Orderpapiere**

Industrie Wirtschaftszweig, in dem die Erzeugung von Produkten wesentlich unter Verwendung von Maschinen bei Zerlegung des Herstellungsprozesses in Einzelschritte erfolgt. Die Produktion ist vielfach auf einen größeren, oftmals regional nicht beschränkten Markt ausgerichtet. 26 % der gesamtwirtschaftlichen Wertschöpfung mit 564,7 Milliarden Euro kamen in Deutschland 2007 aus dem produzierenden Gewerbe. Mit dieser Größe bestimmt die Industrie entscheidend auch die Entwicklung in den anderen Wirtschaftszweigen. In der Bundesrepublik gibt es eine große Vielfalt von Industriebranchen. Ein Schwergewicht liegt dabei bei der Herstellern von Investitionsgütern insbesondere auch für den Export. **Schaubild 47** zeigt u.a. die Branchenaufteilung der Industrieproduktion.

Industriepolitik siehe **Strukturpolitik**

Industrie- und Handelskammer (IHK)
Öffentlich-rechtliche, gesetzlich geregelte Körperschaft, die die Interessen von Unternehmen in Industrie, Handel und Verkehr des Kammerbezirks vertritt. Die Mitgliedschaft ist für Gewerbetreibende Pflicht, sofern sie nicht einer **Handwerkskammer** angeschlossen sind. Die Kammern erledigen Selbstverwaltungs- und Auftragsangelegenheiten für die gewerbliche Wirtschaft ihres Bezirks. Zu den Aufgaben der IHKs gehören u. a. die Betreuung der Berufsausbildung, das Ausstellen amtlicher Bescheinigungen im Außenwirtschaftsverkehr sowie gutachtliche Stellungnahmen gegenüber staatlichen Stellen, Gemeinden oder Gerichten.

In der Bundesrepublik Deutschland gibt es 80 Industrie- und Handelskammern. Die Spitzenorganisation ist der Deutsche Industrie- und Handelskammertag (DIHK) mit der Aufgabe, die Zusammenarbeit der Kammern zu fördern und die Interessen der gewerblichen Wirtschaft in der Öffentlichkeit und gegenüber den staatlichen Organen zu vertreten.

Inflation Die nachhaltige Verschlechterung des **Geldwertes** in einem Land, wobei die Preise für Waren und Dienstleistungen laufend steigen. Das Geld verliert an **Kaufkraft**, es lässt sich mit einer Geldeinheit weniger kaufen. Inflation wird gemessen durch den Anstieg eines Preisindex.

Inflation entsteht, wenn die gesamte Nachfrage nach Gütern und Dienstleistungen in einer

47 Industrie-Konjunktur

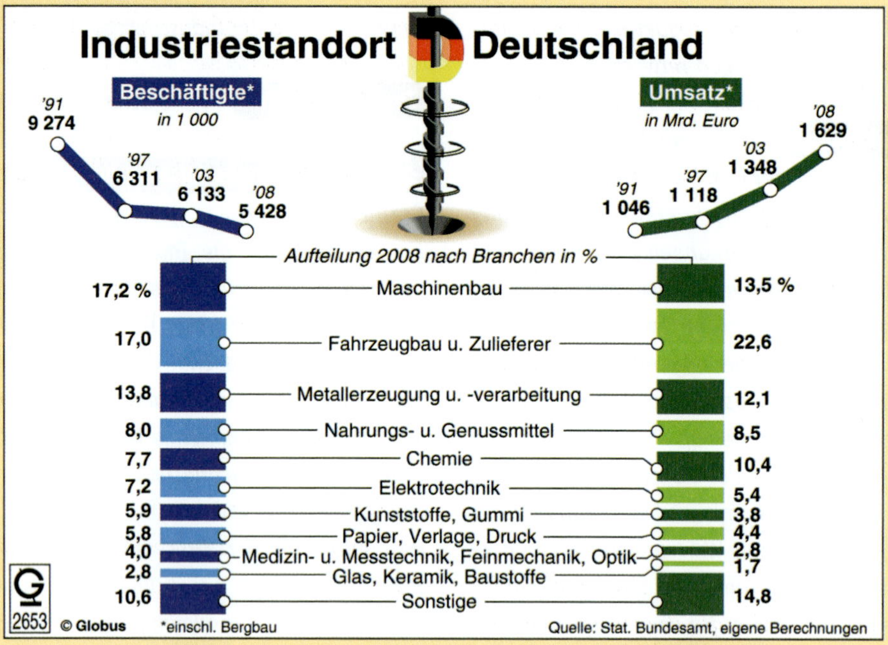

Volkswirtschaft relativ stärker zunimmt als das Angebot und dies nicht kurzfristig durch eine Ausweitung des Angebots (z. B. über Importe) befriedigt werden kann. Die Anstöße zur Geldentwertung können dabei von der Nachfrage- wie von der Angebotsseite kommen:

> *Die Nachfrage nach Gütern und Dienstleistungen steigt ohne eine entsprechende Ausweitung des Angebots (Nachfrageinflation).*

> *Die Produktionskosten (Löhne, Rohstoffe, Steuern) nehmen so stark zu, dass die angebotenen Güter nur zu höheren Preisen abgesetzt werden können (Kosteninflation).*

Inflationäre Impulse von der Nachfrage- oder Angebotsseite können aber nur dann zu erhöhten Preissteigerungen führen, wenn sie über ein gegenüber den gesamtwirtschaftlichen Produktionsmöglichkeiten (Produktionspotenzial) zu großes Geldvolumen finanziert werden. Eine Ausweitung der Geldmenge kann dabei selbst Inflation erzeugen, nämlich dann, wenn hiervon Zinssenkungen angestoßen werden, die ihrerseits die Nachfrage ankurbeln.

Deshalb muss die für die Versorgung einer Volkswirtschaft mit Geld zuständige Notenbank bestrebt sein, nur so viel Geld umlaufen zu lassen, wie für Wachstum und eine zunehmende Beschäftigung erforderlich ist, ohne dass ein Inflationspotenzial aufgebaut wird.

Nach der Geschwindigkeit der Geldentwertung unterscheidet man:

- *Schleichende Inflation ist eine andauernd leichte Geldentwertung. Über eine längere Frist führt sie zu erheblichen Verlusten des Geldwertes. Beispiel: Bei einer jährlichen*

Preissteigerungsrate von 2,8 % zwischen 1950 und 2005 hat der Geldwert rund 77 % an Kaufkraft eingebüßt. Mit 1 Euro (= 1,95583 DM) konnte man 2005 nur noch so viel kaufen wie 1950 mit 44 Pfennigen.

- Trabende bzw. galoppierende Inflation oder Hyperinflation liegt vor, wenn sich das Geld sehr rasch entwertet. Beispiel hierfür ist die Inflation in Deutschland nach dem Ersten Weltkrieg. Extrem ist die Situation derzeit etwa in Zimbabwe mit einer Inflation von 11,2 Millionen Prozent in 2008.

Nach der Deutlichkeit unterscheidet man die

- offene Inflation mit laufend steigenden Preisen oder
- die verdeckte oder zurückgestaute Inflation. Dabei wird das Ungleichgewicht von Angebot und Nachfrage nicht ersichtlich, weil die Preise durch die Regierung reglementiert und die Güter rationiert werden (z. B. durch die Ausgabe von Bezugsscheinen). Hierdurch entstehen oft Schwarzmärkte. Hyperinflationen lassen sich häufig nur durch eine Währungsreform bekämpfen, die die Geldmenge wieder an die Produktionsmöglichkeiten anpasst.

Eine Inflation hat für Schuldner und Besitzer von Produktiv- oder immobilen Vermögensgegenständen positive Wirkungen, da Schulden entwertet werden, Vermögensgegenstände im Preis steigen. Umgekehrt werden Sparer geschädigt, da der Geldwert der Ersparnisse abnimmt. Auch die Bezieher fester Einkommen wie Rentner oder Arbeitslose verlieren durch die Inflation Kaufkraft. Bei einer spürbaren Geldentwertung kommt es zu einer Flucht in die Sachwerte (z. B. Immobilien) und allgemein zu Verzerrungen, weil Geldmittel vermehrt unter dem Blickwinkel angelegt werden, die Substanz zu erhalten bzw. Wertsteigerungen zu erzielen. Damit beeinträchtigt Inflation gleich welcher Form die gesamtwirtschaftliche Produktivitätsentwicklung, dämpft damit auf Dauer das Wachstum und senkt den Wohlstand eines Landes (**Schaubild 48**).

Infrastruktur Wirtschaftlich-organisatorischer Unterbau einer Volkswirtschaft als Grundvoraussetzung für die wirtschaftliche Entwicklung. Zur technischen Infrastruktur gehören Wasserleitungen, die Energieversorgung, Straßen, Flughäfen, Telekommunikationsnetze, zur sozialen Infrastruktur Krankenhäuser, Schulen, Universitäten, kulturelle Einrichtungen, etc.

48 Preisentwicklung in den OECD-Ländern 2007/2008

Anstieg der Verbraucherpreise im Vergleich zum Vorjahr in %

	2007	2008
Australien	2,3	4,6
Belgien	1,8	4,6
Deutschland	2,3	2,9
Frankreich	1,6	3,3
Großbritannien	3,7	2,7
Italien	2,0	3,5
Japan	0,1	1,4
Mexiko	4,0	4,9
Niederlande	1,6	2,3
Spanien	2,8	4,4
Türkei	8,8	10,3
USA	2,9	4,3
EURO-Raum	2,1	3,4

Inkasso Einzug fälliger Forderungen, v. a. von Schecks und Wechseln durch Einreichen bei der Bank zum Einzug auf ein Konto.

Inlandsprodukt Die volkswirtschaftliche Gesamtleistung eines Landes innerhalb einer bestimmten Zeitspanne, wird auch als Nationaleinkommen bezeichnet (siehe **Schaubild 42**). Einige wichtige Größen bei der Berechnung des Inlandsprodukts:

> Bruttowertschöpfung: Die Summe aller von den Wirtschaftseinheiten innerhalb der Landesgrenzen geschaffenen wirtschaftlichen Werte. Sie ergibt sich als Differenz aus der gesamten Produktion (Produktionswerte) und den hierfür verbrauchten Gütern (Vorleistungen). Sie wird ohne Umsatzsteuer ermittelt.

> Unterstellte Bankdienstleistungen: Nettozinseinnahmen und Provisionseinnahmen der Banken.

> Bruttoinlandsprodukt: Gesamtheit aller im Inland geschaffenen Waren und Dienstleistungen (einschließlich Umsatzsteuer und der von Ausländern im Inland geschaffenen Werte).

> Volkseinkommen: Das in einer Volkswirtschaft erzielte Einkommen.

> Private Konsumausgaben: Käufe der inländischen privaten Haushalte für Konsumzwecke.

> Konsumausgaben des Staates: Leistungen des Staates, die der Allgemeinheit ohne spezielle Gebühren zur Verfügung gestellt werden (z. B. Gesundheitswesen, Schulen, Verteidigung).

> Ausrüstungen: Aufwendungen von Staat und Unternehmen für die Anschaffung von beweglichen Investitionsobjekten, wie z. B. Maschinen.

> Bauten: Aufwendungen von Unternehmen, Staat und privaten Haushalten für Bauinvestitionen, wie z. B. Eigenheimen, Lagerhallen, Wohnbauten, Straßen.

> Vorratsveränderungen: Veränderungen des Bestandes an Roh-, Hilfs-, Betriebsstoffen sowie fertigen und halbfertigen Erzeugnissen bei den Unternehmen.

> Arbeitnehmerentgelt: Bruttolöhne und -gehälter der Arbeitnehmer zuzüglich der Sozialbeiträge der Arbeitgeber.

> Unternehmens- und Vermögenseinkommen: Unternehmensgewinne, Zinseinnahmen, Mieteinnahmen, sonstige Vermögenseinkommen.

> Außenbeitrag: Saldo aus Aus- und Einfuhr von Waren und Dienstleistungen.

Dazu gehörende Daten finden sich in **Schaubild 42** auf S. 73.

Innovation Entwicklung neuer Produkte und Verfahren sowie ihre Einführung auf dem Markt und im Betrieb. Innovationen sind notwendig, um die Marktposition eines Betriebs und damit der gesamten Volkswirtschaft zu stärken. Man unterscheidet Prozessinnovationen (Verbesserung der Produktionsabläufe) und Produktinnovationen (Verbesserung bestehender oder Entwicklung neuer Produkte). Rund 58 % der Unternehmen hatten in dem Dreijahreszeitraum 2004–2006 mindestens ein Innovationsprojekt durchgeführt. Dabei wurden rund 4,9 % des Umsatzes für Innovationen aufgewendet (siehe auch **Forschung**).

Insider Personen, die wegen ihrer Stellung im Unternehmen oder ihrer besonderen Beziehungen zu einem Unternehmen Zugang zu Informationen erhalten, die nicht allgemein zugänglich sind und deren Benützung zu einem Vermögensvorteil etwa durch Kauf oder

*Verkauf von Aktien führen kann. Nach dem Wertpapierhandelsgesetz ist das Benützen von Insiderinformationen untersagt und strafbar. Das **BaFIN** kontrolliert die Einhaltung der Regelungen. Unternehmen sind zusätzlich durch Publizitätsvorschriften verpflichtet, die Öffentlichkeit schnell und allgemein zugänglich über kursrelevante Tatsachen zu informieren.*

Insolvenz *Bezeichnung für die Zahlungsunfähigkeit oder Überschuldung von Personen oder Unternehmen; siehe **Schaubild 49**. Zahlungsunfähigkeit ist dann gegeben, wenn Schuldner wegen Mangel an Zahlungsmitteln dauerhaft nicht in der Lage sind, die laufenden Rechnungen zu bezahlen. Überschuldung liegt vor, wenn die Verluste das Eigenkapital eines Unternehmens aufgezehrt haben und damit seine Schulden die Vermögensbestände überschreiten. Die Folgen der Insolvenz sind ein Insolvenzverfahren (früher: Konkurs) mit **Liquidation** oder auch der **Sanierung** des Unternehmens. Ziel ist die Befriedigung der Ansprüche der Gläubiger. Die Befriedigung erfolgt in nach der Insolvenzordnung festgelegter Reihenfolge entsprechend dem Grad der Besicherung. Die seit 1. 1. 1999 geltende Insolvenzordnung regelt das Verfahren. Die schuldhaft herbeigeführte Insolvenz heißt **Bankrott** und unterliegt dem Strafgesetzbuch.*

Integration *Die verstärkte wirtschaftliche Verflechtung von Staaten, etwa über den Abbau von Hemmnissen im Außenhandel und gemeinsame rechtliche Rahmenbedingungen, mit dem Ziel, binnenmarktähnliche Verhältnisse herzustellen. Hiervon erwartet man eine verbesserte **Arbeitsteilung** innerhalb des gemeinsamen Wirtschaftsraums und in der Folge höheres Wachstum, mehr Beschäftigung und erhöhten Wohlstand. Beispiel für eine weit fortgeschrittene Integration ist die **Europäische Union**.*

49 Pleiten-Deutschland

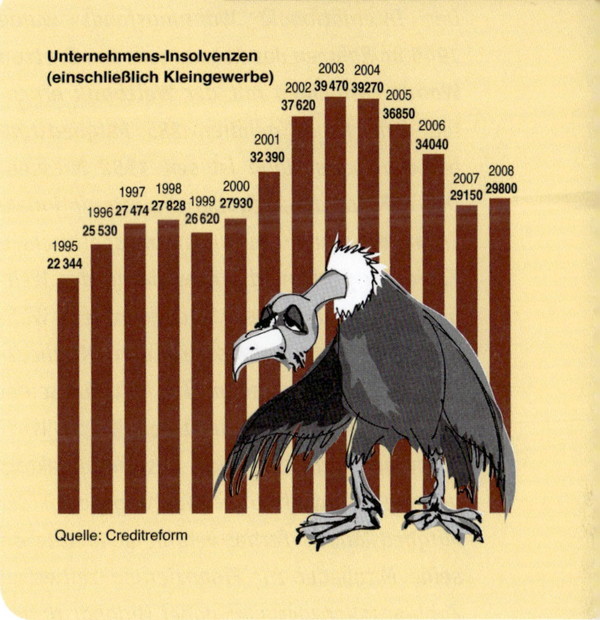

Interessengemeinschaft *siehe **Unternehmenszusammenschlüsse***

Internationale Energieagentur (IEA) *1974 gegründete internationale Organisation mit mittlerweile 28 Mitgliedsländern. Ursprünglich mit dem Ziel der Sicherstellung der Ölversorgung der **OECD**-Länder gegründet, kümmert die IEA sich heute um die Sicherheit der Energieversorgung, wirtschaftliche Entwicklung und Umweltschutz. Die Beratung und Informationsversorgung ist eine wesentliche Aufgabe.*

Internationaler Währungsfonds (IWF) Der Internationale Währungsfonds wurde 1945 im Rahmen des Abkommens von **Bretton Woods** zusammen mit der **Weltbank** errichtet. Dem Fonds gehören 185 Mitgliedstaaten an. Deutschland ist seit 1952 Mitglied. Der IWF hat die Aufgabe, die internationale Zusammenarbeit auf währungspolitischem Gebiet zu fördern, die Ausweitung des Welthandels zu erleichtern und geordnete Währungsbeziehungen zwischen den Mitgliedsländern sicher zustellen. Im Rahmen seiner Aufgabenstellung überprüft der IWF die Wirtschaftslage, die Situation des Finanzsektors und die Wirtschafts- und Währungspolitik der Mitgliedsländer. Ferner vergibt er Kredite an seine Mitglieder zur Finanzierung zeitweiser Zahlungsbilanzdefizite; dabei verlangt er von den Kredit nehmenden Ländern angemessene wirtschaftspolitische Maßnahmen, um die Zahlungsbilanzprobleme zu beseitigen (Konditionalität der IWF-Kredite). Die wirtschaftspolitischen Auflagen des Fonds werden mit zunehmender Höhe des Kreditbetrages strenger. Diese IWF-Kredite hatten nach der Schuldenkrise der Entwicklungsländer Anfang der 80er Jahre, dem Zusammenbruch des ehemaligen Ostblocks und im Zuge der Währungsturbulenzen in Asien 1997 erheblich an Bedeutung gewonnen. Der IWF ist marktwirtschaftlichen Regelungen verpflichtet, weshalb die Bedingungen einer Kreditvergabe häufig mit sozialen Härten verbunden waren und deshalb kritisiert wurden. Grundsätzlich will der IWF für seine Mitglieder die Folgen der Globalisierung positiv gestalten. Auch in der aktuellen Wirtschaftskrise wird vom IWF ein entsprechender Beitrag zur Krisenbewältigung erwartet.

Intervention Eingriff von staatlichen Stellen mit dem Ziel, eine unerwünschte Marktentwicklung zu verhindern bzw. eine bestimmte Entwicklung an den Märkten herbeizuführen (an Finanzmärkten auch als Kurspflege bezeichnet). Der Begriff wird hauptsächlich benutzt für die An- und Verkäufe von Zentralbanken an den Devisenmärkten, um die Wechselkurse ihrer Währungen zu beeinflussen. In einem System fester Wechselkurse, in dem die Kurse innerhalb der vereinbarten Grenzen (Interventionspunkte) gehalten werden müssen, sind Devisenmarktinterventionen Teil des Systems.

Investitionen Langfristige Anlage von Kapital zum Erwerb bzw. Bau von Gebäuden, Maschinen, Anlagen und Inventar einschließlich der hierfür nötigen Grundstücke, um damit andere Güter herzustellen oder zu lagern.
Gesamtwirtschaftlich rechnet man auch den Wohnungsbau zu den Investitionen.

> Investitionsbegriffe:

- Bruttoinvestitionen: Gesamtbetrag aller Investitionen, die in einer Periode durchgeführt werden.
- Nettoinvestitionen: Bruttoinvestitionen nach Abzug der Ersatzinvestitionen (Ab schreibungen). Der volkswirtschaftliche Kapitalstock erhöht sich innerhalb einer Periode um den Betrag der in diesem Zeitraum getätigten Nettoinvestitionen.
- Anlageinvestitionen: Investitionen in Ausrüstungen (Fabrikhallen, Maschinen etc.) und Bauten (Wohnungsbau, gewerblicher Bau, öffentlicher Bau).
- Vorratsinvestitionen: Halten von Lagerbeständen an Roh-, Hilfs- und Betriebsstof-

fen sowie an fertigen und halbfertigen Erzeugnissen.

- Ersatzinvestitionen: Ersatz ökonomisch und technisch verbrauchter Maschinen und Anlagen durch neue.
- Erweiterungsinvestitionen: Investitionen, die die Produktionskapazität eines Unternehmens erweitern.
- Rationalisierungsinvestitionen: Investitionen, die Kosten einsparen bzw. die Produktivität eines Unternehmens erhöhen.

Ersatz-, Erweiterungs- und Rationalisierungsinvestitionen lassen sich wegen der in den Investitionsgütern enthaltenen technischen Verbesserungen selten trennen. Meistens sind mit neuen Ausrüstungsgegenständen alle drei Effekte verbunden (siehe auch **Schaubild 50**).

Umfang und Struktur der Investitionstätigkeit sind entscheidende Bestimmungsgrößen für die wirtschaftliche Entwicklung eines Landes. Sie entscheiden über die internationale Wettbewerbsposition und das Produktivitätsniveau einer Volkswirtschaft und damit auch über die Höhe der Beschäftigung und des Einkommens.

In Deutschland werden wie in den anderen Industrieländern die Investitionsentscheidungen in erster Linie von den einzelnen Unternehmen individuell und selbstständig getroffen. Art und Umfang der Investitionen werden von Ertragschancen auf den Märkten bestimmt. Der Schwerpunkt der umfangreichen Investitionen der öffentlichen Haushalte liegt auf dem Ausbau und der Sicherung der **Infrastruktur**. Frühere Forderungen, Fehlinvestitionen durch eine Form staatlich gesteuerter Investitionslenkung zu vermeiden sind weitgehend verstummt. Dies erklärt sich auch mit den Erfahrungen der Planwirtschaften des früheren Ostblocks. Soweit der Staat versucht, Investitionen in bestimmte Richtungen zu

50 Investitionsstau aufgelöst

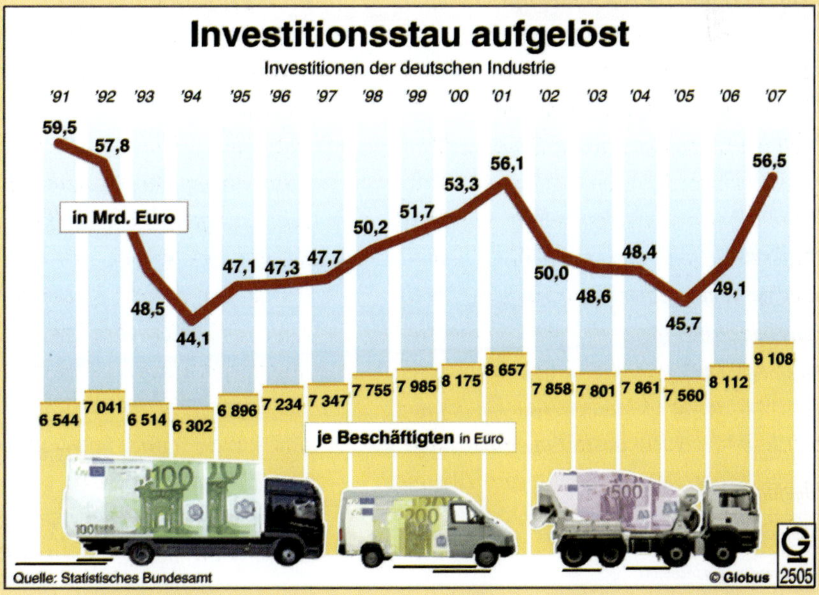

führen geschieht dies über finanzielle Anreize wie Subventionen und Kreditverbilligungen oder Steuervergünstigungen (z. B. Investitionen in regenerative Energien).

Investitionslenkung *siehe* ***Dirigismus***

Investmentgesellschaft *Andere Bezeichnung: Kapitalanlagegesellschaft (siehe auch* ***Bank****). Eine Gesellschaft, die das Geld von Anlegern sammelt, um damit Aktien, festverzinsliche oder sonstige* ***Wertpapiere*** *oder auch* ***Immobilien*** *zu kaufen. Ziel sind Wertsteigerungen der bei den Anlegern liegenden Fondsanteile. Der Käufer der Investmentanteile erwirbt ein Miteigentum an den von der Investmentgesellschaft gehaltenen Wertpapieren oder Immobilien. Gegenüber der Anlage in Einzelanlagen hat die Geldanlage bei einem Investmentfonds den Vorteil der Risikostreuung. Das Gesetz über Kapitalanlagegesellschaften (KAGG) regelt die Beziehungen zwischen Gesellschaft und Anleger. Investmentfonds werden an der Börse gehandelt, sie können aber auch direkt bei der Gesellschaft erworben oder zurückgegeben werden. Der Ausgabe- bzw. Rücknahmepreis richtet sich nach dem Nettoinventarwert des jeweiligen Fonds.*

Man unterscheidet (siehe ***Schaubild 51****):*

- *Publikumsfonds: Fonds, deren Anteilscheine dem breiten Publikum angeboten werden;*
- *Spezialfonds: Fonds, deren Anteilscheine von nicht mehr als 30 meist institutionellen Investoren (nicht natürliche Personen) gehalten werden;*
- *Aktienfonds: Fonds, bei denen die Anlagemittel ausschließlich in Aktien angelegt werden;*
- *gemischte Fonds: Fonds, bei denen die Anlagemittel sowohl in Aktien als auch in festverzinslichen Wertpapieren angelegt werden;*
- *Rentenfonds: Fonds, bei denen die Anlagemittel ausschließlich in festverzinslichen Wertpapieren angelegt werden;*

51 Fondsvermögen der Fonds in Deutschland, Ende 2008 (in Mrd. Euro)

Fonds	Zahl	Fondsvermögen		Zahl	Fondsvermögen
Gesamt	6050				
Publikumsfonds	**2130**	**272,6**	**Spezialfonds**	**3920**	**637,0**
– Geldmarktfonds	47	14,6		24	2,5
– Rentenfonds	337	47,4		870	178,0
– Aktienfonds	572	68,0		275	57,2
– Gemischte Wertpapierfonds	534	29,5		2018	288,4
– Offene Immobilien-Fonds	48	85,4		124	23,2
– Gemischte Fonds	275	14,3		539	75,6
– Altersvorsorgefonds	22	1,0		–	–
– Dachfonds	265	11,7		67	11,6
– Hedgefonds	16	0,4		1	0,3
– Dachhedgefonds	12	0,3		2	0,1

Quelle: Deutsche Bundesbank

> Geldmarktfonds: Fonds, bei denen die Anlagemittel ausschließlich in kurzfristigen Anlageformen (Bankeinlagen, festverzinsliche Wertpapiere mit einer Restlaufzeit von unter einem Jahr) oder in variabel verzinslichen Anleihen gehalten werden;
> Grundstücksfonds (Immobilienfonds): Fonds, bei denen die Anlagemittel in vorzugsweise gewerblich genutztem Immobilienbesitz angelegt werden.
> Hedgefonds: Sondervermögen mit zusätzlichen Risiken, die außer dem Grundsatz der Risikominderung keinen Beschränkungen der zulässigen Vermögensgegenstände unterliegen und deren Anlagestrategie kreditfinanzierte Käufe oder Leerverkäufe vorsieht;
> Indexfonds: Fonds, die die Zusammensetzung eines Index nachbilden;
> Länder-, Regionen-, Branchenfonds: Fonds mit entsprechender Spezialisierung,
> Dachfonds: Fonds, die ihre Anlagemittel in andere Fonds (sog. Zielfonds) investieren.

Das Fondsangebot hat sich in den letzten Jahren erheblich ausgeweitet: In Deutschland gab es Ende 2007 insgesamt 9 369 Fonds, davon waren 5 287 Publikumsfonds mit 771,1 Mrd. Fondsvermögen und 4 082 Spezialfonds mit 378,8 Mrd. Euro Fondsvermögen. Die Publikumsfonds teilten sich so auf: 1 953 Aktienfonds (Fondsvermögen 230,5 Mrd. Euro), 1 299 Rentenfonds (148,1 Mrd. Euro), 924 gemischte und sonstige Fonds (93,2 Mrd. Euro), 259 Geldmarktfonds (101,1Mrd. Euro), 211 wertgesicherte Fonds (22,3 Mrd. Euro), 42 offene Immobilienfonds (83,4 Mrd. Euro) und 599 Dachfonds (92,5 Mrd. Euro).

IWF siehe **Internationaler Währungsfonds**

J

Jahresabschluss Die Abrechnung eines Unternehmens nach dem Ende eines Geschäftsjahres. Der Jahresabschluss dient dazu festzustellen, wie erfolgreich gewirtschaftet wurde und welches Vermögen bzw. welche Verbindlichkeiten bestehen. Entsprechend seiner Zielsetzung setzt sich der Jahresabschluss aus zwei verschiedenen Rechnungen zusammen, die beide auf der Buchführung

52 Schema einer Gewinn- und Verlust-Rechnung*

Umsatzerlöse
+ Änderungen des Lagerbestands
+ sonstige betriebliche Erträge und aktivierte Eigenleistungen
– Materialaufwand
– Personalaufwand
  • Löhne und Gehälter
  • Soziale Abgaben und Aufwendungen für Altersversorgung und Unterstützung
– Abschreibungen
– Sonstige betriebliche Aufwendungen
– Erträge aus Beteiligungen
– Erträge aus Wertpapieren und sonstigen Ausleihungen des Finanzanlagevermögens
– Sonstige Zinsen und ähnliche Erträge
– Abschreibungen auf Finanzanlagen und auf Wertpapiere des Umlaufvermögens
– Zinsen und ähnliche Aufwendungen
= Ergebnis der gewöhnlichen Geschäftstätigkeit
– außerordentliche Erträge
– außerordentliche Aufwendungen
– Steuern vom Einkommen und vom Ertrag
– Sonstige Steuern
= Jahresüberschuss/Jahresfehlbetrag
– Zuführung zur Rücklage/Entnahme aus Rücklage
= Bilanzgewinn/Bilanzverlust

* Für eine Kapitalgesellschaft gemäß § 275 HGB.

53 Jugendarbeitsschutzgesetz Auswahl

- Kinderarbeit ist verboten, Ausnahmen mit behördlicher Genehmigung möglich
- Arbeitszeit für Jugendliche maximal 8 Stunden täglich zwischen 6 und 20 Uhr, 40 Stunden wöchentlich bei einer Fünftage-Woche,
- Verbot von Akkord- und Fließarbeit sowie gefährlicher Tätigkeiten
- Freistellung zum Berufsschulbesuch
- Weitgehende Fürsorgepflicht des Arbeitgebers
- Ausnahmen sind jeweils möglich für bestimmte Berufszweige oder durch Regelungen der Tarifparteien

basieren: der Bilanz und der Gewinn- und Verlust-Rechnung. Aktiengesellschaften und GmbHs ab einer bestimmten Größe veröffentlichen zusätzlich einen Lagebericht. Er beschreibt den Verlauf eines Geschäftsjahres, die Situation der Gesellschaft und erläutert die einzelnen Bilanzpositionen. Abhängig von Größe und Rechtsform muss der Jahresabschluss von einem Abschlussprüfer geprüft und im Unternehmensregister veröffentlicht werden.

> Bilanz: Die linke Seite der Bilanz, die Aktivseite, stellt das Vermögen des Unternehmens (die Aktiva) dar, die rechte Seite (Passivseite) zeigt die Herkunft der Mittel, mit denen das Vermögen finanziert wurde (Passiva). Das Gliederungsschema der Bilanz ist im Handelsgesetzbuch festgelegt (siehe ***Schaubild 54****). Hiervon abweichende Gliederungen gibt es für Unternehmen spezieller Branchen, wie z. B. die Banken.*

Zur Analyse der Aussagekraft der Bilanz, bedient man sich verschiedener Bilanzkennzahlen, die dadurch gewonnen werden, dass man Relationen zwischen einzelnen Positionen oder Positionsgruppen herstellt. Beispiele hierfür sind die Eigenkapitalquote (Anteil des Eigenkapitals an der Bilanzsumme), der Deckungsgrad des Anlagevermögens (Verhältnis zwischen Anlagevermögen auf der einen und Eigen- sowie langfristigem Fremdkapital auf der anderen Seite), die Liquidität und die Rentabilität (Gewinn zu Umsatz oder Gewinn zu Eigenkapital).

> Gewinn- und Verlust-Rechnung: Mit der Gewinn- und Verlust-Rechnung wird ermittelt, wie der Erfolg des Unternehmens im abgelaufenen Geschäftsjahr nach Art, Höhe und Quelle zu Stande gekommen ist. In dieser Rechnung werden die Erträge und Aufwendungen des Geschäftsjahres aufgegliedert, einander gegenübergestellt und das Ergebnis als Jahresüberschuss (Gewinn) bzw. Jahresfehlbetrag (Verlust) ausgewiesen. Das Gliederungsschema für die Gewinn- und Verlust-Rechnung zeigt ***Schaubild 52****.*

Jugendarbeitsschutz *Bezeichnung für die Regelungen, die dem Schutz der im Arbeitsleben stehenden Jugendlichen (ab 15 bis 18) dienen (Jugendarbeitsschutzgesetz bzw. Kinderarbeitsschutzverordnung;* ***Schaubild 56****).*

Jugendausschuss *siehe* ***Mitbestimmung***

Juristische Person *Vereinigung von Personen oder auch Vermögen, die eine eigene Rechtspersönlichkeit besitzen. Es gibt folgende juristische Personen:*

> Juristische Personen des Privatrechts:
- *Stiftungen (z. B. Stiftung Warentest)*
- *private Körperschaften*
- *eingetragene Vereine*
- *Kapitalgesellschaften (Aktiengesellschaften, GmbHs, Genossenschaften)*

> *Juristische Personen des öffentlichen Rechts:*
- *öffentlich-rechtliche Anstalten (z. B. Bundesagentur für Arbeit, Rundfunkanstalten, Sparkassen)*
- *Gebietskörperschaften wie Bund, Länder, Gemeinden, Sondervermögen*
- *Personenkörperschaften (z. B. IHKs, Religionsgemeinschaften)*

54 Bilanz einer Kapitalgesellschaft gemäß § 266 HGB

Aktiva

I. Anlagevermögen
- *A. Immaterielle Vermögensgegenstände*
- *B. Sachanlagen*
  - *Grundstücke und Bauten*
  - *Technische Anlagen, Maschinen*
  - *Betriebs- und Geschäftsausstattung*
- *C. Finanzanlagen*
  - *Beteiligungen*
  - *Ausleihungen*
  - *Wertpapiere des Anlagevermögens*

II. Umlaufvermögen
- *A. Vorräte*
- *B. Forderungen*
- *C. Wertpapiere des Umlaufvermögens*
- *D. Kassenbestände, Bankguthaben*

III. Rechnungsabgrenzungsposten

IV. Bilanzverlust, Verlustvortrag

Passiva

I. Eigenkapital
- *A. Gezeichnetes Kapital*
- *B. Rücklagen*
  - *Kapitalrücklage*
  - *Gewinnrücklagen*
    - *Gesetzliche Rücklagen*
    - *sonstige Rücklagen*

II. Rückstellungen
- *A. Pensionsrückstellungen*
- *B. Steuer- und sonstige Rückstellungen*

III. Verbindlichkeiten
- *A. Anleihen*
- *B. gegenüber Kreditinstituten*
- *C. aus Lieferungen und Leistungen*
- *D. Sonstige Verbindlichkeiten*

IV. Rechnungsabgrenzungsposten

V. Bilanzgewinn

Erläuterungen

Anlagevermögen: Vermögensteile eines Unternehmens, die auf Dauer dem Geschäftsbetrieb dienen und nicht zum Verkauf bestimmt sind.

Immaterielle Vermögensgegenstände: Konzessionen, Lizenzen, gewerbliche Schutzrechte, Firmenwert u. Ä.

Umlaufvermögen: Vermögensbestandteile, die nur vorübergehend im Unternehmen verbleiben.

Rechnungsabgrenzung: Fällt eine Zahlung in das Geschäftsjahr und die entsprechende Leistung in das Folgejahr, so wird der Wert der noch zu erbringenden Leistungen am Bilanzstichtag in aktiven oder passiven Posten der Rechnungsabgrenzung festgehalten.

Bilanzverlust: Ergibt sich als negative Differenz zwischen Vermögen sowie Eigenkapital und Verbindlichkeiten.

Gezeichnetes Kapital: Der Teil des Eigenkapitals, der von den Eigentümern eingezahlt wird und dem Unternehmen zeitlich unbegrenzt zur Verfügung steht.

Rücklagen: Gewinnbestandteile, die nicht an die Eigentümer ausgeschüttet werden, sowie Einnahmen aus einem Agio, das bei der Ausgabe von Kapitalanteilen berechnet wird.

Rückstellungen: Schulden des Unternehmens, die nach Höhe und Fälligkeit aber nicht genau bekannt sind.

Verbindlichkeiten: Schulden des Unternehmens.

Bilanzgewinn: Ergibt sich als positive Differenz zwischen Vermögen auf der einen Seite sowie Eigenkapital und Verbindlichkeiten auf der anderen Seite.

K

Kalkulation *siehe* **Rechnungswesen**

Kapitalanlagegesellschaft *siehe* **Investmentgesellschaft**

Kapitalbeteiligungsgesellschaft *(engl. Private Equity) Eine Gesellschaft, die sich an anderen Unternehmen durch Kauf oder Einlage von Eigenkapital beteiligt. Positiv verbunden mit dem Ziel, die Eigenkapitalbasis von Unternehmen zu verbreitern, um Investitionen vornehmen zu können. Dieser Vorgang ist häufig bei forschungs- und innovationsintensiven Unternehmen zu finden, die mit diesen Beteiligungen den Markteintritt von Innovationen finanzieren, da meist keine Kredite zur Verfügung stehen. Die Beteiligung erfolgt i. d. R. zeitlich befristet als stille Gesellschaft (siehe* **Rechtsform***) an solchen Unternehmen. Beteiligungsgesellschaften werden dann negativ gesehen, wenn sie mit dem Kapital ihrer Anleger und Fremdkapital Unternehmen übernehmen, diese zerlegen und Teile oder insgesamt weiterveräußern. Häufig werden dabei funktionierende Unternehmen zerschlagen.*

Kapitaldeckungsverfahren *Finanzierungsform bei einer gesetzlichen Versicherung wie etwa der Rentenversicherung. Man unterscheidet das Kapitaldeckungsverfahren und das Umlageverfahren.*

- *Beim Kapitaldeckungsverfahren werden die Beiträge der Beitragspflichtigen von der Versicherung angesammelt, am Kapitalmarkt angelegt und bei der Rentenversicherung nach dem Eintritt in das Rentenalter in Form einer Rente ausgezahlt bzw. bei der Krankenversicherung zur Finanzierung der Heilbehandlung verwendet.*
- *Beim Umlageverfahren finanzieren die Erwerbstätigen mit den laufenden Beiträgen die aktuellen Rentenzahlungen bzw. Gesundheitskosten.*

Das in Deutschland geltende Umlageverfahren funktioniert bei einer wachsenden oder zumindest stabilen Bevölkerungszahl, einer Altersstruktur mit mehr Erwerbstätigen als Rentenbeziehern und stetigem Wirtschaftswachstum; dies ermöglicht, dass – bildhaft – jeder Rentner von mehreren Beitragszahlern finanziert wird.

Das deutsche Rentenversicherungssystem mit dem Umlageverfahren leidet allerdings daran, dass die Rentenbezugsdauer aufgrund der steigenden Lebenszeit ansteigt, die Lebensarbeitszeit durch früheren Renteneintritt und unstetige Erwerbsbiographien abnimmt, die Erwerbsbevölkerung insgesamt abnimmt und damit auch die Einnahmen der Rentenversicherung bei steigenden Rentenansprüchen zurückgehen.

Ein Einstieg in das Kapitaldeckungsverfahren wurde bereits mit der Einführung der **Riester-Rente** *gemacht. Eine vollständige Umstellung auf das Kapitaldeckungsverfahren ist wegen des erheblichen Umstellungsaufwands unwahrscheinlich. Als alternative Gestaltung wird auch über die sog.* **Bürgerversicherung** *diskutiert.*

Kapitalexport/Kapitalimport *siehe* **Zahlungsbilanz**

Kapitalflucht *Transfer von Vermögen in ein anderes Land. Der Transfer erfolgt nicht aus Erwerbsgründen sondern zur Vermeidung politischer Risiken, wegen fehlenden Vertrau-*

ens in die Währung, Wirtschaftskraft oder Wirtschaftspolitik eines Landes. Häufig auch zur Umgehung von steuerlichen oder devisenrechtlichen Bestimmungen.

Kapitalgesellschaften *siehe* **Rechtsform**

Kapitalismus *Im 19. Jahrhundert geprägter Begriff für eine Wirtschafts- und Gesellschaftsordnung, die geprägt ist vom Privateigentum an den Produktionsmitteln, dem Prinzip der Gewinnmaximierung und dem Markt als wesentlichem Steuerungsinstrument. Kennzeichnend ist die Dominanz der Kapitaleigentümer über die Gesellschaft, die Arbeiter sind dagegen weitgehend besitz- und rechtlos. Die Zustände des Hochkapitalismus wurden durch die Bemühungen der Gewerkschaften wie auch staatliche Reformen wie z. B. die Sozialgesetzgebung Ende des 19. Jahrhunderts abgemildert. Auch die politische Demokratisierung mit allgemeinem Wahlrecht trug wesentlich zu Veränderungen bei. Speziell die Entwicklung nach dem Zweiten Weltkrieg hat mit breit ausgebauter Sozialpolitik dazu geführt, dass die allgemeine Wohlstandsentwicklung auch breite Schichten erreicht hat. Der Begriff Kapitalismus findet auch heute noch Anwendung für die westlich ausgerichteten Industrieländer, auch wenn das Pendant, die sozialistischen Länder, im letzten Jahrzehnt des 20. Jahrhunderts einen Wechsel von Sozialismus und* **Planwirtschaft** *hin zu marktwirtschaftlichen Ordnungen mit Privateigentum vollzogen hat.*

Kapitalmarkt *Allgemein der Markt für langfristige Kredite und Finanzierungsmöglichkeiten für Investitionen. Im engeren Sinne der Markt für Schuldverschreibungen. „Grauer“ Kapitalmarkt wird der Markt für Anlagen genannt, die an nicht regulierten Märkten gehandelt werden.*

Kapitalsammelstellen *Zusammenfassende Bezeichnung für* **Banken**, **Versicherungen**, **Pensionskassen**, **Investmentgesellschaften** *und Stiftungen, bei denen sich größere Kapitalbeträge ansammeln, die wieder angelegt werden oder für Ausleihungen zur Verfügung stehen.*

Kapitalstock *Begriff für die Ausstattung einer Volkswirtschaft mit Sachkapital. Dazu gehören alle reproduzierbaren dauerhaften Produktionsmittel. Der Kapitalstock gliedert sich in Ausrüstungsvermögen (z. B. Maschinen, Anlagen) und Bauten. Der Wert des deutschen Kapitalstocks betrug 2005 5 792,4 Milliarden Euro. Das Verhältnis Kapitalstock zu realer Bruttowertschöpfung heißt Kapitalkoeeffizient, dieser war 3,3. Die Kapitalintensität – Kapitalstock je Erwerbstätigen (gelegentlich auch je Arbeitsplatz) – betrug 2005 149 100 Euro.*

Kartell *siehe* **Unternehmenszusammenschlüsse**

Kartellgesetz *siehe* **Wettbewerb**

Kassageschäft *Ein Geschäft, bei dem die Kauf- oder Verkaufstransaktionen sofort („Zug um Zug“) oder innerhalb sehr kurzer Frist abgewickelt werden. Der Kaufpreis ist der aktuelle Marktpreis. Das Gegenteil von Kassageschäften sind* **Termingeschäfte**.

Kaufkraft *Fähigkeit eines Einzelnen oder einer Gruppe von Personen, mit dem zur Verfü-*

gung stehenden Geld Güter zu kaufen. Allgemeiner ist Kaufkraft die Menge an Gütern, die mit einer Geldeinheit erworben werden kann. Bei **Inflation** sinkt die Kaufkraft.

Kaufkraftparität Das Kursverhältnis zwischen den Währungen zweier Länder, das sich anhand der Preise für Güter gleicher Menge und Güte errechnet. Eine Kaufkraftparität von 1:1 zwischen Euro und US-Dollar würde bedeuten, dass man sich für den gleichen Geldbetrag jeweils vergleichbare Güter bzw. Gütermengen kaufen könnte. In der Regel weichen Wechselkurse und Kaufkraftparitäten voneinander ab. Dies ist durch Angebot und Nachfrage auf den Devisenmärkten bedingt, die auf Zinsunterschiede oder abweichende Erwartungen der Kapitalanleger hinsichtlich der Wechselkursentwicklung reagieren.

Kaufmann Geschäftsfähige natürliche oder juristische Person, die ein **Gewerbe** betreibt. Für die Kaufleute gelten die Regelungen des Handelsgesetzbuchs (HGB). Man unterscheidet Ist-Kaufleute (Tätigkeit entscheidend), Kann-Kaufleute (Eintragung ins Handelsregister entscheidend) und Form-Kaufleute, bei denen die Kaufmannseigenschaft durch die Rechtsform (AG, GmbH, Genossenschaft etc.) begründet wird.

Kaufvertrag Ein Vertrag über die Übertragung einer Sache oder eines Rechts von einer Person auf eine andere gegen Zahlung eines Entgelts. Der Kaufvertrag kommt zustande durch Einigung über den Gegenstand des Vertrags und das entsprechende Entgelt sowie sonstige Regelungen des Kaufvertrags. Der Kaufvertrag gibt dem Käufer einen Anspruch auf Übereignung und Übergabe der gekauften Sache, dem Verkäufer auf Bezahlung der Ware. Eigentümer (siehe **Eigentum**) wird der Käufer, wenn die Einigung über den Eigentumsübergang erfolgt, die Sache übergeben

55 Pflichten und Rechte beim Kaufvertrag

Verkäufer	Käufer
Er übergibt bzw. liefert die Ware ...	Er prüft die Ware und bezahlt.
Er kann sich einen durch Verzug entstandenen Schaden ersetzen lassen ...	... wenn der Käufer nach Abschluss des Kaufvertrages die Ware nicht abnehmen will.
Kann der Verkäufer aus eigenem Verschulden nicht liefern ...	... kann der Käufer vom Vertrag zurücktreten oder Schadensersatz verlangen.
Kann der Verkäufer aus Gründen nicht liefern, für die er nicht verantwortlich ist ...	... kann der Käufer vom Vertrag zurücktreten.
Weist die gelieferte Ware Mängel auf oder fehlen zugesicherte Eigenschaften ...	... kann der Käufer seine Gewährleistungsrechte geltend machen. Entweder macht er den Kaufvertrag rückgängig (Wandlung), oder er verlangt, den Kaufpreis herabzusetzen (Minderung).
Hat der Verkäufer in einem schriftlichen Kaufvertrag im Rahmen der Allgemeinen Geschäftsbedingungen die gesetzlichen Ansprüche auf Wandlung oder Minderung durch das Recht auf Nachbesserung ersetzt ...	... kann der Käufer lediglich verlangen, dass die Mängel beseitigt werden.

*und der Kaufpreis bezahlt ist (**Eigentumsvorbehalt**); siehe auch **Schaubild 55**. Kaufverträge werden im Alltag meistens mündlich abgeschlossen (z. B. Lebensmittelkauf im Einzelhandelsgeschäft). Bestimmte kaufvertragliche Rechtsgeschäfte bedürfen der Schriftform wie der Ratenkaufvertrag oder der Kaufvertrag über Immobilien.*

Kaution *Eine Sicherheitsleistung in Form von Geld oder Wertpapieren, mit der der Empfänger der Kaution sich gegen Schäden sichert, die durch den Kautiongeber entstehen können. Beispiele sind die Mietkaution zur Absicherung von Renovierungskosten und offener Beträge oder die Kaution bei der Ausleihe eines Mietautos.*

Kommanditgesellschaft/Kommanditist
*siehe **Rechtsform***

Kommissionsgeschäft *Ein Geschäft, bei dem der Kommissionär im eigenen Namen, aber für Rechnung eines Dritten tätig wird. Waren werden „in „Kommission" genommen, bei Veräußerung erhält der Kommissionär eine Provision.*

Kompensationsgeschäfte *Eine im internationalen Handel übliche Abwicklungsform, die ein Import- mit einem Exportgeschäft koppelt. Der Importeur bezahlt die von ihm bezogenen Waren nicht mit Geld, sondern mit anderen Waren. Diese Geschäftsart ist vor allem mit Ländern üblich, die nur über geringe Devisenreserven verfügen. Für den Exporteur besteht die Schwierigkeit darin, die als Gegenleistung erhaltenen Waren weiterzuverkaufen. Deswegen ist eine genaue Marktkenntnis erforderlich. Als Rückkaufgeschäft wird ein Kompensationsgeschäft bezeichnet, bei dem Maschinen mit den Produkten der Maschine bezahlt werden.*

56 Berg- und Talfahrt der Konjunktur

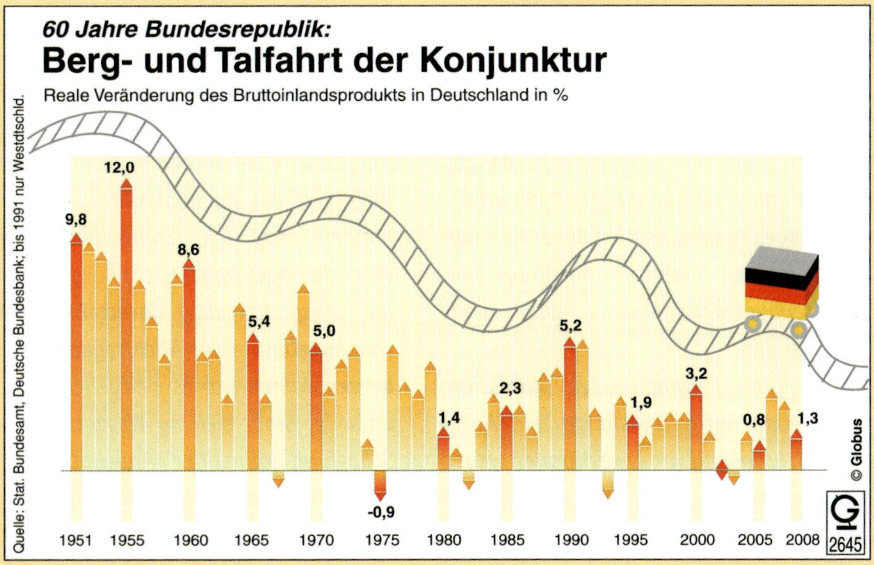

Konjunktur Im Wirtschaftsablauf wechseln Phasen stärkeren Wachstums mit solchen einer geringeren Zunahme der Produktion oder auch rückläufiger Wirtschaftsentwicklung. Weisen diese Schwankungen eine gewisse Regelmäßigkeit auf und wirken sich auf die Gesamtwirtschaft aus, so spricht man von Konjunktur. Die Schwankungen sind durch Änderungen von Angebot und Nachfrage bedingt, die wiederum auf äußere Faktoren zurückgehen (Witterung, Bevölkerungsentwicklung, externe Schocks) oder durch das Verhalten von Unternehmen, Verbrauchern oder Staat verursacht sind (siehe **Schaubild 56**).

Ein Konjunkturzyklus besteht aus vier Phasen, die jeweils besondere Kennzeichen haben:

> Aufschwung: Wachsende Aufträge und zunehmende Produktionstätigkeit; steigende Investitionen mit dem Ziel der Ausweitung der Produktionskapazitäten. Zunehmende Beschäftigung führt zu steigenden Arbeitseinkommen und auch Gewinnen der Unternehmen. Parallel steigt die Nachfrage nach Konsumgütern und auch die Steuereinnahmen gehen nach oben.

> Konjunkturhoch oder Boom: Volle Auslastung der Produktionskapazitäten und Vollbeschäftigung mit Arbeitskräftemangel. Löhne und Preise steigen aufgrund der erhöhten Nachfrage. Parallel Anstieg der Zinsen aufgrund der starken Investitionsnachfrage bzw. von Notenbankmaßnahmen. Abnehmende Wachstumsraten.

> Konjunkturabschwung oder Rezession: Zurückgehende Auftragsbestände und Nachfrage. Einschränkung von Investitionen wegen voller Lagerbestände, Rückgang der Beschäftigung, steigende Arbeitslosenzahlen und Rückgang der Steuereinnahmen, abnehmende Preise.

> Depression: Tiefpunkt im Konjunkturzyklus. Niedrige Produktion, hohe Arbeitslosigkeit, Rückgang der Gewinne und Einkommen wegen fehlender Nachfrage nach Konsumgütern. Investitionszurückhaltung der Unternehmen und Lagerabbau. Zusammen mit sinkenden Zinsen und Kostensenkungen durch Rationalisierungen führt dies zum unteren Wendepunkt im Zyklus.

Konjunkturpolitik Zusammenfassender Begriff für die staatlichen Maßnahmen, die die Schwankungen des Konjunkturzyklus abmildern und zu einer Verstetigung der Entwicklung beitragen sollen. Ziele der Konjunkturpolitik sind entsprechend dem Stabilitäts- und Wachstumsgesetz

> hoher Beschäftigungsstand,
> Preisstabilität,
> stetiges Wachstum,
> außenwirtschaftliches Gleichgewicht.

Wesentliche Politikinstrumente sind die **Fiskalpolitik** mit Einnahmen- und Ausgabensteuerung, die Geldpolitik, die wesentlich von der **Europäischen Zentralbank** gesteuert wird sowie die Außenwirtschaftspolitik und Währungspolitik. Je nachdem, ob die Maßnahmen mehr auf der Angebotsseite (Rahmenbedingungen, Abgaben, Lohnnebenkosten etc.) oder der Nachfrageseite (Ausgabenprogramme, Zinspolitik etc.) ansetzen, spricht man von Angebots- oder Nachfragepolitik. In den letzten Jahren war es weitgehender Konsens, dass der Staat sich im Wesentlichen auf die Schaffung günstiger Angebotsbedingungen beschränken solle, um die Selbstregulierung der Märkte nicht zu stören. In der aktuellen schweren Wirtschaftskrise besteht jetzt aber

Einigkeit darüber, dass über Nachfrage stärkende Ausgabenprogramme die Heftigkeit des globalen Abschwungs aufgefangen werden muss.

Konkurrenz siehe **Wettbewerb**

Konkurs siehe **Insolvenz**

Konsolidierung
1. Die Verbesserung der Finanzlage eines Unternehmens als Sanierungsmaßnahme. Maßnahmen sind z. B. der Abbau kurzfristiger Verbindlichkeiten und/oder die Umwandlung von kurz- in mittel- oder langfristige Verbindlichkeiten.
2. Verbesserung der Finanzlage der öffentlichen Haushalte über eine Erhöhung der Einnahmen (vor allem der Steuern) und/oder über eine Begrenzung der Ausgaben. Ziel ist vor allem die Begrenzung der Nettokreditaufnahme bzw. der Staatsschulden.
3. Die Aufstellung einer Konzernbilanz und einer Konzern-Gewinn- und Verlust-Rechnung durch die Zusammenfassung aller Aktiva und Passiva (siehe **Jahresabschluss**) sowie von Aufwand und Ertrag (siehe **Erfolg**) der Einzelabschlüsse der Konzerneinzelgesellschaften. Auf diese Weise erhält man den Überblick über die Vermögens- und Ertragslage des Gesamtkonzerns als wirtschaftlicher Einheit.

Konsortium Vereinigung von Personen oder Unternehmen zur Durchführung einer gemeinsamen Aufgabe. Konsortien haben vor allem im Finanzwesen eine Bedeutung wie etwa bei der **Emission** von Wertpapieren. Auch bei großen Versicherungsobjekten werden Konsortien gebildet. Eine ähnliche Form sind Arbeitsgemeinschaften (ARGE), die häufig bei großen Bauprojekten gebildet werden.

Konsum Ausdruck für private Verbrauchsausgaben. Der Begriff umfasst materielle Güter wie auch Dienstleistungen wie Reisen, Kulturveranstaltungen oder auch Ausgaben für Information oder Kommunikation. Die Konsummöglichkeiten sind auch ein Maßstab für den Wohlstand einer Volkswirtschaft. Im Jahr 2007 betrugen die Konsumausgaben der Bundesbürger 1 374,4 Mrd. Euro oder 56,7 % des Bruttosozialprodukts. Die größten Positionen waren dabei die Ausgaben für Wohnung, Energie und Wasser (319,5 Mrd. Euro), Gesundheit, Bildung, Versicherungs- und Finanzdienstleistungen (230,8 Mrd. Euro), Verkehr und Nachrichten (213,7 Mrd. Euro) und Nahrungsmittel, Getränke, Tabak (188,3 Mrd. Euro). Für Freizeit, Unterhaltung und Kultur wurden 121,9 Mrd. Euro ausgegeben.

Kontingent Begrenzung von Waren- oder Dienstleistungsmengen für bestimmte Geschäfte, z. B. stellt eine begrenzte Menge einzuführender Autos aus einem Land ein Importkontingent dar.

Konto Eine zahlenmäßige Gegenüberstellung von Geschäftsvorfällen im Rahmen des betrieblichen **Rechnungswesens** mit **Soll** und **Haben**. Als Bankkonto bezeichnet der Begriff die rechnerische Darstellung von Zahlungsein- und -ausgängen.

Kontrakt siehe **Termingeschäft**

Konvergenz Angleichung der wirtschaftlichen Situation in verschiedenen Ländern an eine als Maßstab genommene Entwicklung.

Der Begriff wird auch für eine ***Wirtschaftspolitik*** *verwendet, die die Angleichung zum Ziel hat. Die Konvergenz ist vor allem bei der Integration der Mitglieder der Europäischen Union wichtig. In der* ***Wirtschafts- und Währungsunion*** *ist angestrebt, dass die wirtschaftliche Situation der Mitgliedsländer nicht allzu weit auseinander liegt. Deshalb wird von möglichen Mitgliedskandidaten bereits vor dem Eintritt das Erreichen bestimmter Schwellenwerte bei den Konvergenzkriterien verlangt.*

Konvergenzkriterien *siehe* ***Europäische Union***

Konvertibilität *Die Möglichkeit für die Bürger eines Landes, eine* ***Währung*** *unbeschränkt gegen eine andere einzutauschen. In der Bundesrepublik und den meisten westeuropäischen Ländern wurde die Konvertibilität 1958 eingeführt. Um die Konvertibilität zu gewährleisten, muss ein Land in ausreichendem Maß im Besitz von* ***Währungsreserven*** *sein oder international kreditwürdig sein. Beides ist Ausdruck wirtschaftlicher Leistungsfähigkeit.*

Konzentration *Veränderung der Struktur von Märkten durch* ***Unternehmenszusammenschlüsse*** *und das Ausscheiden von Konkurrenten , so dass sich größere Einheiten bilden. Die Ausbildung größerer Einheiten bietet Vorteile durch die Großserienproduktion mit entsprechenden Kostenvorteilen oder auch ein umfassenderes Vertriebsnetz. Sie ist aber auch mit Marktmacht verbunden, so dass Kunden und Abnehmer beispielsweise durch überhöhte Preise geschädigt werden können. Häufig wird eine Konzentration in einer Branche im Inland dadurch ausgeglichen, dass im internationalen Maßstab derartige Unternehmen einen geringeren Marktanteil haben und so Wettbewerb entsteht. Das Bundeskartellamt hat die Aufgabe zu kontrollieren, ob Fusionen zur Marktbeherrschung und zu Marktmissbrauch führen.*

Konzern *siehe* ***Unternehmenszusammenschlüsse***

Kooperation *Die Zusammenarbeit von Unternehmen, um ein gemeinsames Ziel zu erreichen, ohne dass es zu einem Zusammenschluss von Unternehmen kommt. Beispiel: Ein Unternehmen verwendet wesentliche Komponenten aus Lieferungen des Partners für die Herstellung der eigenen Produkte oder stellt sie in Lizenz her. Kooperationen dienen häufig auch der Beschaffung von Daten und Informationen, die für beide Partner wichtig sind. Kooperationsabkommen müssen sich im Rahmen der Vorschriften des Kartellgesetzes (siehe* ***Wettbewerb****) halten.*
Auf internationaler Ebene, insbesondere im Verhältnis zu ***Entwicklungsländern****, werden solche Vereinbarungen häufig durch staatliche Kooperationsabkommen abgesichert.*

Kosten *Der in Geldeinheiten ausgedrückte Material-, Energie-, Arbeits- und Kapitalverbrauch, der erforderlich ist, um ein Gut herzustellen oder eine Dienstleistung auszuführen (siehe auch* ***Erfolg****). Man unterscheidet folgende Formen von Kosten:*

> *Fixe Kosten: Kosten, die bei gegebenem Anlagevermögen unabhängig davon anfallen, wie viel in einem Unternehmen produziert wird. Beispiel: Zinsen für Kredite, die zur Finanzierung von Grundstücken oder der Betriebs- und Geschäftsausstattung aufge-*

nommen wurden, Löhne und Gehälter für Verwaltungsstellen. Je besser die Kapazitäten ausgelastet werden, umso weniger fallen die fixen Kosten pro Stück ins Gewicht (Kostendegression).

> Variable Kosten: Kosten, deren Höhe von der produzierten Menge abhängt. Beispiel: Verbrauch an Material und Energie, teilweise Löhne für Arbeitskräfte.

> Einzelkosten: Kosten, die einem Produkt direkt zugerechnet werden können, wie z. B. der Materialverbrauch.

> Gemeinkosten: Kosten, die einem Produkt nicht direkt, sondern nur über einen Verteilungsschlüssel zugerechnet werden können. Hierzu gehören beispielsweise die Kosten für die Verwaltung eines Unternehmens.

Kostenarten siehe **Rechnungswesen**

Kostendegression siehe **Kosten**

Kostenrechnung siehe **Rechnungswesen**

Kostenstellen/Kostenträger siehe **Rechnungswesen**

Krankengeld siehe **Entgeltfortzahlung**

Kredit Leihen von Geld für einen bestimmten Zeitraum und i. d. R. gegen einen **Preis**, den **Zins**. Kreditgeber und Kreditnehmer einigen sich in einem Vertrag über die Darlehenssumme, die Währung, in der das Darlehen gegeben wird, die Verzinsung, **Agio** bzw. **Disagio**, Bearbeitungsgebühr und die Art der Rückzahlung. Die Höhe des Zinses kann für die gesamte Laufzeit des Kredits fest vereinbart werden (Festzinskredit) oder variabel entsprechend den Marktzinsen angepasst werden (variabel verzinsliche Kredite). Kreditbeziehungen gibt es zwischen allen Beteiligten am Wirtschaftsleben (siehe auch **Schaubild 57**). Man unterscheidet folgende Kreditarten:

> Verbraucherkredite: Darlehen von Banken an Privatpersonen für Konsumzwecke. Die beiden Hauptformen sind:

- Überziehungs- oder Dispositionskredit: eine Vereinbarung zwischen Bank und Bankkunde, dass dieser von seinem **Girokonto** bis zu einer bestimmten Höhe formlos Beträge abheben oder abbuchen lassen kann, ohne dass sie durch ein Guthaben gedeckt sind. Dieser Vorgang wird auch als Überziehen bezeichnet. Diese Kreditart eignet sich für kurzfristigen und geringen Geldbedarf.
- Ratenkredit: Kredit auf der Grundlage eines formellen Kreditvertrages. Meistens wird die gesamte Kreditsumme ausgezahlt bzw. dem Konto des Kreditnehmers gutgeschrieben. Der Kreditnehmer muss sein Darlehen in gleich bleibenden Monatsraten (siehe **Annuität**), in die der Zins und

57 Kredite für jeden Zweck – Kredite inländischer Banken an Privatpersonen

Bestand Ende 2008	1004,6
Kreditbanken	288,6
– Großbanken	117,4
– Sonstige	171,2
Landesbanken	36,7
Sparkassen	287,6
Genossenschaftsbanken und genoss. Zentralbanken	203,3
Realkreditinstitute	61,2
Bausparkassen	96,8
Banken mit Sonderaufgaben	30,4

sonstige Gebühren eingerechnet sind, tilgen. Diese Kreditart eignet sich für den Erwerb höherwertiger Gebrauchsgüter, wie z. B. von Autos.

> *Unternehmenskredite: Kredite an Unternehmen. Hierunter fallen:*

- *Lieferantenkredit: Eine Kreditbeziehung zwischen Käufer und Verkäufer eines Gutes. Wenn der Käufer einer Ware bei Lieferung den Kaufpreis nicht sofort bezahlen muss, ihm also eine Zahlungsfrist eingeräumt wird, ist dies gleichbedeutend mit einem Kredit, den er vom Lieferanten für die Zahlungsperiode erhält.*
- *Kontokorrentkredit: Kredite, die Unternehmen durch Überziehen ihres laufenden Kontos bei einem Kreditinstitut in Anspruch nehmen. Der Kontokorrentkredit entspricht dem Überziehungskredit für Privatpersonen.*
- *Wechseldiskontkredit: Wenn eine Warenlieferung mit einem Wechsel bezahlt wird, hat der Lieferant die Möglichkeit, mit dem* ***Wechsel*** *als Sicherheit von seinem Kreditinstitut einen i. d. R. günstigen Kredit zu erhalten und auf diese Weise schneller an das Geld (nach Abzug der Zinsen für den Kredit) zu kommen. Bei Fälligkeit des Wechsels muss der Kredit getilgt werden (siehe auch* ***Diskontierung****).*
- *Investitionskredit: Kredite mit längerer Laufzeit zur Finanzierung von Investitionen. Werden diese Kredite durch Hypotheken oder Grundschulden abgesichert, spricht man von einem Realkredit.*

> *Wohnungsbaukredite: Kredite mit meist längerer Laufzeit zur Finanzierung von Grundstücken, Wohnbauten, Eigentumswohnungen bzw. von Modernisierungs- und Reparaturmaßnahmen an Wohnbauten. Werden diese Kredite durch Hypotheken gesichert, spricht man von Hypothekarkrediten.*

Schaubild 58 *gibt einen Überblick über das Volumen der Kredite, die von Banken an inländische Unternehmen, Privatpersonen u. a. gewährt wurden.*

Kreditinstitut *siehe* ***Bank***

Kreditkarten *Kreditwürdige Personen können von Kreditkarten-Organisationen gegen einen Jahresbeitrag eine Ausweiskarte erhalten, die dazu berechtigt, Rechnungen ohne Bargeld zu begleichen. Der Kaufpreis wird vom Einzelhändler der Kreditkarten-Organisation in Rechnung gestellt, deren Karte der Käufer benutzt. Die Karten-Organisation ihrerseits rechnet im Regelfall einmal monatlich die aufgelaufenen Beträge ab. Für den Karteninhaber ist dies vorteilhaft, da er weder Bargeld oder Schecks benötigt. Die Akzeptanzstellen müssen den Karten-Organisationen eine Gebühr bezahlen.*

Kreditkarten sind weit verbreitet. Weltweit waren Ende 2007 mehr als 3 Milliarden Karten in Umlauf, in Deutschland waren es rund 24 Millionen Kreditkarten. Die in Deutschland am weitesten verbreitete Karte (Zahlen Ende 2005) ist die MasterCard (10,8 Millionen); dann folgen VISA (9,6 Millionen), American Express (1,6 Millionen) und Diners (0,2 Millionen). Die Zahl der Kreditkarten nimmt auch deshalb zu, weil die Zahl- oder Debitfunktion mit Mitgliedskarten (z. B. ADAC) oder auch Kundenkarten von Unternehmen verbunden wird.

Kreditoren

> *Die Gläubiger, die einen Kredit gewährt haben.*

> *Die Verbindlichkeiten gegenüber diesen Gläubigern.*

Kreditsicherheiten *Maßnahmen, Vereinbarungen oder Gegenstände, die sicherstellen sollen, dass ein Schuldner einem Kreditgeber einen Kredit zurückzahlt. Bei einem Hypothekarkredit wird beispielsweise zu Gunsten der Kredit gebenden Bank eine Hypothek in das Grundbuch eingetragen, die ihr das Recht zur Immobilienverwertung gibt, wenn der Schuldendienst aus dem Kredit nicht mehr bedient wird.*

Kreditwürdigkeit *siehe* ***Bonität, SCHUFA***

Kündigung *Viele Verträge werden häufig ohne zeitliche Befristung abgeschlossen wie etwa viele Miet- und Arbeitsverträge. Die Kündigung ist eine einseitige Willenserklärung, mit der ein Vertragspartner erklärt, das Vertragsverhältnis zu einem Termin zu beenden. Eine Kündigung kann für den anderen Vertragspartner mit Härten verbunden sein. Deshalb gibt es beispielsweise im Arbeitsrecht und im Mietrecht Schutzvorschriften, die sicherstellen, dass Arbeitnehmer und Mieter durch Kündigungen nicht unzumutbar belastet werden.*

Bei Arbeitsverträgen beträgt die Grundkündigungsfrist, die Arbeitnehmer und Arbeitgeber einhalten müssen, vier Wochen zum 15. oder zum Ende eines Kalendermonats. Ab zweijähriger Beschäftigungsdauer beträgt die Frist einen Monat zum Monatsende. Sie erhöht sich nach 5-, 8-, 10-, 12- und 15-jähriger Betriebszugehörigkeit um jeweils einen Monat. Nach 20-jähriger Betriebszugehörigkeit beträgt die Kündigungsfrist sieben Monate zum Ende eines Kalendermonats. Bei Mietverträgen gilt eine Kündigungsfrist von drei Monaten zum Monatsende. Für Vermieter verlängert sie sich um jeweils drei Monate, wenn das Mietverhältnis fünf bzw. acht Jahre bestanden hat.

58 Kredite inländischer Banken an inländische Nichtbanken

1. Öffentliche Haushalte	440,3
a. Wertpapiere und Schatzwechsel	132,1
b. Sonstige	308,2
2. Unternehmen und Selbstständige	1332,6
a. Wohnungsbaukredite	302,7
b. – an Unternehmen	951,2
– an wirtschaftliche selbstständige Privatpersonen	381,4
3. Organisationen ohne Erwerbszweck	13,5
4. Privatpersonen	1011,4
a. Wohnungsbaukredite	787,3
b. Konsumentenkredite	224,0
– Ratenkredite	132,1
– Kontoüberziehung	17,1
– Sonstige	74,8

Stand Ende 2008, in Mrd. Euro
Quelle: Deutsche Bundesbank

Kündigungsschutz *Kündigungsschutz ist der zusammenfassende Begriff für gesetzliche Regelungen, die dazu dienen, die Beendigung eines Vertrags zu erschweren oder auszuschließen. Ziel ist es, die Partei, die von einer Beendigung des Vertrages unverhältnismäßig schwerer betroffen wäre, in gewissem Umfang zu schützen. Bedeutsam sind solche Vorschriften im Mietrecht, vor allem aber im Arbeitsrecht. Das Kündigungsschutzgesetz schützt Arbeitnehmer vor einer sozial ungerechtfertigten und/oder unverhältnismäßig schnellen Kündigung. Beispielsweise werden Kündigungsfristen vorgeschrieben, die von der Dauer der Betriebszugehörigkeit abhän-*

59 Deutsche Aktien-Indices

gen. Außerdem sollen sozial ungerechtfertigte Kündigungen ausgeschlossen werden, also Kündigungen, die nicht wegen des Verhaltens des Mitarbeiters oder aus betrieblichen Gründen ausgesprochen werden.
Wie alle derartige Vorschriften, hat auch der Kündigungsschutz zwei Seiten: Einerseits schützt er diejenigen, die einen Arbeitsplatz haben, vor Kündigungen bzw. verlängert den Zeitraum, bis zu dem Kündigungen wirksam werden; aus Arbeitgebersicht wird kritisiert, dass der Kündigungsschutz zur Verhinderung von Neueinstellungen führe, da in wirtschaftlich schwächeren Phasen eine Trennung von Arbeitnehmern nur schwer möglich sei. Deswegen werden häufig bei Neueinstellungen nur befristete Arbeitsverträge abgeschlossen.

Kupon *Zu einem* ***Wertpapier****, sofern es körperlich ausgegeben wird („effektive Stücke"), gehört ein Zins- oder Dividendenscheinbogen. Er besteht aus mehreren Ab schnitten, den Kupons. Bei Fälligkeit einer Zins- oder Gewinnauszahlung ist jeweils ein Kupon bei der Bank einzureichen, damit die Zahlung erfolgen kann. Der Begriff Kupon wird allgemein auch für die Höhe des Zinses eines festverzinslichen Wertpapieres benutzt.*

Kurs *Preis für* ***Wertpapiere****,* ***Devisen*** *oder Waren, der sich an* ***Börsen*** *bildet (****Schaubild 59****).*

Kurspflege *siehe* ***Intervention***

Kurssicherung *Ausdruck für verschiedene Verfahren, die das Risiko von Wertverlusten als Folge von Preisbewegungen verringern oder völlig ausschalten sollen. Beispiel: Wenn ein Unternehmer eine Ware ins Ausland liefert und die Bezahlung zu einem späteren Zeitpunkt in ausländischer Währung erfolgt, kann der Wechselkurs am Zahltag für ihn ungünstiger sein als zum Zeitpunkt des Vertragsabschlusses. Um dieses Kursrisiko auszuschließen, kann der Unternehmer die* ***Devisen****, die er später einnimmt, bereits zum Zeitpunkt des Vertragsabschlusses an seine Bank verkaufen. Dabei wird der Wechselkurs für den künftigen Umtausch seiner Devisen aus der Zahlung des Abnehmers bereits bei Vertragsabschluss festgelegt. Es ist also ein* ***Termingeschäft****.*
Eine andere Möglichkeit, sich gegen Verluste aus Kursänderungen abzusichern, besteht darin, zum Zeitpunkt der Warenlieferung einen Kredit in der Fremdwährung aufzunehmen und diesen mit den Einnahmen aus dem Geschäft zu tilgen oder durch Geschäfte mit Optionen und Futures das Kursrisiko auszuschließen. Kurssicherungsoperationen werden auch als Hedging bezeichnet. Sie dienen auch der Absicherung eines Wertpapierportfolios. Neben dem ursprünglichen Absicherungszweck werden solche Geschäfte (siehe ***Derivate****,* ***Hedgefonds****) auch zu rein spekulativen Zwecken eingesetzt.*

Kux Historisches **Wertpapier**, das den Anteil an einer bergrechtlichen Gewerkschaft beurkundete.

L

Lagebericht siehe **Jahresabschluss**

Laissez-faire siehe **Wirtschaftsordnung**

Lastschriftverfahren Beim Lastschriftverfahren zieht ein Zahlungsempfänger über seine Bank aus dem Guthaben des Zahlungspflichtigen bei dessen **Bank** den geschuldeten Betrag ein, und zwar auf Grund

> eines der Zahlstelle vom Zahlungspflichtigen zu Gunsten des Empfängers erteilten Auftrages (Abbuchungsauftrag) oder

> einer vom Zahlungspflichtigen dem Empfänger erteilten Ermächtigung (Einzugsermächtigung).

Einzugsermächtigungen werden insbesondere bei wiederkehrenden Zahlungen mit sich ändernden Beträgen wie z. B. bei Gas-, Wasser- und Stromrechnungen oder Telefongebühren verwendet. Abbuchungsaufträge sind sinnvoll bei regelmäßig wiederkehrenden Zahlungen mit gleich bleibenden Beträgen wie z. B. bei Mietzahlungen.

Laufendes Konto siehe **Girokonto**

Leasing Vertrag zur Vermietung von Anlagen, Investitionsgütern, aber auch Konsumgütern. Der Leasingnehmer erhält vom Leasinggeber die Nutzungsrechte am Leasinggut eingeräumt und bezahlt dafür eine Miete (Leasingrate). In Unternehmen wird das Leasing zur Verringerung der Kapitalbindung eingesetzt, bei Privathaushalten wird der gleiche Effekt vor allem bei langfristig genutzten Gebrauchsgütern wie etwa Autos eingesetzt. Bei Unternehmen zählt das Leasing zur Fremdfinanzierung, weshalb es auch steuerlich besonders behandelt wird. Mit über 1,7 Millionen neuen Leasing-Verträgen bei einem Neugeschäftsvolumen von 57,1 Mrd. Euro in 2008 realisieren rund 2/3 aller Unternehmen in Deutschland einen großen Teil ihrer Investitionen über Leasing. Bei Immobilien wird häufig das Sale-and-lease-back-Verfahren eingesetzt: Die nach den Vorstellungen des Nutzers errichtete Immobilie wird veräußert und dann zurückgeleast.

Lehrling siehe **Arbeitnehmer**

Leistung siehe **Erfolg**

Leitende Angestellte siehe **Arbeitnehmer**

Leitwährung Die **Währung** eines Landes, zu der andere Länder ihre Währungen in einem festen Kursverhältnis halten. Dies führt dazu, dass Geldpolitik und Zinsentwicklung in dem Leitwährungsland bestimmend für die Geldpolitik und Zinsentwicklung in den anderen Ländern sind. Nach dem Zweiten Weltkrieg war beispielsweise im System von **Bretton Woods** der US-Dollar internationale Leitwährung. Im EWS II ist der Euro die Leitwährung für die anderen teilnehmenden Währungen (siehe **Europäische Währungspolitik**).

In weiterem Sinne wird als Leitwährung auch eine Währung angesehen, die im internationalen Handels- und Zahlungsverkehr eine *herausragende Bedeutung hat. Das gilt in großen Teilen für den US-Dollar, im asiatischen Handel teilweise für den japanischen Yen und in Europa für den Euro.*

Liberalisierung *Die Beseitigung von Regelungen, die den freien Austausch von Waren, Dienstleistungen und Kapital behindern. Im nationalen Bereich spricht man auch von Deregulierung. Deregulierte Märkte führen oft dazu, dass die Vorteile der Arbeitsteilung zum Tragen kommen und sinkende Preise folgen. Beispiele sind die Telekommunikation, der Verkehrs- und Energieversorgungsbereich. Eine zu weitgehende Liberalisierung kann, wie die Finanzmärkte zeigen, auch zu negativen Effekten führen. Deswegen ist die Setzung von Rahmenbedingungen durch den Staat wichtig.*

Liberalismus *siehe* ***Wirtschaftsordnung***

Liquidation *Anderer Ausdruck: Abwicklung. Auflösung eines Unternehmens durch die Veräußerung von Vermögenswerten (Grundstücke, Gebäude, Maschinen, Einrichtungsgegenstände). Mit dem Veräußerungserlös werden die noch bestehenden Schulden getilgt. Der Rest wird auf die Personen oder Institutionen verteilt, die Anspruch auf den Liquidationserlös haben. Das sind i. d. R. die Gesellschafter, die Aktionäre oder auch die Erben. Am Beginn der Liquidation steht der Liquidationsbeschluss und die -bilanz. Das Unternehmen muss seine Firma entsprechend mit i.L. (in Liquidation) kennzeichnen.*

Liquidität *Die unmittelbare Zahlungsfähigkeit einer Person oder einer Institution. Liquide Mittel sind in erster Linie Bargeld und Giroguthaben bei Banken (Liquidität 1. Grades). Aber auch Vermögen, das rasch und leicht zu Geld gemacht werden kann, zählt hierzu (Termin- und Sparguthaben, börsennotierte Wertpapiere, Forderungen, Vorräte – Liquidität 2. Grades), nicht hingegen Vermögensgegenstände, bei denen ungewiss ist, ob, wann und zu welchen Preisen sie veräußert werden können (z. B. Anlagegüter, Kunstgegenstände). Die Sicherung der Liquidität hat im Wirtschaftsleben eine herausragende Bedeutung, da Zahlungsunfähigkeit zur* ***Insolvenz*** *führt.*

Lizenz

> *Das vom Inhaber eingeräumte Recht, ein geistiges oder wirtschaftliches Urheberrecht (z. B. ein Patent) nutzen zu dürfen. Der Erwerber einer Lizenz zahlt hierfür eine Lizenzgebühr.*

> *Die Genehmigung einer Behörde, ein bestimmtes Gewerbe ausüben zu dürfen.*

Lohn *Entgelt für geleistete Arbeit. Hierzu gehört sowohl der Preis, den der Arbeitnehmer für seine Arbeitsleistung erhält (Arbeitnehmerlohn), als auch das Entgelt des Unternehmers für seine Arbeit im eigenen Unternehmen (Unternehmerlohn). Im engeren Sinne und im üblichen Sprachgebrauch ist Lohn das Entgelt für die Arbeitsleistung der abhängig Beschäftigten. Hierbei spricht man bei Arbeitern von Lohn, bei Angestellten vom Gehalt und bei Beamten von Bezügen.*
Bruttolohn oder Bruttogehalt ist der Gesamtbetrag des Lohnes oder des Gehaltes, so wie er zwischen Arbeitgeber und Arbeitnehmer vereinbart worden ist. Nettolohn oder Nettogehalt ist der nach Abzug von ***Steuern*** *und Versicherungsbeiträgen für die gesetzliche Sozial-, Arbeitslosen- und Krankenversicherung (siehe*

auch **Versicherung**) verbleibende Anteil. Man unterscheidet verschiedene Formen der Entlohnung:

> Zeitlohn: Entlohnung für einen bestimmten Zeitraum, z. B. Wochen- oder Monatslohn, bei bestimmten Tätigkeiten auch auf Basis eines vereinbarten Stundenlohns. Das Gehalt der Angestellten und die Beamtenbezüge sind generell Zeitlohn.

> Akkordlohn: Entlohnung der erbrachten Leistung. Die Höhe des Lohnes hängt ganz oder teilweise davon ab, welche Leistung der Arbeiter während seiner Arbeitszeit erbracht hat. Hierbei unterscheidet man:

- Geldakkord: Der Arbeiter erhält pro fertig bearbeitetem Stück einen bestimmten Geldbetrag.
- Zeitakkord: Es wird eine bestimmte Zeit vorgegeben, in der ein Stück bearbeitet sein sollte (Vorgabezeit). Der Lohnfaktor berücksichtigt Schwierigkeitsgrad, erforderliche Vorbildung, Umwelteinflüsse usw. Durch Multiplikation der erreichten Zeitsumme mit dem Lohnfaktor wird der Lohn festgestellt.

> Prämienlohn: Besteht aus einem Grundlohn, der in der Regel ein Zeitlohn ist, und einer zusätzlich gezahlten Prämie, deren Höhe von der Erreichung bestimmter Leistungsziele abhängt. Eine jährlich fällige Prämie heißt auch **Bonus**.

Für die Arbeitnehmer ist der Lohn die wesentliche Einkommensquelle. Seine Höhe bestimmt ihren Lebensstandard. Der durchschnittliche Bruttomonatsverdienst betrug 2007 in Deutschland 3 015 Euro, der durchschnittliche Bruttostundenlohn 19,24 Euro, die Lohnquote 64,7 % des Volkseinkommens. Für die Unternehmen sind Löhne Kosten, insgesamt der größte Kostenblock, der die Höhe der Absatzpreise und der Erträge entscheidend mitbestimmt. Dabei setzen sich die Lohnkosten eines Unternehmens zusammen aus den Bruttolöhnen und -gehältern zuzüglich gesetzlicher und freiwilliger Lohnnebenkosten (**Schaubild 60**). Zu den gesetzlichen Lohnnebenkosten gehören u. a. die Arbeitgeberbeiträge zur Sozialversicherung der Arbeitnehmer. Freiwillige Lohnnebenkosten sind u. a. die Pensionszusagen der Betriebe im Rahmen der betrieblichen Altersversorgung. Die Personalzusatzkosten machten 2007 in der westdeutschen Industrie 71,7 %, im verarbeitenden Gewerbe Ostdeutschlands 60,6 % der gezahlten Löhne aus.

Seit der Jahrtausendwende sind die sogenannten Lohnstückkosten in Deutschland um jahresdurchschnittlich 2 Prozent zurückgegangen. Dazu haben der geringe Anstieg der Arbeitskosten je Stunde in der hiesigen Industrie von 2000 bis 2007 von jährlich nur um 2,2 Prozent – im Ausland verteuerte sich die Arbeitsstunde um durchschnittlich 3,6 Prozent – und die Produktivitätsdynamik beigetragen, denn seit dem Jahr 2000 wurden je Arbeitsstunde jahresdurchschnittlich 4,3 Prozent mehr Güter hergestellt. Damit konnte eine wesentliche Verbesserung der Wettbewerbssituation der deutschen Wirtschaft erreicht werden.

Man unterscheidet zwischen Nominallohn (Geldlohn), das ist der Lohn, der in Euro ausgezahlt wird, und dem Reallohn, der die Preisentwicklung und damit die Kaufkraft berücksichtigt. Lohnerhöhungen führen nur zu einer Steigerung der Kaufkraft, wenn der Preisanstieg niedriger ausfällt als die Netto-Lohnsteigerung. Die Arbeitnehmer haben ein Interesse daran, dass die Löhne rascher steigen als die Preise. Bis Anfang der neunziger

60 Der zweite Lohn

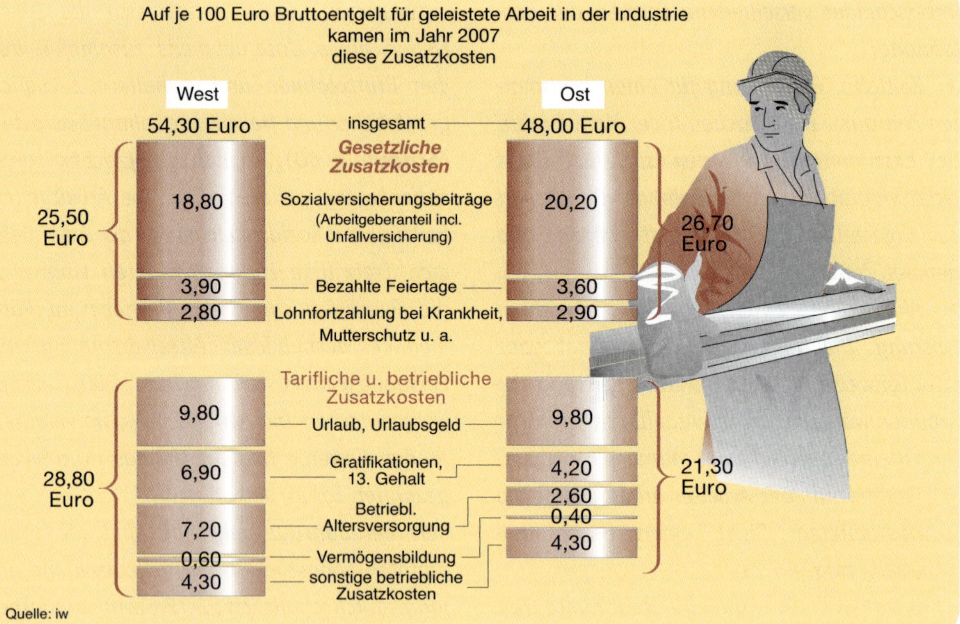

Jahre ist ihnen dies auch gelungen; seitdem stagnieren die Reallöhne, die Lohnquote ist von 72,2 % im Jahr 2000 auf 64,7 % des Volkseinkommens 2007 gesunken. Grundsätzlich besteht die Gefahr, dass durch einen Lohnanstieg eine Lohn-Preis-Spirale ausgelöst wird, da die Löhne als Kosten in die Preise überwälzt werden. Nicht zuletzt auch durch die Wirkungen der globalen Konkurrenz war diese Gefahr in den letzten Jahren gering.

Lohnpolitik *siehe* ***Wirtschaftspolitik***

Lohn-Preis-Spirale *siehe* ***Lohn***

Lohnstopp *siehe* ***Preisstopp***

Lomé-Abkommen *Abkommen zwischen der* ***Europäischen Union*** *und 79 afrikanischen, karibischen und pazifischen Ländern (****AKP-Staaten****) über Finanzhilfen der EU an diese Länder im Rahmen der Entwicklungshilfe, den bevorzugten Marktzugang für Produkte der AKP-Staaten zum EU-Markt und die Stabilisierung ihrer Exporterlöse. 2002 wurden die Lomé-Abkommen durch das „Partnerschaftsabkommen für Entwicklung" ersetzt."*

M

Maastricht-Vertrag *siehe* ***Europäische Union***

Makler *Der Makler führt als selbständiger Kaufmann Kauf- und Verkaufsinteressenten von Wertpapieren,* ***Immobilien****, Versicherungen etc. zusammen. Bei erfolgreichem*

Abschluss eines Geschäfts erhält er eine ***Provision****, die Makler-Courtage (siehe auch* ***Börse****).*
An der Börse unterscheidet man zwischen dem amtlichen Makler und dem Freimakler. Der amtliche Makler vermittelt ausschließlich Geschäfte zwischen den an der Börse vertretenen Instituten (meist Banken). Der Freimakler tätigt auch Eigengeschäfte.

Management *Die Führung eines Unternehmens oder einer größeren Einheit innerhalb eines Unternehmens durch leitende Angestellte (in einer Aktiengesellschaft die Vorstandsmitglieder, in einer GmbH der Geschäftsführer). Diese leitenden Angestellten nennt man Manager.*

Marge *Die Spanne zwischen zwei Preisen, Kursen oder Zinssätzen, i. d. R. zwischen Einkaufs- und Verkaufspreisen. Hierbei ist die Marge ein Maß für den Rohertrag eines Unternehmens. Erst nach Abzug sonstiger Aufwendungen, wie Personalkosten, Zinsen, Abschreibungen und Steuern, ergibt sich der Gewinn. Beispiele:*
> *Handelsspanne: die Marge zwischen An- und Verkaufspreis im Handel. Beispiel: Ein Händler kauft ein Hemd zu netto 25,– Euro ein und verkauft es zu 49,– Euro netto. Die Handelsspanne errechnet sich aus der Differenz von 24,– Euro, das sind 49 % des Verkaufspreises.*
> *Zinsspanne: die Differenz zwischen Soll- und Habenzinsen bei Kreditinstituten, ausgedrückt in Prozent der Bilanzsumme.*

Markenartikel *Waren, die in hochwertiger Qualität und in großen Stückzahlen auf den Markt kommen und deswegen eine hohe Bekanntheit haben, sind Markenartikel (z. B. TEMPO, Maggi etc.) Die Art der Verpackung und Aufmachung sorgt für ein gewohntes Erscheinungsbild, das zusammen mit intensiver Werbung für Markentreue der Kunden sorgen soll. Im Regelfall sind Aufmachung und Bezeichnung als Marke registriert und damit geschützt. Meist besteht die Marke aus einem Bild- oder Wortzeichen, das beim Patentamt registriert ist und damit gegen Missbrauch durch Dritte rechtlich geschützt ist. Auch für Dienstleistungen und Handel gibt es einen derartigen Schutz. Markenartikel werden seit einigen Jahren häufig als Plagiate nachgeahmt, da sich damit erhebliche illegale Gewinne erzielen lassen.*

Marketing *Alle Maßnahmen „zur Schaffung eines Marktes", die auf den Absatz der Erzeugnisse oder Dienstleistungen eines Unternehmens gerichtet sind. Die Marketinginstrumente lassen sich den Teilbereichen Produktpolitik (Qualität, Sortiment, Marke, Service), Preis- und Konditionenpolitik (Preis, Kredite, Preisnachlässe), Distributionspolitik (Absatzwege, Logistik) und Kommunikation (Verkaufsförderung,* ***Werbung****,* ***Public Relations****) zuordnen.*

Markt *Ursprünglich ein Ort, an dem sich Anbieter und Nachfrager treffen, um Waren zu verkaufen bzw. zu kaufen und durch Angebot und Nachfrage Preise zustande kommen. Dieser Vorgang ist als Preisbildungs- und Informationsmechanismus der Grundmechanismus einer Marktwirtschaft. Nach der Anzahl der Marktteilnehmer unterscheidet man verschiedene Marktformen:*
> *Monopol: Ein Anbieter eines Produktes steht einer Vielzahl von Nachfragern gegen-*

61 Bausteine der Marktwirtschaft und der Planwirtschaft

Marktwirtschaft	Planwirtschaft
Marktwirtschaft Ordnungsform der meisten westlichen Volkswirtschaften	**Planwirtschaft** Früher Ordnungsform der meisten östlichen Volkswirtschaften
Dezentrale Planung Jedes Unternehmen plant individuell nach betriebswirtschaftlichen Kriterien, was in welcher Menge und Qualität produziert werden soll.	Zentrale Planung Eine staatliche Planungsbehörde plant, was und wie viel produziert wird und wie die Güter innerhalb der Volkswirtschaft verteilt werden.
Marktpreisbildung Die Preise bilden sich durch Angebot und Nachfrage an den Märkten.	Staatliche Preisfestsetzung Die Preise für Waren und Dienstleistungen werden von staatlichen Planungsbehörden festgelegt.
Privateigentum an den Produktionsmitteln und Gewerbefreiheit Die Produktionsmittel gehören im Grundsatz Privaten. Sie können aus eigener Entscheidung ein Gewerbe betreiben. Es ist sichergestellt, dass sie ihre Entscheidungen individuell treffen können.	Staatliches Eigentum an den Produktionsmitteln Die Produktionsmittel befinden sich in Staatseigentum. Das begründet das Recht des Staates, über ihre Verwendung, d. h. über Art, Beschaffenheit und Menge der herzustellenden Produkte, zu entscheiden.
Wettbewerb Der Wettbewerb um die Nachfrage der Verbraucher beeinflusst Beschaffenheit, Menge und Preis der Erzeugnisse und sichert damit dem Verbraucher indirekt Einfluss auf das Produktangebot.	Staatliche Festlegung Die staatlichen Planungsbehörden entscheiden darüber, was dem Verbraucher angeboten wird. Der Konsument selbst hat keine Einflussmöglichkeiten.
Gewinn Die Höhe des Gewinns ist der entscheidende Einflussfaktor für das Handeln der Unternehmen.	Planerfüllung Die einzelnen Firmen werden auf die Erfüllung des Plansolls verpflichtet. Gewinn oder Verlust sind keine Entscheidungsgrundlagen.

über. Der Monopolist setzt Preis und Angebotsmenge des Produkts in bestimmtem Rahmen frei fest. Monopole sollten in einer wettbewerbsorientierten Marktwirtschaft auf etablierten Märkten im Grundsatz nicht auftreten. In der Bundesrepublik sind deshalb die meisten Monopole Unternehmen im Besitz der öffentlichen Hand, verbunden mit einem öffentlichen Auftrag, eine flächendeckende Versorgung mit ihren Gütern sicherzustellen. Bis vor einigen Jahren galt dies v. a. in der Energieversorgung oder bei Verkehrsunternehmen. Private Monopole sind marktbeherrschende Unternehmen. Sie unterliegen deshalb einer strengen Missbrauchsaufsicht durch das Bundeskartellamt im Rahmen des Gesetzes gegen Wettbewerbsbeschränkungen (Kartellgesetz; siehe **Wettbewerb**).

> Monopson: Vielen Anbietern eines bestimmten Produkts steht nur ein Nachfrager gegenüber. Hier gilt das Gleiche wie für Monopole. Monopsone sind vor allem öffentliche Auftraggeber. Ein Spezialfall ist das sog. bilaterale Monopol, bei dem sich ein Anbieter und ein Nachfrager auf einem Markt treffen, wie z. B. bei Lohnverhandlungen.

> *Oligopol:* Einige wenige Anbieter konkurrieren miteinander, um einer Vielzahl von Nachfragern ihre Produkte zu verkaufen. Beispiel eines Oligopols ist der Markt für Öl und Ölprodukte.
> *Oligopson:* Wenigen Nachfragern steht eine große Zahl von Anbietern gegenüber. Diese Situation findet sich z. B. in Teilbereichen des Nahrungs- und Genussmittelgewerbes, wo viele kleine Hersteller eine begrenzte Zahl von großen Handelsketten beliefern.
> *Vollständige Konkurrenz:* Hier treffen viele Anbieter und viele Nachfrager aufeinander.

Die vollständige Konkurrenz gilt vielfach als Idealfall eines Marktes. Das trifft allerdings nur in wenigen Fällen zu. Meist führen oligopolistische Marktstrukturen zu einer besseren Versorgung und zu günstigeren Bedingungen für die Käufer, da sich die wenigen Anbieter in einer harten Konkurrenz um Marktanteile befinden. Dies führt oft auch zu größerer Innovationsbereitschaft. Eine generelle Festlegung, welche Marktform den Bürgern die optimale Güterversorgung bietet, ist kaum möglich, zumal die Abgrenzung des für die Einschätzung der Marktverhältnisse maßgeblichen Marktes häufig die nationalen Grenzen sprengt.

Marktforschung Eine mit Hilfe wissenschaftlicher Methoden durchgeführte systematische Untersuchung der Beschaffungs- und Absatzmärkte. Ziel ist es, Entscheidungsgrundlagen über das vorhandene Angebot oder über die Absatzchancen von Produkten zu erhalten.

Marktwirtschaft/Planwirtschaft Mit diesem Begriffspaar werden zwei in ihrer Grundkonzeption gegensätzliche Wirtschaftsordnungen bezeichnet (vgl. hierzu **Schaubild 61**).

Maschinenlaufzeit Die Zeit, in der die Produktionsanlage eines Unternehmens innerhalb einer Periode genutzt wird. Die Maschinenlaufzeit ist eine wichtige Bestimmungsgröße für die **Rentabilität** einer Investition. Es gilt, eine flexible Arbeitsorganisation zu finden, die Maschinenlaufzeiten und den Einsatz der Arbeitnehmer optimiert. Dies geschieht beispielsweise mit flexiblen Schichtmodellen. Inwieweit dies gelingt, zeigt auf gesamtwirtschaftlicher Ebene die Messzahl für die Kapazitätsauslastung. Diese lag 2007 im verarbeitenden Gewerbe bei guten 88 %.

Meistbegünstigung siehe **Welthandelsorganisation – WTO**

Messe Eine organisierte Form eines Marktes, auf dem umfassend die Produkte eines Wirtschaftszweiges (z. B. Baumaschinen, Autos, Verlagserzeugnisse, Nahrungs- und Genussmittelindustrie) oder auch mehrerer Branchen in regelmäßigen Zeitabständen, i. d. R. an einem gleich bleibenden Ort, präsentiert werden und Anbieter und Nachfrager zusammenkommen. Im Gegensatz hierzu sind *Ausstellungen* lediglich die Präsentation von Erzeugnissen.

Miete siehe **Mietvertrag**

Mietvertrag Ein Vertrag zwischen Vermieter und Mieter, in dem sich der Vermieter verpflichtet, dem Mieter eine bestimmte, genau bezeichnete Sache (z. B. eine

Wohnung) zum Gebrauch zu überlassen; im Gegenzug verpflichtet sich der Mieter zur Zahlung eines Preises (der Miete).

MIGA *siehe* **Weltbank**

Mindestlohn *Unter Mindestlohn sind mehrere Tatbestände zu verstehen:*

- *Ein Lohn, der den Arbeitnehmern das Existenzminimum sichert.*
- *Der Tariflohn, der üblicherweise die Untergrenze für die tatsächliche gezahlten Löhne („Effektivlöhne") darstellt.*
- *Ein durch Gesetz vorgeschriebener Lohn, der in einer bestimmten Branche oder generell nicht unterschritten werden darf. In der EU gibt es in den meisten Ländern Mindestlöhne, wie etwa in Belgien, Frankreich, Griechenland, Großbritannien, Irland, Luxemburg, den Niederlanden, Portugal und Spanien.*

In Deutschland gibt es mittlerweile über die Regelungen des Entsendegesetz Mindestlöhne für das Bauhauptgewerbe, Gebäudereiniger und Briefdienstleister. Weitere acht Branchen werden dazukommen, incl. der Zeitarbeitsunternehmen. Mindestlöhne können auf Antrag der Branchen eingeführt werden. Basis ist das Entsendegesetz bei mindestens 50 Prozent tarifgebundenen Arbeitgebern der Branche oder (in Planung) das Mindestarbeitsbedingungsgesetz. Ziel ist es, Dumpinglöhne zu verhindern. Mindestlöhne sind umstritten, da die Vermutung besteht, dass sie bei zu hoher Ansetzung die Einstellung von Arbeitnehmern in gering qualifizierten Tätigkeiten verhindern.

Mindestreserven *siehe* **Europäisches System der Zentralbanken**

Mini-Jobs *Bezeichnung für Arbeitsverhältnisse mit Arbeitseinkommen bis maximal 800 Euro im Monat. Es gibt vier Arten von Mini-Jobs:*

- *Geringfügig entlohnte Tätigkeiten (bis 400 Euro): Der Arbeitnehmer zahlt keine Sozialversicherungsbeiträge und keine Steuern, der Arbeitgeber Pauschalabgaben in Höhe von 30 % der Lohnhöhe (15 % Rentenversicherung, 13 % Krankenversicherung und 2 % Steuern).*
- *Mini-Jobs in Privathaushalten: Sie entsprechen den geringfügig entlohnten Tätigkeiten. Der Arbeitgeber hat jedoch nur 12 % Pauschalabgaben (je 5 % Kranken- und Rentenversicherung sowie 2 % Steuern). Zusätzlich fallen Steuervorteile von bis zu 510 Euro jährlich an.*
- *Kurzzeitige Beschäftigungen (Aushilfen): Eine kurzzeitige Beschäftigung liegt dann vor, wenn sie innerhalb eines Kalenderjahres nicht länger als 2 Monate oder 50 Arbeitstage ausgeübt wird. Sie ist sozialversicherungs- und steuerfrei.*
- *Beschäftigungen mit Entgelt zwischen 400,01 und 800,00 Euro (sog. „Midi-Jobs"): Die Arbeitgeber zahlen die vollen Sozialversicherungsbeiträge, die Arbeitnehmer abgestufte Beiträge, abhängig von der Höhe ihres Einkommens.*

Missbrauchsaufsicht *siehe* **Wettbewerb**

Mitarbeiterbeteiligung *Beteiligung von Arbeitnehmern an Rechten und Funktionen in Unternehmen, insbesondere aber am Erfolg oder am Kapital des Unternehmens. Es gibt verschiedene Formen der Mitarbeiterbeteiligung:*

> *Materielle Mitarbeiterbeteiligung:* Beteiligung der Arbeitnehmer am Erfolg und/oder am Kapital des Unternehmens. Dabei unterscheidet man folgende Arten:

- *Erfolgsbeteiligung:* Die Arbeitnehmer erhalten neben ihrer laufenden Entlohnung eine Zuwendung, deren Höhe vom erzielten Erfolg des Unternehmens abhängt. Hierbei gibt es:
- *Leistungsbeteiligung:* Die Höhe der Zusatzzahlung hängt von der Leistung der gesamten Belegschaft oder einer bestimmten Gruppe von Arbeitnehmern ab (nicht vom einzelnen Arbeitnehmer).
- *Ertragsbeteiligung:* Maßstab für die Höhe der Zusatzzahlung ist der Ertrag (Umsatz, Wertschöpfung u. Ä.).
- *Gewinnbeteiligung:* Beteiligung der Arbeitnehmer am Gewinn des Unternehmens. Diese Form ist die am weitesten verbreitete Art der Erfolgsbeteiligung.
- *Kapitalbeteiligung:* Beteiligung der Arbeitnehmer am Kapital des Unternehmens. Grundsätzlich gibt es hierbei zwei Arten:
- *Beteiligung am Eigenkapital:* Die Arbeitnehmer erwerben Anteilsrechte, meist zu einem Vorzugspreis (z. B. Belegschaftsaktien), oder beteiligen sich über Einlagen (stille Beteiligung).
- *Beteiligung über die Gewährung von Fremdkapital:* Der Mitarbeiter gibt dem Unternehmen ein Darlehen und erhält hierfür eine Verzinsung, die je nach Vertragsgestaltung gewinnunabhängig oder gewinnabhängig (partiarisches Darlehen) ist.

> *Immaterielle Mitarbeiterbeteiligung:* Zusammenarbeit zwischen Unternehmensleitung und Mitarbeitern in Fragen der betrieblichen Weiterbildung, der innerbetrieblichen Kommunikation u. ä. (siehe **Mitbestimmung**).

Neben der streng auf das Arbeit gebende Unternehmen ausgerichteten materiellen Mitarbeiterbeteiligung gibt es Modelle, bei denen der Gedanke der Risikostreuung im Mittelpunkt steht. Die Mitarbeiter sind also nicht am eigenen, sondern an anderen Unternehmen und sonstigen Anlagen beteiligt. Ein Beispiel ist der *Mitarbeiterfonds:* Der Mitarbeiter kann Anteilscheine eines Investmentfonds erwerben, der nur zu Zwecken der unternehmensbezogenen Vermögensbildung gegründet wird. Die Regelungen finden sich im ab 2009 geltenden Mitarbeiterbeteiligungsgesetz.

Mitbestimmung Beteiligung und Mitwirkung der Arbeitnehmer an den wesentlichen Entscheidungen in einem Unternehmen. Die Mitbestimmungsgesetze in der Bundesrepublik Deutschland sichern den Arbeitnehmern in den Unternehmen Einfluss auf Entscheidungen, die ihre Interessen berühren. Der weit überwiegende Teil der Arbeitnehmer in der Bundesrepublik hat in den Betrieben ein gesetzlich garantiertes Mitsprache- bzw. Mitbestimmungsrecht. Ausgenommen hiervon sind die Arbeitnehmer in Kleinstbetrieben (bis zu fünf Mitarbeiter).

Man unterscheidet zwischen der *innerbetrieblichen Mitbestimmung* (hauptsächlich über den Betriebsrat) und der *Mitbestimmung im Aufsichtsrat*.

Die Mitbestimmungsrechte der Arbeitnehmer sind im Wesentlichen in drei Gesetzen geregelt:

> *Betriebsverfassungsgesetz (BetrVG)*

Eingeführt 1952, neu gefasst 1972 und 1989. Das BetrVG gilt für alle Betriebe der privaten

Wirtschaft mit mindestens fünf Arbeitnehmern. Für Betriebe des öffentlichen Rechts gelten die Personalvertretungsgesetze. Das Betriebsverfassungsgesetz regelt die Mitbestimmungsrechte des Betriebsrats und die Vertretung von Arbeitnehmern im Aufsichtsrat in solchen Unternehmen, die nicht den beiden anderen Mitbestimmungsgesetzen unterliegen. Der Betriebsrat wird von den Arbeitnehmern des Betriebs gewählt und nimmt ihre Interessen im Betrieb, insbesondere gegenüber dem Arbeitgeber, wahr. Er wacht über die Einhaltung der zur Regelung des Arbeitsverhältnisses erlassenen Gesetze, Verordnungen, Unfallverhütungsvorschriften sowie der Tarifverträge und die Betriebsvereinbarungen. Er hat Mitbestimmungs- bzw. Mitspracherechte, z. B. in allen Arbeitszeitfragen, soweit sie nicht durch Gesetz oder Tarifvertrag geregelt sind, bei Einstellungen und Entlassungen von Mitarbeitern, bei der Einführung und Anwendung von technischen Einrichtungen, die das Verhalten oder die Leistung der Arbeitnehmer überwachen sollen, bei der Einführung und Anwendung neuer Entlohnungsformen und bei der Zuweisung und Kündigung von Werkswohnungen. In wirtschaftlichen Angelegenheiten, bei Betriebsänderungen sowie allgemeinen personellen Einzelregelungen hat er ein Recht auf Unterrichtung. Arbeitnehmer unter 18 Jahren machen ihre Interessen durch den Jugendausschuss geltend. Der Betriebsrat unterrichtet die Betriebsangehörigen in regelmäßigen Betriebsversammlungen. Im Rahmen der Betriebsversammlung muss der Arbeitgeber über die Entwicklung des Unternehmens und des Personalwesens im Betrieb informieren.

Im Jahr 2006 hatten 10 % aller privatwirtschaftlichen Betriebe in Deutschland einen Betriebsrat. Die Einrichtung eines Betriebsrats steigt mit der Zahl der Arbeitnehmer. Bei Betrieben mit mehr als 500 Beschäftigten hatten 90 % der westdeutschen und 85 % der ostdeutschen Unternehmen einen Betriebsrat.

Mit der Neufassung des BetrVG im Jahre 1989 wurde eine besondere Vertretung der leitenden Angestellten eingeführt. Sie wählen einen Sprecherausschuss, der Unterrichtungs- und Beratungsrechte in den betrieblichen Dingen hat, die die leitenden Angestellten berühren.

Bei Kapitalgesellschaften mit mehr als 500 Arbeitnehmern, die weder dem Montan-Mitbestimmungsgesetz noch dem Mitbestimmungsgesetz von 1976 unterliegen, sind die Arbeitnehmer mit einem Drittel der Sitze im Aufsichtsrat vertreten (BetrVG 1952), um dort die Interessen der Arbeitnehmer bei grundlegenden unternehmenspolitischen Entscheidungen geltend zu machen. Hierbei handelt es sich um ca. 1 400 Unternehmen.

\> *Montan-Mitbestimmungsgesetz*

„Gesetz über die Mitbestimmung in den Aufsichtsräten und Vorständen der Unternehmen des Bergbaus und der Eisen und Stahl erzeugenden Industrie.“ Das Gesetz ist seit 1951 in Kraft und wurde durch das Mitbestimmungsergänzungsgesetz von 1956 sowie das Änderungsgesetz von 1967 ergänzt.

Es gilt für Kapitalgesellschaften der Eisen und Stahl erzeugenden Industrie und des Bergbaus mit über 1 000 Arbeitnehmern. Die Montan-Mitbestimmung regelt die Vertretung der Arbeitnehmer im Aufsichtsrat und im Vorstand der unter dieses Gesetz fallenden Unternehmen. Der Aufsichtsrat ist zur Hälfte mit Arbeitnehmern bzw. Gewerkschaftsvertretern besetzt. Belegschaft und Gewerkschaften stimmen sich über ihre Vertreter gegenseitig ab. Sie werden aber nicht von der Belegschaft,

62 Mitbestimmung im Aufsichtsrat

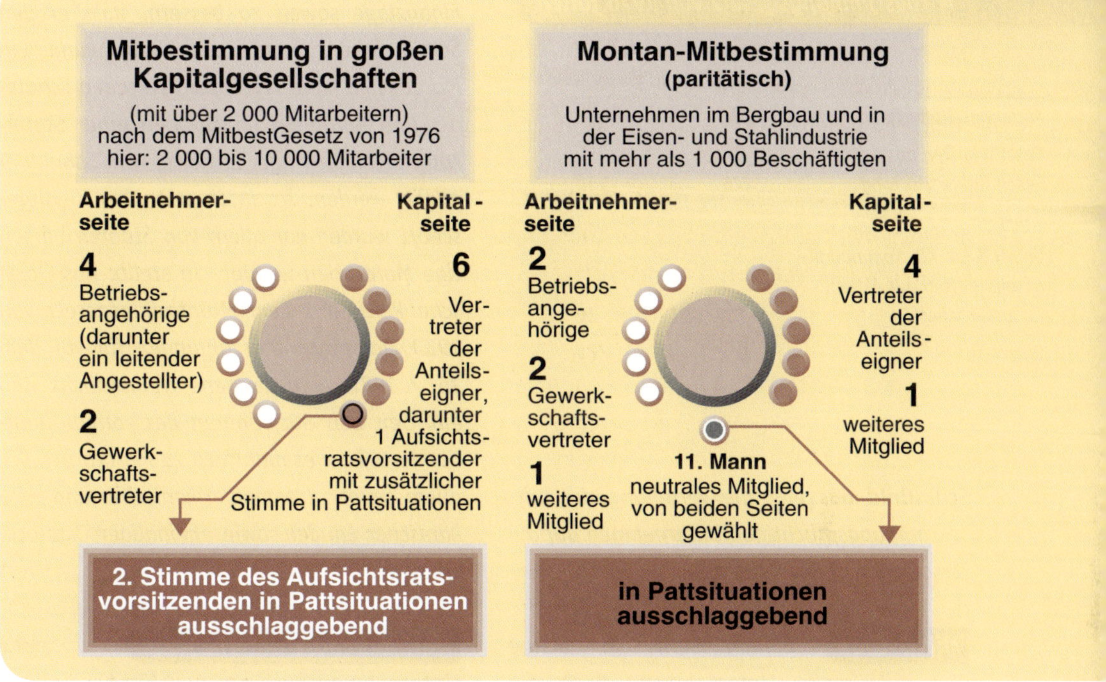

*sondern von der Hauptversammlung gewählt. Diese wiederum muss in der Regel die Kandidaten wählen, die ihr von der Gewerkschaft bzw. vom Betriebsrat vorgeschlagen werden. Außerdem gehört dem Aufsichtsrat ein so genanntes neutrales Mitglied an, das von Arbeitnehmervertretern und Vertretern der Anteilseigner gemeinsam gewählt wird und eine Blockierung von Entscheidungen verhindern soll. Im Vorstand sitzt ein Arbeitsdirektor, der dort die Interessen der Mitarbeiter vertritt. Seine Berufung hängt letztlich von den Gewerkschaften ab. (**Schaubild 62**)*

> *Mitbestimmungsgesetz 1976*

Das Gesetz betrifft Kapitalgesellschaften mit über 2 000 Arbeitnehmern.

Die Arbeitnehmer entsenden ebenso viele Vertreter in den Aufsichtsrat wie die Kapitaleigner. Auf der Arbeitnehmerseite sitzt auch ein Vertreter der leitenden Angestellten. Bei einem Abstimmungspatt zwischen Arbeitgeber- und Arbeitnehmerseite entscheidet die Stimme des Aufsichtsratsvorsitzenden, der der Kapitalseite angehört. Der Vorsitzende des Aufsichtsrats und sein Stellvertreter werden von allen Aufsichtsratsmitgliedern mit Zwei-Drittel-Mehrheit gewählt. Kommen diese Mehrheiten nicht zu Stande, dann wählt die Kapitalseite den Vorsitzenden und die Arbeitnehmerseite dessen Stellvertreter.

Für Unternehmen mit bis zu 8 000 Beschäftigten ist als Regelfall die direkte Wahl der Aufsichtsräte vorgesehen, und zwar sollen Angestellte und Arbeiter jeder für sich „ihre" Aufsichtsratsmitglieder wählen. Bei mehr als 8 000 Beschäftigten ist die mittelbare Wahl durch sog. Wahlmänner vorgesehen. Eine Änderung der Wahlverfahren ist möglich.

63 Anzahl der Unternehmen, die unter das Mitbestimmungsgesetz von 1976 fallen

	Ende 1977	Ende 2006
Aktiengesellschaften	282	319
Gesellschaften mit beschränkter Haftung	175	352
Sonstige		
GmbH & Co. KG, Kommanditgesellschaften auf Aktien, Genossenschaften	18	50
insgesamt	475	721

Schaubild 63 *zeigt die Verteilung der mitbestimmungspflichtigen Unternehmen auf die verschiedenen Rechtsformen.*

Mittelstand *Sammelbegriff für kleine und mittelgroße Unternehmen. Nach der Abgrenzung des Statistischen Bundesamts sind dies alle Unternehmen mit weniger als 250 Beschäftigten oder weniger als 50 Millionen Euro Umsatz. Nach der Beschäftigten- wie nach der Umsatzabgrenzung sind dies rund 99 % der Betriebe. Sie beschäftigen in Deutschland rund 60 % aller Arbeitnehmer, stellen mehr als 80 % der Lehrstellen zur Verfügung und tragen knapp 50 % zur gesamtwirtschaftlichen Produktion bei.*

Monatsgeld *siehe* ***Geldmarkt***

Monopol/Monopson *siehe* ***Markt***

Montanunion *siehe* ***Europäische Union***

Moratorium *Eine zeitlich befristete Einstellung von Zahlungen auf fällige Zinsen oder Tilgungen durch den Schuldner mit dem Ziel, Zahlungsprobleme zu überwinden und die Finanzlage soweit zu bessern, dass er den Schuldendienst wieder aufnehmen kann. Ein Moratorium kann vertraglich zwischen Schuldner und Gläubiger im Rahmen einer* ***Sanierung*** *vereinbart oder einseitig vom Schuldner erklärt werden. Im internationalen Kreditgeschäft wurden vor allem von Staaten einseitige Moratorien verfügt. So stellte das Deutsche Reich mit dem Moratoriumsgesetz von 1933 Fremdwährungszahlungen für vor dem 15. 7. 1931 eingegangene Verbindlichkeiten ein. Seit den 80er Jahren des vorigen Jahrhunderts kam es mehrfach zu Moratorien, vor allem seitens lateinamerikanischer und afrikanischer Länder sowie ehemaliger Ostblockstaaten.*

Multinationale Unternehmen *siehe* ***Unternehmenszusammenschlüsse***

Mündelsicherheit *Besonders hohes Maß an Sicherheitsanforderung bei Vermögensanlagen für Mündel, eine Person mit Betreuung, mit dem Ziel, eine sichere Verzinsung zu erreichen und Verluste zu vermeiden. Mündelsichere Anlagen sind z. B. Sparkonten, Pfandbriefe und Anleihen des Bundes, der Länder und der Kommunen. Andere Anlagen bedürfen der Genehmigung durch das Amtsgericht.*

Münzen *Geprägte Metallstücke, die als Geld (Zahlungsmittel) dienen oder gedient haben. Ist der aufgedruckte Wert höher als der Metallgehalt der Münzen, spricht man von Scheidemünzen. In Deutschland werden die Münzen durch den Bund ausgegeben, der das Recht hat, das Münzwesen in der Bundesrepublik zu regeln (Münzhoheit). Der Ertrag aus der Prägung der Münzen gehört zu seinen regelmäßi-*

gen Einnahmen. Banknoten werden dagegen von der Notenbank ausgegeben. Denn hierbei handelt es sich letztlich um Schuldverschreibungen der Notenbank.

N

Nachhaltigkeit Bezeichnung für eine Politik, die an den Bedürfnissen der gegenwärtig lebenden Menschen orientiert ist, ohne die Lebenschancen zukünftiger Generationen zu beeinträchtigen. Ursprünglich betraf dies vor allem die Umweltpolitik, mittlerweile wird Nachhaltigkeit auch in der Sozial- und Wirtschaftspolitik zum Maßstab. Die UN-Konferenz 1992 in Rio de Janeiro hat dieses Prinzip zur Maxime allen gesellschaftlichen Handelns in der globalisierten Welt erhoben. Hieraus wurden drei Verantwortlichkeiten abgeleitet, die den Weg zu einer nachhaltigen Entwicklung bestimmen sollen:

> Alle Menschen sollen ein menschenwürdiges Leben in freier Selbstbestimmung führen können.

> Die jeweilige Generation trägt die Verantwortung dafür, dass die künftigen Generationen die gleichen Entwicklungsmöglichkeiten haben.

> Die Industrieländer sind gegenüber den Entwicklungsländern verpflichtet, der Armut entgegenzuwirken und die Entwicklungsmöglichkeiten in den Ländern der Dritten Welt zu verbessern.

Mittlerweile formulieren auch große Unternehmen einen Nachhaltigkeitsbericht statt des früheren Umweltberichts.

NAFTA (North American Free Trade Arrangement) Nordamerikanische Freihandelszone. Eine Freihandelszone, die Kanada, Mexiko und die USA umfasst. Sie wurde am 1. 1. 1994 begründet. Das Abkommen sieht u. a. vor, innerhalb von 15 Jahren freien Verkehr von Gütern, Dienstleistungen und Kapital in der Zone zu erreichen. Für die noch schwächere Wirtschaft Mexikos bestehen Schutzbestimmungen. (Siehe **Schaubild 64**)

Namensaktie Eine **Aktie**, die auf den Namen des Gläubigers ausgestellt ist und im Aktienbuch der Aktiengesellschaft registriert ist. Gegenstück sind Inhaberaktien. Namensaktien finden inzwischen wieder vor allem bei großen international operierenden deutschen Unternehmen, deren Aktien auch an der New Yorker Börse notiert sind, stärkere Verbreitung. Bei vinkulierten Namensaktien ist die Veräußerung an die Genehmigung des Verkaufs durch die Gesellschaft gebunden.

Niederlassungsfreiheit Das Recht von EU-Bürgern, sich in einem anderen Mitgliedsstaat zur Ausübung beruflicher oder gewerblicher Tätigkeiten niederzulassen.

Niederstwertprinzip Nach den in Deutschland geltenden Bewertungsgrundsätzen eines sorgfältigen und vorsichtigen Kaufmanns ist in der Bilanz (siehe **Jahresabschluss**) für die Vermögensgegenstände eines Unternehmens von den möglichen Werten – dem Anschaffungs- bzw. Herstellungswert oder dem Tageswert – jeweils der niedrigere anzusetzen. Hierdurch können unter Umständen stille Reserven gebildet werden.

Beispiel: Liegt der Börsenkurs eines Wertpapiers am Bilanzstichtag unter dem Anschaf-

64 Die Handels-Imperien

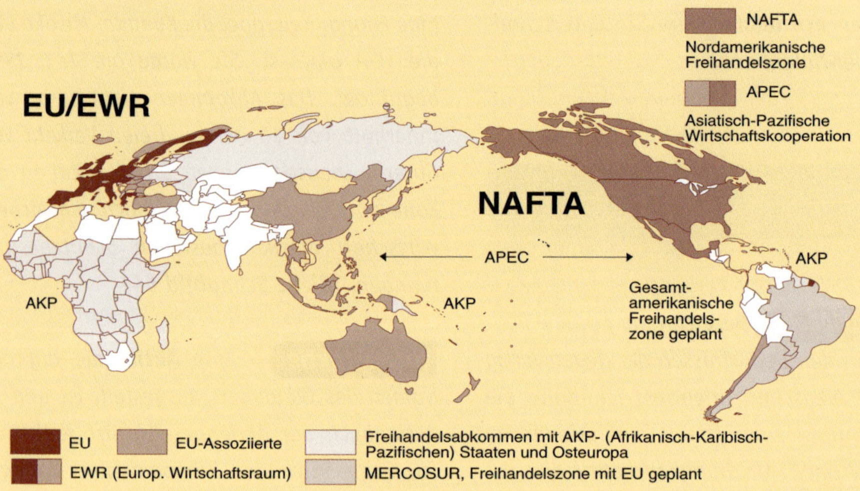

fungspreis, dann ist der Kurs am Stichtag Grundlage der Bewertung. Dieser Wertansatz wird auch dann beibehalten, wenn der Börsenkurs am darauf folgenden Stichtag höher liegen sollte. Auf diese Weise soll vermieden werden, dass sich ein Unternehmen „reicher rechnet“, als es bei vorsichtiger Betrachtung ist. Dies geschieht zur Sicherstellung des Gläubigerschutzes verbunden, da eine spekulative Überbewertung von Vermögensgegenständen vermieden wird. Möglicherweise entstehen dadurch auch stille Reserven, die erst bei Verkauf des Vermögens-gegenstandes realisiert werden. International üblich ist die Bewertung zum Marktwert. Um international vergleichbare Abschlüsse zu erhalten, gilt dieser Wertansatz seit 2005 für Konzernabschlüsse von Aktiengesellschaften und von Unternehmen, die an Börsen notierte Wertpapiere ausgeben.

Niedrigsteuerland *siehe **Briefkastenfirmen***

Nießbrauch *Persönliches Recht, aus einer Sache, einem fremden Recht oder einem Grundstück Nutzen oder Ertrag zu ziehen.*
Beispiele: Ausübung eines Patentrechts oder Bestellung eines Ackers, ohne Eigentümer zu sein oder einen Lizenz- oder Pachtvertrag abgeschlossen zu haben; Übertragung des Eigentums an einem Haus auf die Kinder, wobei die Eltern weiterhin das Nutzungsrecht an dem Haus oder seinen Erträgen behalten.

Nominallohn *siehe **Lohn***

Nominalwertprinzip *Prinzip „Euro gleich Euro“. Die Zahlung einer vertraglich vereinbarten Summe Geld erfolgt unabhängig davon, ob sich zwischen Vertragsvereinbarung und Zahlungszeitpunkt das Preisniveau geän-*

dert hat. Beispiel: Eine Schuldverschreibung wird mit dem Ausgabebetrag zurückgezahlt, auch wenn der **Geldwert** während der Laufzeit des Papiers gesunken ist. Das deutsche Handels- und Steuerrecht baut auf dem Nominalwertprinzip auf. Die Beibehaltung dieses Grundsatzes auch in Zeiten höherer Inflationsraten ist wichtig; eine Aufweichung hat eher noch inflationsfördernde Wirkung, weil dann der Zwang zur Sicherung des realen Wertes von Geldvermögen entfällt. Die Beibehaltung des Nominalwertprinzips bringt einen Druck auf die Politik zu einer soliden Geld- und Finanzpolitik mit sich. Das Gegenteil des Nominalwertprinzips ist die **Indexierung**.

Norm Ein einheitliches, allgemein anerkanntes und verwendetes Richtmaß, mit dem Größe, Farbe, Form etc. eines Gutes festgelegt wird. Ist eine Norm ausgereift, dann wird sie in Deutschland unter der Bezeichnung DIN (Deutsche Industrie-Norm) vom deutschen Normenausschuss gekennzeichnet. Eines der bekanntesten Beispiele sind die Normen für die Größe von Papier, z. B. DIN A 4. Ziel von Normen sind die Standardisierung und die Rationalisierung in Wirtschaft, Technik und Verwaltung. Internationale Normen formuliert das ISO (International Organization für Standardization).

Notenbank Eine Bank, die berechtigt ist, Banknoten, die als Zahlungsmittel dienen, auszugeben. Dieses Recht wird heute in den meisten Fällen nur der jeweiligen Zentralbank eines Landes zugestanden (siehe auch **Deutsche Bundesbank**, **Europäisches System der Zentralbanken**).

Nummernkonto Ein Konto bei einem Kreditinstitut, das nicht unter dem Namen des Kontoinhabers, sondern lediglich unter einer Nummer geführt wird. Namen und Anschrift des Kontoinhabers werden vom Kreditinstitut vertraulich verwahrt. In Deutschland sind Nummernkonten im Gegensatz zu anderen Staaten (z. B. Schweiz) nicht zulässig.

O

Obligation siehe **Schuldverschreibungen**

Obligo Ein anderer Ausdruck für Verpflichtung bzw. Gewährleistung. „Ohne Obligo" in Verträgen schließt die Gewährleistung aus.

OECD Abk. für: Organization for Economic Cooperation and Development (Organisation für wirtschaftliche Zusammenarbeit und Entwicklung). 1961 als Nachfolge-Organisation der OEEC (Organization for European Economic Cooperation) gegründet. Hauptaufgaben sind die Förderung nachhaltigen Wirtschaftswachstums, von Beschäftigung und Lebensstandard, finanzieller Stabilität, Welthandel und der wirtschaftlichen Entwicklung anderer Länder. Die OECD hat aktuell 30 Mitgliedsländer (darunter die **G7**), fünf weitere sind zu Beitrittsgesprächen eingeladen (u. a. Russland). Auf der Beobachtungsliste für eine Mitgliedschaft stehen die Schwellenländer Brasilien, China, Indien, Indonesien und Südafrika.

Offene Handelsgesellschaft (OHG) siehe **Rechtsform**

65 Bundeshaushalt 2009

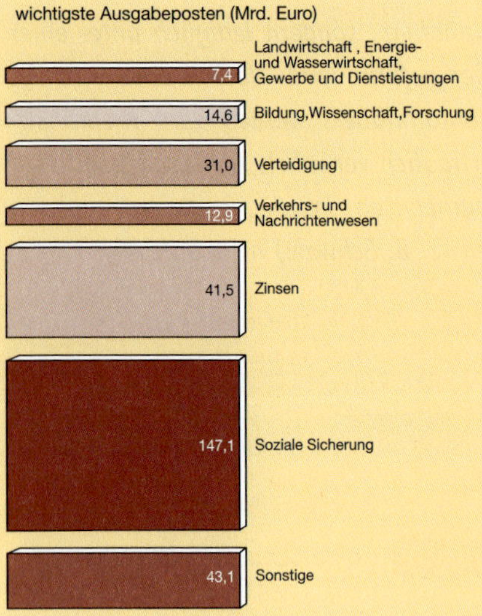

Offenmarktpolitik *siehe* ***Europäisches System der Zentralbanken***

Öffentliche Güter *Güter von gesellschaftlicher Bedeutung, deren Produktion bewusst nicht privatwirtschaftlich erfolgt, zum Teil, weil sie ursprüngliche Aufgaben des Staates sind (z. B. öffentliche Sicherheitseinrichtungen) oder weil den Marktkräften eine umfassende Versorgung der Bevölkerung mit lebenswichtigen Gütern nicht zugetraut wird (Theorie des Marktversagens). Das betrifft viele Versorgungseinrichtungen (z. B. Energie, Wasserversorgung, Bildung). Die Entscheidung zur Erstellung öffentlicher Güter ist häufig von politischen Überzeugungen geprägt. Ein Definitionselement öffentlicher Güter ist, dass der Ausschluss von ihrer Nutzung nicht oder nur unter erheblichem Aufwand gestaltet werden kann.*

Öffentliche Haushalte *Die Haushalte der Gebietskörperschaften (Bund, Länder, Gemeinden und Sondervermögen), der Sozialversicherungen und anderer Körperschaften des öffentlichen Rechts. Nicht zu den öffentlichen Haushalten zählen Sondervermögen der öffentlichen Hand, die in der Rechtsform selbstständiger Unternehmen organisiert sind, wie etwa die öffentlichen Verkehrsunternehmen. Ganz allgemein bezeichnet der Begriff öffentliche Haushalte die finanzielle Seite des Staates.*

Die Haushalte der Gebietskörperschaften sind in der Bundesrepublik autonome, selbstständige Einheiten, die jeweils für sich einen Haushaltsplan (auch Etat oder Budget genannt) aufstellen, in dem die erwarteten Einnahmen und die geplanten Ausgaben gegenübergestellt werden. Die Struktur von Einnahmen und Ausgaben ist bei den verschiedenen Gebietskörperschaften je nach Zuständigkeiten und Einkunftsquellen recht unterschiedlich.

Die Ausgabenseite des Bundeshaushalts für 2009 zeigt ***Schaubild 65****.*

Die drei größten Haushaltsposten mit insgesamt rund 68 % sind der für Arbeit und Soziales mit 147,1 Milliarden Euro, die Zinszahlungen mit 41,5 und der Verteidigungsetat mit 31,0 Milliarden Euro.

Die Verabschiedung des Haushalts einer Regierung als Ausdruck der Politikziele ist eine der wichtigsten Aufgaben eines Parlaments. ***Schaubild 66*** *gibt einen Überblick über den Entscheidungsablauf.*

Öffentlichkeitsarbeit *Auch als Public Relations bezeichnet. Zusammenfassender Begriff für die Kommunikation eines Unternehmens oder sonstigen Institution mit der Öffentlichkeit oder interessierten Zielgruppen*

66 Entstehung und Verabschiedung des Bundeshaushalts

(Arbeitnehmer, Aktionäre, Kunden, Lieferanten, Politik etc.). Ziel ist ein positives Image in der Öffentlichkeit, durch das die Unternehmensziele befördert werden. Öffentlichkeitsarbeit ist Teil des Marketing, unterscheidet sich aber von der rein produktbezogenen Werbung. Instrumente der Öffentlichkeitsarbeit sind: Pressemeldungen und -konferenzen, Unternehmensberichte, Internetauftritt, Mitarbeiter- und Kundenzeitschrift, Präsentationen, Besichtigungen, Sponsoring, Mitarbeiterinformationen etc.

Öffnungsklauseln *Klauseln in Tarifverträgen, die es erlauben, abweichend von den Regelungen des Flächentarifsvertrags einzelbetriebliche Regelungen zu treffen. Beispielsweise kann es Unternehmen im Falle einer wirtschaftlichen Krise erlaubt sein, untertariflich zu entlohnen oder die Arbeitszeit ohne Lohnausgleich zu vermindern. Im Gegenzug verzichtet der Arbeitgeber auf betriebsbedingte Kündigungen. Öffnungsklauseln können sich auf die Arbeitszeit beziehen. So gilt in der Chemieindustrie eine tarifliche Wochenarbeitszeit von 37,5 Stunden, die nach Betriebserfordernissen innerhalb eines Korridors von 35 bis 40 Stunden je nach Bedarf variieren kann. Vergütet werden die tatsächlich geleisteten Arbeitsstunden. Bei Banken und Versicherungen sind Absenkungen der Wochenarbeitszeit bei Bedarf um bis zu acht Wochenstunden zulässig.*

Entgeltbezogene Öffnungsklauseln erlauben es, die Löhne teilweise in Abhängigkeit vom Unternehmenserfolg auszuzahlen, Tariferhöhungen eine bestimmte Zeit lang auszusetzen oder generell vom tariflichen Lohnniveau nach unten abzuweichen. Bedingung für Öffnungsklauseln ist eine Einigung von Unternehmensleitung und Belegschaft.

Ökonomisches Prinzip *Auch als Wirtschaftlichkeitsprinzip bezeichnet. Unterstellt ist die Knappheit der Mittel, mit denen die wirtschaftlichen Ziele erreicht werden sollen. Man unterscheidet:*

- *Maximalprinzip: mit den vorhandenen Mitteln möglichst viele Ziele zu realisieren;*
- *Minimalprinzip: ein bestimmtes Ziel mit dem sparsamsten Mitteleinsatz zu erreichen.*

Das ökonomische Prinzip gilt wegen der Knappheit der Ressourcen und der Unbegrenztheit der Bedürfnisse unabhängig von Gesellschafts- oder Wirtschaftsordnungen.

Ökosteuer *Bezeichnung für* ***Steuern****, die zum Ziel haben, die Umweltbelastung zu senken. Hierzu gehören z. B. Steuern, die den Verbrauch bestimmter Produkte (z. B. Mineralöl, Erdgas, Strom), bzw. Abgaben, die die Nutzung bestimmter Produktionsverfahren (z. B. geringere CO_2-Belastung) belasten. Damit soll ein Anreiz ausgeübt werden, diese Produkte weniger zu nutzen oder auf andere Herstellungsmethoden überzugehen.*
Ökosteuern sind umstritten, da sie bei erfolgreichem Einsatz zu einem Rückgang der Staatseinnahmen führen und deshalb eine Erhöhung der Ökosteuern notwendig wäre. Im Übrigen sind Ökosteuern wie Umweltpolitik allgemein auf länderübergreifendes Vorgehen angewiesen, um das Umgehen durch Standort- oder Produktionsverlagerungen zu vermeiden.

Oligopol/Oligopson *siehe* ***Markt***

Onlinebanking *siehe* ***Homebanking***

OPEC *Abk. für Organization of Petroleum Exporting Countries (Organisation Erdöl exportierender Länder). 1960 gegründete Vereinigung von aktuell 12 Öl exportierenden Staaten mit Sitz in Wien. Mitglieder sind Algerien, Angola, Ecuador, Irak, Iran, Katar, Kuwait, Libyen, Nigeria, Saudi-Arabien, Venezuela und die Vereinigten Arabischen Emirate. Formulierte Ziele der OPEC sind faire und stabile Preise für die Ölerzeuger, ein stabiles Ölangebot für die verbrauchenden Länder und faire Gewinne aus der Ölproduktion.*
Die Bedeutung der OPEC als ***Kartell*** *hat in den 90er Jahren abgenommen, da umfangreiche Funde in Nicht-OPEC-Ländern wie Mexiko, Brasilien oder auch Norwegen die Bedeutung der OPEC-Produktion gemindert hat. Vor dem Hintergrund einer weiterhin starken Nachfrage nach Öl, mittlerweile auch aus China und Indien, und wohl absehbar versiegender Quellen wird die Bedeutung der OPEC möglicherweise wieder steigen. Ernst zu nehmende Prognosen sprechen davon, dass die Weltölvorräte nur noch eine Reichweite von etwa 50 Jahren haben dürften, so dass Energiealternativen an Bedeutung zunehmen werden. Siehe auch* ***Energie***

Option *Allgemein die Anwartschaft einer Person oder Institution, auf den Erwerb eines Rechtes oder Gutes.*

Optionsgeschäfte *Eine Form von* ***Termingeschäften*** *an der* ***Börse*** *in speziell hierfür zugelassenen* ***Aktien****, festverzinslichen Wertpapieren oder* ***Devisen****. Der Käufer einer Option erwirbt das Recht, eine bestimmte Anzahl von Wertpapieren zu einem im Voraus vereinbarten Preis innerhalb einer festgelegten Frist jederzeit kaufen oder verkaufen zu können (Kauf einer Kaufoption bzw. Kauf einer Verkaufsoption). Der Geschäftspartner des Käufers einer Option heißt Stillhalter. Er muss, wenn der Käufer seine Option ausübt, die Wertpapiere bereitstellen (beim Kauf) bzw. annehmen (beim Verkauf). Für sein Risiko erhält der Stillhalter eine Prämie. Wie alle Termingeschäfte dient der Optionshandel der Kurssicherung, wird aber auch zu ausschließlichen Spekulationszwecken abgeschlossen. Optionen als Handelsgut zählen zu den* ***Derivaten****.*

Orderpapiere ***Wertpapiere****, auf deren verbrieftes Recht nur der namentlich genannte Berechtigte bzw. die Person, die eine ununterbrochene Indossamentenkette nachweisen kann, Anspruch hat. Eine Übertragung ist möglich, durch eine schriftliche Erklärung (Indossament) auf dem Papier und die Übergabe des Papiers. Beispiele sind der Wechsel, der Orderscheck oder die Namensaktie.*

Ordnungspolitik *siehe* ***Wirtschaftspolitik***

Organschaft *Ein Organschaftsverhältnis liegt vor, wenn innerhalb eines Konzerns eine rechtlich selbstständige Tochtergesellschaft finanziell, organisatorisch und wirtschaftlich in die Muttergesellschaft eingegliedert ist. Dies geschieht i. d. R. über* ***Unternehmensverträge****.*

Outsourcing *Die Ausgliederung bestimmter Unternehmensfunktionen in externe Unternehmen oder die Ausgliederung von Unternehmensfunktionen in eigenständige Unternehmen. Dabei liefern unternehmensexterne Anbieter Güter, Dienstleistungen oder sogar ganze Wertschöpfungsketten, die das Unternehmen bis dato selbst erstellt hat. Ziel des Outsourcing ist es im Regelfall, Kosten zu senken, die Leistungserstellung im eigenen Betrieb effizienter zu machen und sich auf die Kernkompetenzen zu konzentrieren. Erfolgt die Verlagerung ins Ausland, spricht man auch von Offshoring.*

P

Pari *Aus dem Italienischen entlehnter Begriff. Er bedeutet, dass der „Kurs“ eines Wertpapieres seinem Nennwert entspricht. Liegt der aktuelle Kurs über dem Nennwert liegt, heißt dies „über pari“. „Unter pari“ kennzeichnet entsprechend einen unter dem Nennwert liegenden aktuellen Kurs.*

Parität *Das offizielle Austauschverhältnis zweier* ***Währungen*** *in einem System fester Wechselkurse (siehe* ***Wechselkurssystem****). Bei der Bestimmung von Paritäten bedient man sich oft einer Bezugsgröße. Im System von Bretton Woods war dies das Kursverhältnis zum US-Dollar bzw. der Gegenwert einer Einheit der einheimischen Währung in Gold, im Europäischen Währungssystem (EWS) II ist es der Euro.*

Partiarisches Darlehen siehe **Mitarbeiterbeteiligung**

Passiva siehe **Jahresabschluss**

Patent Einem Erfinder oder seinem Rechtsnachfolger vom Patentamt auf Antrag eingeräumtes Recht, eine Erfindung zeitlich und räumlich begrenzt exklusiv in Produktion oder Vertrieb zu verwerten oder Lizenzrechte einzuräumen. Patente sind für 20 Jahre geschützt. Die Eintragung von Patenten ist relativ aufwändig, so dass sich die Kosten nur bei echten Marktchancen lohnen. Die Anzahl von Patentanmeldungen wird auch als Kennzahl für die Innovationskraft einer Volkswirtschaft gesehen. **Schaubild 67** zeigt die Zahl der Patentanmeldungen inländischer Herkunft beim Deutschen Patentamt. Die Menge der Patentanmeldungen hat in Deutschland in den letzten Jahren sehr stark zugenommen. 1992 wurden rd. 34 000 Anmeldungen beim Deutschen Patent- und Markenamt registriert, 2007 waren es rund 61 000 mit rund 48 000 Anmeldungen aus Deutschland.

Pensionsfonds siehe **Altersversorgung**

Pensionsgeschäfte Verkauf von Vermögensgegenständen (z. B. Wechsel, Wertpapiere), wobei Verkäufer und Käufer bereits zum Zeitpunkt des Geschäftsabschlusses vereinbaren, den Gegenstand zu einem festgelegten Zeitpunkt und Preis wieder zurückzuverkaufen. Man sagt, der Gegenstand wird für die Laufzeit des Geschäfts vom Käufer „in Pension genommen". Diese Geschäfte werden auch als Repo-Geschäfte bezeichnet. Für den Verkäufer des Vermögensgegenstandes (Pensionsgeber) bedeutet ein Pensionsgeschäft eine Kreditaufnahme für die Laufzeit der Vereinbarung. Im Rahmen der Offenmarktpolitik dienen Pensionsgeschäfte zwischen Banken und Notenbank auch der Geldpolitik.

Pensionskasse siehe **Altersversorgung**

Performance Ausdruck für die prozentuale Wertentwicklung einer Geldanlage, eines Wertpapier-Portefeuilles oder des Vermögens einer Investmentgesellschaft.

Personengesellschaft siehe **Rechtsform**

Pfand Ein Pfand ist ein dingliches Recht an einer Sache, die ein Schuldner einem Gläubiger als Sicherheit zur Verfügung stellt. Der Gläubiger kann das Pfand verwerten, wenn der Schuldner seine Schuld nicht fristgerecht zurückzahlt.
Die Sache (z. B. ein Haus) oder ein Recht (z. B. das Recht aus einem Vertrag oder einem Wertpapier) wird zu Gunsten des Gläubigers belastet, so dass der Schuldner nicht mehr frei darüber verfügen kann. Zur Dokumentation wird meist ein Pfandschein ausgestellt.

Pfändung Zwangsvollstreckung in das Vermögen eines Schuldners, der Forderungen nicht zurückzahlt. Es handelt sich um einen Teil des gerichtlichen Mahnverfahrens. Die Pfändung wird vom Gerichtsvollzieher vorgenommen. Der Gläubiger erhält aus dem Verwertungserlös der gepfändeten Gegenstände seine Forderung bezahlt.

Pflegeversicherung Die Pflegeversicherung wurde 1995 als ergänzender Zweig der gesetzlichen Sozialversicherung in Deutschland eingeführt. Mit ihr sollen bis zu bestimm-

67 Deutschlands Tüftler

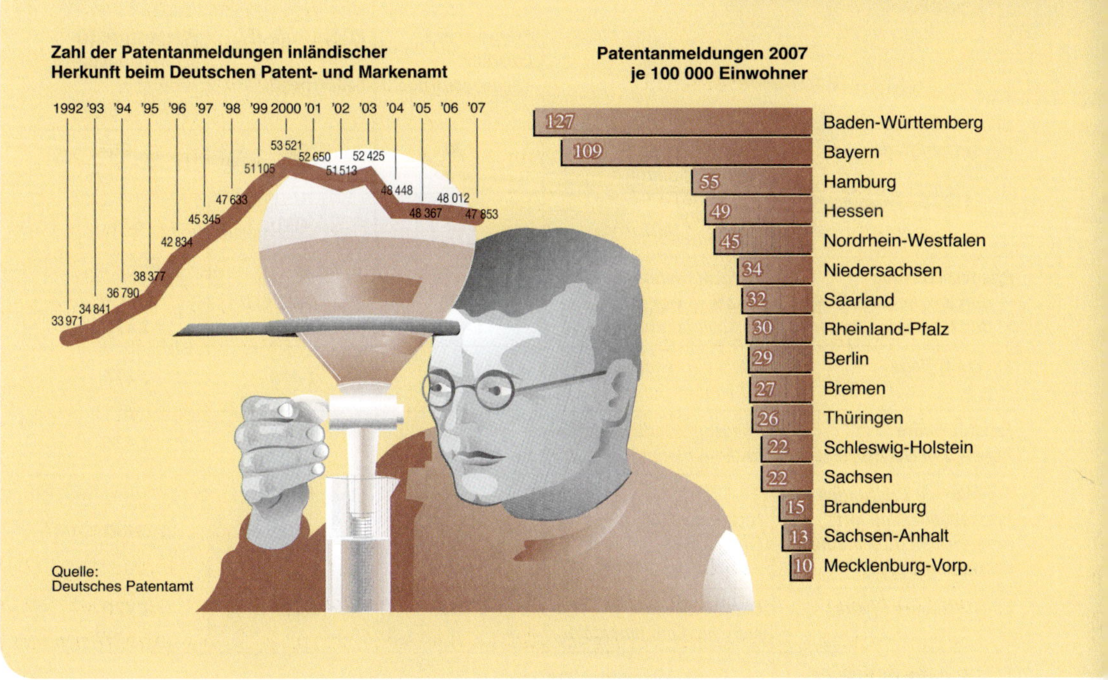

*ten Höchstgrenzen Aufwendungen ersetzt werden, die für die Pflege pflegebedürftiger Personen, die von der Hilfe Dritter abhängig sind, anfallen (**Schaubild 71**). Wie auch sonst bei der Sozialversicherung werden die Mittel im Rahmen des Umlageverfahrens erhoben. Die Beiträge zur Pflegeversicherung betragen seit dem 1. 7. 2008 1,95 % des Bruttoarbeitsentgelts bis zur Höhe der Beitragsbemessungsgrenze der gesetzlichen Krankenversicherung. Die Beiträge werden jeweils zur Hälfte von Arbeitgebern und Arbeitnehmern aufgebracht. Rentner zahlen die Beiträge der Pflegeversicherung alleine, bei Kinderlosen wird ein Zuschlag von 0,25 % verlangt.*

Point of Sale (POS) *(POS) Englische Bezeichnung für den Ort, an dem Kauf- und Verkaufstransaktionen im Handel von Waren und Dienstleistungen abgewickelt werden. In Deutschland wird der Begriff auch genutzt für die bargeldlose und schecklose elektronische Zahlung mit einer girocard oder einer Bankkundenkarte an elektronischen Kassen. Im Rahmen von Electronic Cash sind diese Zahlungen, bei denen auch die persönliche Geheimzahl (PIN) einzusetzen ist, garantiert. Eine Garantie entfällt, wenn auf die Eingabe der Geheimzahl verzichtet wird. Für Zahlungen ohne Garantie wird das Kürzel POZ verwendet.*

Pool *siehe* ***Unternehmenszusammenschlüsse***

Portefeuille *Ausdruck für den Bestand an Wertpapieren im Vermögen von Privatpersonen und Institutionen.*

68 Leistungen der Pflegeversicherung im Überblick

		Pflegestufe I Erheblich Pflegebedürftige	**Pflegestufe II** Schwerpflegebedürftige	**Pflegestufe III** Schwerstpflegebedürftige (in Härtefällen)
Häusliche Pflege	Pflegesachleistung bis Euro monatlich	**420**	**980**	**1 470 (1 918)**
	Pflegegeld Euro monatlich	**215**	**420**	**675**
Pflegevertretung – durch nahe Angehörige – durch sonstige Personen	Pflegeaufwendungen für bis zu vier Wochen im Kalenjahr bis Euro	**215[1)]** **1 470**	**420[1)]** **1 470**	**675[1)]** **1 470**
Kurzzeitpflege	Pflegeaufwendungen bis Euro im Jahr	**1 470**	**1 470**	**1 470**
Teilstationäre Tages- und Nachtpflege	Pflegeaufwendungen bis Euro monatlich	**420**	**980**	**1 470**
Ergänzende Leistungen für Pflegebedürftige mit erheblichem allgemeinen Betreuungsbedarf	Leistungsbetrag bis Euro jährlich	**2400**	**2400**	**2400**
Vollstationäre Pflege	Pflegeaufwendungen pauschal Euro monatlich	**1 023**	**1 279**	**1 470 (1 750)**
Pflege in vollstationären Einrichtungen für behinderte Menschen	Pflegeaufwendungen in Höhe von	**10 % des Heimentgelts, höchstens 256 Euro monatlich**		
Hilfsmittel, die zum Verbrauch bestimmt sind	Aufwendungen bis Euro monatlich	**31**		
Technische Hilfsmittel	Aufwendungen in Höhe von	**90 % der Kosten, unter Berücksichtigung von höchstens 25 Euro Eigenbeteiligung je Hilfsmittel**		
Maßnahmen zur Verbesserung des Wohnumfeldes	Aufwendungen in Höhe von bis zu	**2 557 Euro je Maßnahme, unter Berücksichtigung einer angemessenen Eigenbeteiligung**		
Zahlung von Rentenversicherungsbeiträgen für Pflegepersonen	je nach Umfang der Pflegetätigkeit[2)] bis Euro monatlich (Beitrittsgebiet)	**131,88 (111,44)**	**263,74 (222,88)**	**315,61 (334,32)**

1) Auf Nachweis werden den ehrenamtlichen Pflegepersonen notwendige Aufwendungen (Verdienstausfall, Fahrkosten usw.) bis zum Gesamtbetrag von 1 432 Euro erstattet.

2) Bei wenigstens 14 Stunden Pflegetätigkeit pro Woche, wenn die Pflegeperson keiner Beschäftigung von über 30 Stunden nachgeht und sie noch keine Vollrente wegen Alters bezieht.

Portfolioinvestition Allgemein: Erwerb von Wertpapieren, üblicherweise aber verwendet als Begriff für den Kauf ausländischer Wertpapiere, soweit es sich nicht um den Erwerb von unternehmerischen Beteiligungen – diese sind Teil der Direktinvestitionen – handelt. Portfolioinvestitionen gehören im Rahmen der Zahlungsbilanz zum Kapitalverkehr. Mittlerweile spielt bei Anlageentscheidungen die Frage nach dem Standort eine immer geringere Rolle. Die Zahlungsbilanz weist beispielsweise 2007 bei Unternehmen und Privatpersonen einen Besitz ausländischer Wertpapiere in Höhe von 1 062,9 Milliarden Euro aus, umgekehrt wurden inländische Wertpapiere von Ausländern im Umfang von 479,8 Milliarden Euro gehalten.

Postgiroverkehr Scheck- und Überweisungsverkehr, der durch die Postbank abgewickelt wird.

Preis Der Tauschwert einer Ware oder einer Dienstleistung, ausgedrückt in Geldeinheiten. Preise kommen zu Stande, wenn für Güter ein Bedarf besteht, diese Güter relativ knapp sind und auf einem **Markt** gehandelt werden. Anbieter berechnen ihre Preisvorstellung nach den kalkulierten Kosten, Nachfrager bemessen ihre Preisvorstellung nach dem Nutzen, den der Erwerb des Gutes für sie bedeutet. Der Marktpreis, der sich schließlich durch Angebot und Nachfrage bildet, entspricht deshalb nicht immer dem kalkulierten Preis des Anbieters. Umgekehrt werden i. d. R. nicht alle Nachfrager zu diesem Preis das Gut erwerben. Verändern sich die Produktionsbedingungen bei Anbietern oder die Nutzenvorstellungen bei den Nachfragern, schlägt sich dies meist auch im Preis nieder. Bei zunehmendem Angebot und/oder geringerer Nachfrage werden die Preise i. d. R. sinken, bei umgekehrter Entwicklung steigen.
In einer Marktwirtschaft ist es eine der wichtigsten Aufgaben der Wirtschaftspolitik, für einen ausreichenden Wettbewerb auf den Märkten zu sorgen, um eine monopolistische Preisbildung durch Marktbeherrschung zu verhindern.

Preisauszeichnung Die gesetzliche Verpflichtung, für Waren oder Dienstleistungen, die regelmäßig angeboten oder beworben werden, Preise und Preisbestandteile deutlich und unverwechselbar anzugeben. Bei Kreditinstituten muss dies durch Aushang geschehen. Bei Krediten ist der effektive Jahreszins anzugeben.

Preisindex für die Lebenshaltung Der gebräuchlichste Maßstab für die Entwicklung der Kaufkraft des Geldes. Er misst die Veränderung der Preise für die Güter der privaten Lebenshaltung. Der Berechnung der Preisveränderung liegt ein für die Haushalte in der Bundesrepublik Deutschland typischer Warenkorb zu Grunde, der die Verbrauchsgewohnheiten eines Durchschnittshaushaltes in Deutschland in einem bestimmten Jahr (Basisjahr, aktuell 2000) widerspiegelt (**Schaubild 69**). Für das Gebiet der Europäischen Währungsunion wird der sog. Harmonisierte Verbraucherpreisindex (HVPI) nach dem gleichen Prinzip ermittelt. In der Regel wird der Warenkorb alle fünf Jahre neu ermittelt, weil sich die Verbrauchsgewohnheiten ändern und neue Güter auf den Markt kommen, die mitberücksichtigt werden müssen, bzw. Güter aus dem Warenkorb herausgenommen werden müssen, weil sie von den Verbrauchern kaum noch gekauft werden.
Die Bundesrepublik Deutschland hat, auf längere Sicht gesehen, die niedrigste Preissteigerungsrate unter den westlichen Industrieländern seit 1950 mit einer jährlichen Steigerungsrate von 2,8 %. Aber auch diese relativ geringe Geldentwertung hat dazu geführt, dass in diesem Zeitraum das Preisniveau in der Bundesrepublik um mehr als das Dreifache gestiegen ist. Ein Euro von heute hat die Kaufkraft von 44 Pfennigen (ca. 22 Cents) im Jahre 1950.

69 Messlatte für die Preise

Wägungsschemata für den Preisindex für die Lebenshaltung aller privaten Haushalte
Gewichte angegeben in Promille

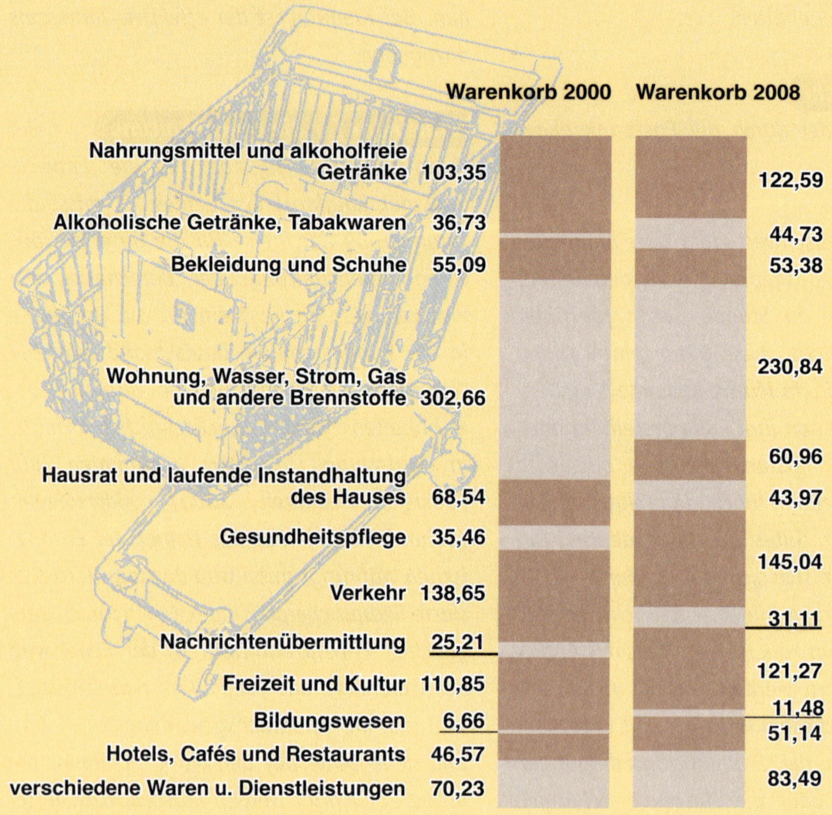

Quelle: Statistisches Bundesamt

Preisnachlass *Abzüge vom offiziellen oder vom Listenpreis einer Ware. Preisnachlässe werden aus verschiedenen Gründen und in unterschiedlicher Weise gewährt. Man unterscheidet:*

> *Rabatte werden direkt vom Listenpreis abgezogen und aus verschiedenen Gründen gewährt: Der Käufer zahlt bar und sofort (Barzahlungsrabatt), kauft viel (Mengenrabatt), zu einem bestimmten Zeitpunkt (Saisonrabatt), seit vielen Jahren im gleichen Geschäft (Treuerabatt) oder ist Angehöriger des verkaufenden Unternehmens (Personalrabatt). Bei der Rabattgestaltung sind die Verkäufer nach der Abschaffung des Rabattgesetzes relativ frei. Allerdings ist der Käufer beispielsweise nach den Regeln gegen unlauteren Wettbewerb geschützt.*

> Ein **Bonus** ist eine Sondervergütung, die häufig bei größeren Geschäftsabschlüssen gewährt wird. Hierzu gehören auch zusätzliche Zahlungen an Aktionäre neben der Dividende in guten Geschäftsjahren, Zusatzzahlungen neben der regulären Verzinsung bei Sparverträgen mit Laufzeiten von mehreren Jahren. Ein Bonus wird nachträglich gewährt, wenn die Voraussetzungen für seine Gewährung erfüllt wurden.

> Manche Kaufvereinbarungen gewähren dem Käufer ein Skonto in Prozent des Verkaufspreises, wenn er innerhalb einer bestimmten Frist nach Lieferung zahlt. Wirtschaftlich handelt es sich um einen Lieferantenkredit.

Preisstopp Eine behördliche Maßnahme, mit der einzelne oder alle Preise als Höchst-, Fest- oder Mindestpreis auf einem bestimmten Niveau festgehalten („eingefroren") werden. Der Preisstopp wird i. d. R. bei zunehmender Inflation angeordnet oder um zu verhindern, dass durch bestimmte staatliche Maßnahmen unerwünschte Preisstöße ausgelöst werden. Ein allgemeiner Preisstopp wird meist von einem Lohnstopp, also dem Verbot von Lohnsteigerungen, begleitet.

Als einzige Maßnahme zur Inflationsbekämpfung ist der Preisstopp ungeeignet, weil er die Ursachen der Geldentwertung nicht beseitigt. Als Bestandteil eines umfassenden Sanierungspaketes für die gesamte Volkswirtschaft kann er hilfreich sein. Ansonsten fördert er lediglich das Entstehen von Schwarzmärkten.

Prime Rate Ein vor allem in den angelsächsischen Ländern verwendeter Ausdruck für den Zinssatz, der von großen Geschäftsbanken für kurzfristige **Kredite** an große Unternehmen mit bester **Bonität** (Blue Chips) berechnet wird. Die Prime Rate dient vielfach als Orientierungsgröße für die Konditionen der anderen Unternehmenskredite. Sie entspricht in ihrer Bedeutung dem Leitzins der EZB.

Private Public Partnership (PPP) Begriff für die Ausführung staatlicher Aufgaben durch Private unter Beibehaltung der Verantwortung des Staates für die Erfüllung der Aufgabe. Dabei gibt es unterschiedliche Konstruktionen. Beim Betriebsführungsmodell betreibt der private Betriebsführer auf vertraglicher Basis gegen Entgelt Anlagen des öffentlichen Aufgabenträgers in dessen Namen. Beim Betreibermodell errichtet und betreibt der private Unternehmer ein Infrastrukturprojekt. Er ist der Bauherr und trägt das wirtschaftliche Risiko. Die Finanzierung erfolgt jedoch über Gebühren, die Nutzer für die Inanspruchnahme zu entrichten haben. Eine weitere Form sind „gemischt-wirtschaftliche Unternehmen", die sowohl öffentliche als auch private Anteilseigner haben.

PPP entlastet die öffentlichen Haushalte bei den Investitionskosten und ermöglicht so sonst nicht mögliche Investitionen. Zusätzlich wird erwartet, dass komplexe Projekte mit der Einbindung Privater schneller durchgeführt werden können, da das betriebswirtschaftliche Know-how der Privaten genutzt werden kann. Die privaten Anbieter versprechen sich von der Beteiligung die Eröffnung neuer Geschäftsfelder und eine Beschleunigung der Realisierungsprozesse durch Nutzung der staatlichen Kapazitäten.

Wichtige Anwendungsgebiete sind Bereiche der öffentlichen Daseinsvorsorge, wie beispielsweise das Verkehrswesen (Autobahnbau,

Maut), die Abfallentsorgung und die Abwasserbeseitigung.

Privatisierung *Übertragung von öffentlichem Vermögen oder Beteiligungen in Privatbesitz. Dies geschieht meist über den Verkauf von Aktien des zu privatisierenden Unternehmens an ein breites Publikum (Volksaktien). Bekannte Beispiele hierfür sind u. a. Deutsche Telekom, Deutsche Post, VW u. a. Auch die Umwandlung in eine privatwirtschaftliche Unternehmensform wie bei der Deutsche Bahn AG wird als Privatisierung bezeichnet. Der Staatsbesitz an Unternehmen wird meist mit der Sicherung einer umfassenden und gleichmäßigen Versorgung der Bevölkerung mit bestimmten Waren und Dienstleistungen begründet, die Teil des Grundbedarfs sind (z. B. Post, Verkehr, Energie). Diese Begründung muss nicht stichhaltig sein. Grundsätzlich besteht in einer Marktwirtschaft die Vermutung, dass eine wirtschaftliche Tätigkeit des Staates regelmäßig daraufhin überprüft werden soll, ob sie noch gerechtfertigt ist oder nicht besser Privaten übertragen werden kann.*

Produktion *Rein technisch-betriebswirtschaftlich bezeichnet Produktion den Vorgang der Erzeugung von Gütern in einem Unternehmen durch den Einsatz von Produktionsfaktoren. Gesamtwirtschaftlich wird hierunter – umfassender – die Beschaffung, Fertigung und Bereitstellung von Gütern für den Markt verstanden.*

Produktionsfaktoren *Die Einsatzgrößen, die für die Produktion von Waren und Dienstleistungen erforderlich sind. Die Produktion lässt sich formal als Kombination von Produktionsfaktoren darstellen (**Schaubild 70**). Volkswirtschaftlich unterscheidet man:*

> *Arbeit: die körperliche und geistige Tätigkeit von Menschen. Sie lässt sich unterteilen in die*
- *ausführende Tätigkeit,*
- *dispositive Tätigkeit (Planung, Kontrolle, Leitung).*

> *Boden*

> *Kapital: die Produktionsgüter, die im Produktionsprozess eingesetzt werden, um mit ihrer Hilfe Erzeugnisse fertigen zu können. Man unterteilt das Kapital in:*
- *Real- oder Sachkapital:*
- *dauerhafte Produktionsgüter (Gebäude, Maschinen, Transporteinrichtungen u.Ä.),*
- *nicht dauerhafte Produktionsgüter (Roh-, Hilfs- und Betriebsstoffe, Vorleistungen).*
- *Geldkapital: Die finanziellen Mittel, die für die Beschaffung des Sachkapitals aufgebracht werden müssen.*

Zusätzlich wird häufig der technische Fortschritt ergänzt.

Betriebswirtschaftlich unterscheidet man zwischen der menschlichen Arbeitskraft, den Betriebsmitteln und Werkstoffen und der planerischen und organisatorischen Leistung.

Produktionspotenzial *Betriebswirtschaftlich ist unter Produktionspotenzial die Menge der Produktion eines Unternehmens zu verstehen, die bei Vollauslastung aller Produktionsfaktoren (Maschinen und Beschäftigte) möglich wäre. Volkswirtschaftlich versteht man hierunter das Inlandsprodukt, das bei Vollbeschäftigung aller volkswirtschaftlichen Produktionsfaktoren hergestellt werden könnte. Der Vergleich mit dem tatsächlich erzeugten Bruttoinlandsprodukt zeigt die jeweilige konjunkturelle Situation.*

70 Die „klassischen" Produktionsfaktoren unserer Wirtschaft

Arbeit	Kapital	Boden
Im Mittelpunkt eines jeden Betriebes steht der Mensch. Entscheidend für den wirtschaftlichen Erfolg ist deshalb nicht nur der zweckmäßige Einsatz der Arbeitskräfte, sondern auch die Frage, wie die betrieblichen, sozialen Aufgaben und Probleme gelöst werden. Das Betriebsklima sowie die Aus-, Weiter- und Fortbildung der Mitarbeiter spielen für den Erfolg des Betriebes eine wichtige Rolle.	Es besteht aus dem Anlage- und Umlaufkapital. Das Anlagekapital umfasst Güter, die dem Betrieb über einen längeren Zeitraum erhalten bleiben (Fabrikgebäude, Maschinen). Es vermag den Faktor Arbeit zu ergänzen und dessen Produktivität zu steigern. Das Umlaufkapital – auch bewegliches Kapital genannt – besteht aus Gütern, die beim Produktionsprozess verbraucht (Schmiermittel) oder weiterverarbeitet werden (aus Holz werden Tische gemacht, aus Gummi Reifen etc.).	Der Boden dient einmal als Standort für Betriebe, dann aber auch als Anbaugebiet (Landwirtschaft) und als Quelle wichtiger Roh- und Energiestoffe (Erze, Steine, Kohle, Erdöl).

Produktionswert siehe **Sozialprodukt**

Produktivität Eine statistische Messziffer, die ausdrückt, wie effizient in einem Unternehmen, einer Branche oder der gesamten Volkswirtschaft gewirtschaftet wurde. Dabei wird die erbrachte Leistung dem Verbrauch an Produktionsfaktoren gegenübergestellt, der für die Herstellung dieser Leistung erforderlich war. In einer vereinfachten Rechnung wird häufig nur ein Produktionsfaktor betrachtet. Am gebräuchlichsten ist die Arbeitsproduktivität, die auch eine wichtige Rolle bei Tarifverhandlungen spielt:

> Arbeitsproduktivität =
- Leistung/Zahl der Arbeitnehmer oder
- Leistung/Zahl der geleisteten Arbeitsstunden.

Hohe bzw. steigende Produktivität ist Ausdruck der Leistungs- und Wettbewerbsfähigkeit eines Unternehmens bzw. einer Volkswirtschaft. Sie ist der Rahmen für die Höhe der verteilbaren Realeinkommen. Im Rahmen der erreichten Produktivitätssteigerung können sich Lohnerhöhungen und/oder Arbeitszeitverkürzungen bewegen, ohne dass hierdurch die Lohnkosten je produzierte Einheit steigen und durch steigende Lohnstückkosten die Preisstabilität und die internationale Wettbewerbsfähigkeit beeinträchtigt werden.

Bedingung höherer Produktivität ist, dass Arbeitsplätze mit geringer Produktivität verloren gehen. Zwischen 1995 und 2000 stieg die Produktivität um durchschnittlich 3,7, zwischen 2000 und 2006 um 3,6 Prozent.

Prokura siehe **Vollmacht**

Prolongation Verlängerung der Laufzeit eines **Kredits** im Einverständnis mit dem Gläubiger.

Protektionismus Maßnahmen des Staates zum Schutz einzelner Branchen bzw. der *heimischen Wirtschaft insgesamt vor ausländischer Konkurrenz. Protektionistische Maßnahmen werden üblicherweise ergriffen, weil eine Regierung die unmittelbaren Wirkungen der ausländischen Konkurrenz (Verlust an Arbeitsplätzen) fürchtet oder aus ideologischen Gründen dem freien Handel grundsätzlich ablehnend gegenübersteht. Protektionistische Maßnahmen setzen meist bei den Importen an. Hierzu gehören u. a. Einfuhrverbote für bestimmte Waren, Einfuhrzölle, mengenmäßige Beschränkungen für die Einfuhr einzelner Produkte (**Kontingente**) oder Verwaltungsvorschriften, die die Abwicklung der Importe erheblich erschweren. Auch Verbraucherschutzvorschriften können einen protektionistischen Hintergrund haben. Aber auch die bewusste Förderung der eigenen Exporte durch Subventionen ist eine protektionistische Maßnahme. Protektionismus stellt den Gegensatz zum **Freihandel** dar. Insbesondere in Zeiten von Wirtschaftskrisen wie seit 2008 wird über protektionistische Maßnahmen diskutiert.*

Protest *siehe **Wechsel***

Provision *Eine Vergütung für geleistete Dienste, die meist in Prozenten vom Umsatz berechnet wird. Provisionen gibt es insbesondere im Handel, bei Handelsvertretern, Maklern, Versicherungen und Kreditinstituten. Beispiele sind die Abschlussprovision des Handelsvertreters oder die Kreditbereitstellungsprovision der Banken.*

Prozesspolitik *siehe **Wirtschaftspolitik***

Public Relations *siehe **Öffentlichkeitsarbeit***

Publikumsgesellschaft *siehe **Aktiengesellschaft***

Publizität *Veröffentlichungen von Informationen durch ein Unternehmen über Entwicklungen, die das Unternehmen betreffen, meist im Zusammenhang mit dem **Jahresabschluss**. Unternehmen wie Kapitalgesellschaften und/oder ab einer bestimmten Größenordnung sind gesetzlich verpflichtet, Angaben über ihre Finanz- und Ertragslage (Bilanz, Gewinn- und Verlust-Rechnung, Anhang und Lagebericht) zu veröffentlichen. Grundsätzlich publizitätspflichtig sind alle Kapitalgesellschaften. Der Umfang der Publizitätspflicht hängt dabei von der Größe der Gesellschaften ab. Seit 1. 1. 2007 müssen die Unterlagen im Unternehmensregister des Bundesanzeigers, das im Internet geführt wird, veröffentlicht werden. Börsennotierte **Aktiengesellschaften** unterliegen einer erweiterten Pflicht zur Veröffentlichung von Unternehmensinformationen. Kursbeeinflussende Tatsachen müssen sofort an die Bereichsöffentlichkeit gegeben werden, je nach Börsensegment sind auch Quartalsberichte zu veröffentlichen.*

Q

Quellensteuer *Begriff für Steuern, die „an der Quelle", d. h. am Ort des Auftretens des steuerpflichtigen Vorgangs im Wege des Steuerabzugs zum Zeitpunkt des Entstehens des steuerbaren Vorgangs einbehalten werden. Beispiel ist die Lohnsteuer. Sie wird bei der Lohnfälligkeit vom Arbeitgeber einbehalten und an das Finanzamt abgeführt. Auch die* *auf Aktiendividenden oder Zinseinnahmen erhobene Kapitalertragsteuer ist eine Quellensteuer. Seit 1. 1. 2009 wird diese als* ***Abgeltungssteuer*** *erhoben, sie wird also direkt an der Quelle erhoben und gilt die Steuer endgültig ab. (Siehe auch unter* ***Steuern****.)*

Quittung *Bescheinigung über den Empfang eines Geldbetrages oder einer Sache.*

R

Rabatt *siehe* ***Preisnachlass***

Raten *siehe* ***Abzahlungsgeschäft***

Rating *Die Bewertung der Bonität eines Landes, Unternehmens oder eines Anlageinstruments durch Banken oder hierauf spezialisierte Unternehmen wie Standard & Poors, Moody´s und Fitch (Ratingagenturen). Das Rating ist ein wichtiges Beurteilungskriterium für die Zahlungsfähigkeit von Kreditnehmern bzw. Sicherheit der Schuldtitel, die von dem betreffenden Unternehmen oder der Regierung eines Landes ausgegeben werden. Die Qualität des Ratings (z. B. AAA bis CCC) entscheidet wesentlich über die Höhe der Verzinsung. Unternehmensrating wird ansatzweise auch für mittelständische Unternehmen durchgeführt mit dem Ziel erhöhter Transparenz und verbesserter Kreditmöglichkeiten. Gerade die Bewertung immobilienbasierter Wertpapiere durch die Ratingagenturen hat in der Finanzmarktkrise seit 2007 zu Kritik an den Ratingagenturen geführt.*

Rationalisierung *Sammelbegriff für alle technischen, organisatorischen und sozialen Veränderungen in Produktion und Verwaltung mit dem Ziel, die Effizienz zu erhöhen, Kosten zu sparen und die Wettbewerbsfähigkeit zu steigern. Ein wichtiger Aspekt ist der Ersatz des Faktors Arbeit durch Maschinen und* ***Automation****.*

Realkreditinstitut *siehe* ***Bank***

Rechnungseinheit *Eine künstlich konstruierte Rechengröße, in der Guthaben und Verbindlichkeiten ausgedrückt werden, wenn man hierfür nicht normale Währungseinheiten verwenden möchte. Rechnungseinheiten werden üblicherweise durch Kombination mehrerer Währungseinheiten erzeugt. Anwendungsfälle sind beispielsweise die* ***Verrechnungspreise*** *in Konzernen oder die* ***Sonderziehungsrechte*** *des* ***IWF****.*

Rechnungswesen *Zusammenfassender Ausdruck für die Sammlung, Aufbereitung und Verarbeitung der kaufmännischen Daten in einem Unternehmen. Das Rechnungswesen dient der zahlenmäßigen Erfassung der Vorgänge, die das Unternehmen betreffen, und stellt zugleich das Datenmaterial für die Unternehmensplanung bereit. Die wichtigsten Teilbereiche des Rechnungswesens sind die Finanzbuchhaltung (Buchführung), die Kostenrechnung und Kalkulation (Betriebsbuchhaltung) sowie die Betriebsstatistik. Ein funktionsfähiges Rechnungswesen ist Grundvoraussetzung für erfolgreiches unternehmerisches Handeln.*

Zu den einzelnen Teilbereichen:

> *Buchführung: die planmäßige, chronologische und lückenlose rechnerische Aufführung aller Geschäftsvorfälle einer Geschäftsperiode. Die Aufgabe der Buchführung besteht einmal darin, Zu- und Abgänge von Vermögensgegenständen, Eigenmitteln und Verbindlichkeiten in chronologischer Reihenfolge zu erfassen, um damit eine lückenlose Darstellung des Geschäftsablaufes zu geben, zum anderen die Daten so zu gliedern und zu ordnen, dass sie für die Rechnungslegung und für die unternehmerische Planung die erforderlichen Unterlagen liefern.*

Technisch wird die Buchführung in Form der doppelten Buchhaltung abgewickelt. Die einzelnen Geschäftsvorfälle werden auf zwei Konten erfasst, je einmal im Soll und im Haben. Der periodenbezogene Erfolg wird ebenfalls auf zwei Wegen ermittelt: in der ***Bilanz*** *durch Gegenüberstellung von Vermögen einerseits, Kapital und Verbindlichkeiten andererseits sowie in der* ***Gewinn- und Verlust-Rechnung*** *durch Gegenüberstellung von Aufwendungen und Erträgen.*

Für die Buchführung gelten die Grundsätze ordnungsmäßiger Buchführung, die die Grundregeln festlegen. Hierzu gehören u. a. die Vorschriften, dass Belege lückenlos vorliegen müssen und dass keine Buchung ohne Beleg erfolgen darf.

> *Aufgabe der Kostenrechnung ist die Erfassung aller in einem Unternehmen anfallenden Kostenarten, ihre Zurechnung zu den Plätzen, denen sie sachlich zuzuordnen sind (Kostenstellen) und ihre Verteilung auf die Produkte bzw. Dienstleistungen, die das Unternehmen anbietet (Kostenträger). Entsprechend unterteilt man die Kostenrechnung in drei Stufen, nämlich die Kostenarten-, Kostenstellen- und Kostenträgerrechnung.*

Die Kostenträgerrechnung wird auch Kalkulation genannt. Sie gibt dem Unternehmen Auskunft darüber, welchen Verkaufspreis es mindestens am Markt erzielen muss, um einen Gewinn zu erzielen.

> *Die Daten der Kostenrechnung bilden die Grundlage für betriebsinterne Statistiken und Kontrollrechnungen (Betriebsstatistik).*

Rechtsform *Der rechtliche Rahmen der privaten Unternehmen und öffentlichen Be triebe. Die unterschiedlichen Rechtsformen der Unternehmen sind in* ***Schaubild 71*** *dargestellt.*

Recycling *Die Rückführung von Rückständen aus der Produktion oder dem Verbrauch in die Produktion. Es gibt verschiedene Formen:*

> *die Wiederverwendung von Teilen von Produkten, die nicht mehr benötigt werden. Hierzu gehören beispielsweise die Mehrwegflasche oder Schrott;*

> *die Weiterverwendung von Abfällen nach Bearbeitung als Rohstoff für andere Verwendungszwecke, z. B. die Nutzung von Abwärme und Altpapier.*

Inzwischen wird ein beachtlicher Teil der Rohstoffe, die in der Bundesrepublik bei der industriellen Fertigung eingesetzt werden, durch Recycling gewonnen. Bereits 2005 hatte die europäische Papierindustrie eine Recyclingquote von 56 % erreicht. Recycling dient der Gewinnung wertvoller Rohstoffe wie auch der Abfallvermeidung.

Der Begriff Recycling wird darüber hinaus auch verwendet für die Rückführung von Einnahmen aus hohen Exportüberschüssen wie beispielsweise der OPEC-Staaten über die

71 Rechtsformen der Unternehmen

Einzelunternehmen	*Wird durch die natürliche Person betrieben, die Vollkaufmann im Sinne des Handelsrechts ist und deshalb bestimmte gesetzliche Vorschriften beachten muss (Eintragung in das Handelsregister, Führung von Geschäftsbüchern etc.). Für die Schulden des Unternehmens haftet der Einzelunternehmer mit seinem ganzen Vermögen. Vielfach im Einzel- und Großhandel sowie im Handwerk anzutreffen.*
Personengesellschaften	*Zusammenschluss mehrerer, meist natürlicher Personen zu einem gemeinsamen Unternehmen bzw. Geschäftszweck. Die Gesellschafter der Personengesellschaften haften in der Regel mit ihrem gesamten Vermögen.*
BGB-Gesellschaft (auch: GbR)	*Personenvereinigung zur Förderung eines von den Gesellschaftern gemeinsam verfolgten ideellen oder materiellen Zwecks.*
Partnerschaftsgesellschaft (PartG)	*Gesellschaft, in der sich Angehörige freier Berufe (natürliche Personen) zusammenschließen; kein Handelsgewerbe, Haftungsbeschränkung möglich.*
Offene Handelsgesellschaft (OHG)	*Zusammenschluss von Gesellschaftern unter einer gemeinsamen Firma. Die Gesellschafter haften mit ihrem gesamten Privatvermögen für die Verbindlichkeiten der Gesellschaft.*
Kommanditgesellschaft (KG)	*Wie die OHG ein Zusammenschluss von Gesellschaftern unter einer gemeinsamen Firma. Die KG hat zwei Arten von Gesellschaftern:* *a) Komplementäre: persönlich haftende Gesellschafter. Sie haften mit ihrem gesamten Privatvermögen für die Verbindlichkeiten der Gesellschaft. Die Geschäftsführung liegt gewöhnlich bei den Komplementären.* *b) Kommanditisten: Gesellschafter, die nur bis zur Höhe ihrer Einlage haften, nicht jedoch mit dem privaten Vermögen für die Verbindlichkeiten der Gesellschaft. Sehr häufig in der mittelständischen Wirtschaft anzutreffen.*
Stille Gesellschaft	*Eine Gesellschaft, bei der ein oder mehrere Gesellschafter nicht nach außen in Erscheinung treten (stille Gesellschafter). Ein stiller Gesellschafter wird nicht in das Handelsregister eingetragen. Er stellt dem Unternehmen Finanzmittel zur Verfügung und wird dafür am Gewinn beteiligt. Im Konkursfall haftet er mit seiner Einlage für die Verbindlichkeiten der Gesellschaft.*
Kapitalgesellschaften	*Gesellschaften mit eigener Rechtspersönlichkeit (juristische Person). Im Konkursfall haftet nur die Gesellschaft mit ihrem Vermögen, die Gesellschafter verlieren nur ihre Einlagen (Anteile).*
Gesellschaft mit beschränkter Haftung (GmbH)	*Jeder Gesellschafter übernimmt einen bestimmten Anteil am Stammkapital (Eigenkapital). Die Mindesteinlage beträgt 250 Euro, das Gründungskapital mindestens 25 000 Euro (davon mindestens 50 % eingezahlt). Organe der GmbH sind: Gesellschafterversammlung, Aufsichtsrat (ab einer bestimmten Größenordnung zwingend vorgeschrieben) und Geschäftsführung. Stark verbreitet im gewerblichen Mittelstand.*
Sonderform: Unternehmensgesellschaft (haftungsbeschränkt)	*GmbH mit vereinfachter Gründung und Stammkapital bei Gründung ab 1,– Euro. Das Stammkapital muss aus Gewinnen auf 25 000 Euro aufgestockt werden.*
Aktiengesellschaft (AG)	*Das Grundkapital muss mindestens einen Nennbetrag von 50 000 Euro haben. Es wird in Aktien zerlegt und an die Gesellschafter der AG, die Aktionäre, ausgegeben. Organe der AG sind: Hauptversammlung, Aufsichtsrat, Vorstand. Rechtsform für größere Unternehmen.*
Kommanditgesellschaft auf Aktien (KGaA)	*Mindestens ein Gesellschafter haftet für die Verbindlichkeiten der Gesellschaft unbeschränkt (Komplementär), die übrigen Gesellschafter (Kommanditaktionäre) sind ohne persönliche Haftung an dem Grundkapital der Gesellschaft beteiligt. Ihre Anteile werden in Form von Aktien ausgegeben. Es handelt sich um eine Mischform zwischen Personen- und Kapitalgesellschaft. Organe: Hauptversammlung, Aufsichtsrat, Geschäftsführung.*
Genossenschaften	*Vereine mit nicht geschlossener Mitgliederzahl, die die wirtschaftliche Tätigkeit ihrer Mitglieder (Genossen) fördern wollen. Beispiel: Genossenschaften zum gemeinsamen Einkauf von Rohstoffen, zum günstigen Erwerb von Lebensmitteln usw. Man unterscheidet Genossenschaften mit beschränkter Haftung (eGmbH) und unbeschränkter Haftung (eGmuH). Organe: Generalversammlung, Aufsichtsrat, Vorstand.*

internationalen Geld- und Kapitalmärkte in die Wirtschaft anderer Länder.

REFA Der „REFA-Verband für Arbeitsstudien und Betriebsorganisation e.V." befasst sich mit der Entwicklung, Anwendung und Verbreitung von Methoden zur Optimierung des Arbeitseinsatzes und seiner Humanisierung.

Regionalpolitik siehe **Strukturpolitik**

Regress Anderer Begriff: Rückgriff. Die Bezeichnung allgemein für die Inanspruchnahme eines Dritten wegen einer bestimmten Forderung. Dies kann im Fall des Schadenersatzes sein, wenn der Inanspruchgenommene auf den Schadenverursacher, oder der Bürge für eine Forderung auf den Bürgschaftsnehmer durchgreift. Im Wechselrecht kann der Wechselgläubiger eines Not leidenden Wechsels auf einen Wechselmitverpflichteten zurückgreifen. Bei einer Bürgschaft kommt es zum Rückgriff auf den Bürgen, wenn der Schuldner seine Schuld nicht tilgt.

Reichsmark Währung des Deutschen Reiches, gültig vom 30. 8. 1924 bis 20. Juni 1948. Die Reichsmark löste die Rentenmark ab, die am 20. 11. 1923 an die Stelle der durch die Inflation wertlos gewordenen Mark, die Währung des Kaiserreiches, getreten war. Mit der Währungsreform von 1948 löste die dann bis 31. 12. 1999 gültige **Deutsche Mark (DM)** die Reichsmark ab.

72 Effektivverzinsung bei festverzinslichen Wertpapieren

$$\frac{\left(\text{Nominalzins} + \frac{\text{Rückzahlungskurs} - \text{Anschaffungskurs}}{\text{Laufzeit}}\right) \cdot 100}{\text{Anschaffungskurs}}$$

Beispiel: Nominalzins 7 %, Anschaffungskurs 97 %, Rückzahlungskurs 100 %, Laufzeit 6 Jahre

$$\text{Rendite} = \frac{\left(7 + \frac{100 - 97}{6}\right) \cdot 100}{97} = \frac{(7 + 0{,}5) \cdot 100}{97} = 7{,}73\ \%$$

Remittent siehe **Wechsel**

Rendite Tatsächliche Verzinsung (Effektivverzinsung) einer Kapitalanlage oder einer Investition. Im Allgemeinen berechnet als Quotient aus dem Kapitalertrag (**Zinsen**, **Dividenden**) und dem eingesetzten Kapital unter Berücksichtigung der Dauer der Kapitalbindung. Sie wird normalerweise als Rate pro Jahr (p. a.) ausgewiesen. Bei Aktien z. B. lässt sich die Dividendenrendite wie folgt berechnen:

$$\frac{\text{Dividende x 100}}{\text{Kurs}}$$

Bei festverzinslichen Wertpapieren ergibt sich die Effektivverzinsung näherungsweise nach der in **Schaubild 72** wiedergegebenen Formel.

Rentabilität Ein Maßstab, mit dem der Erfolg einer Investition bzw. die Ertragskraft eines Unternehmens gemessen wird. Sie ist definiert als das prozentuale Verhältnis von Gewinn und Kapital bzw. Umsatz in einem Zeitabschnitt. Ein Unternehmen arbeitet rentabel, wenn sein Gewinn im Verhältnis zum eingesetzten Kapital oder zum erzielten Umsatz eine angemessene Höhe erreicht. Diese sollte wegen des unternehmerischen

Risikos bei einer Investition im Unternehmen bzw. in Sachanlagen im Regelfall eine höhere ***Rendite*** *erbringen als der Erwerb festverzinslicher Wertpapiere. Die Rentabilität sagt mehr über die nachhaltige Ertragskraft eines Unternehmens aus als die absolute Höhe seines Gewinns. Denn sie macht deutlich, wie viel Kapital eingesetzt werden muss bzw. welche Umsätze erforderlich sind, um einen Gewinn in einer bestimmten Höhe zu erzielen. Man unterscheidet zwischen:*

> *Gesamtkapitalrentabilität: Anteil des Jahresüberschusses an der Gesamtheit des im Unternehmen eingesetzten Kapitals (Eigenkapital und Fremdkapital).*

> *Eigenkapitalrentabilität: Anteil des Jahresüberschusses am Eigenkapital.*

> *Umsatzrentabilität: Anteil des Jahresüberschusses am Umsatz. Die Eigenkapital- und Umsatzrentabilität werden häufig als Maßstab für einen Vergleich zwischen Unternehmen oder Branchen benutzt.*

Im Durchschnitt aller Unternehmen lag die Eigenkapitalrendite in Deutschland 2007 im Durchschnitt bei 25,8 Prozent, die Nettoumsatzrendite bei 3,6 Prozent (jeweils nach Unternehmenssteuern).

Rente

> *Zusammenfassender Ausdruck für Einkommen aus Kapitalvermögen (Zinsen) und aus Grund und Boden (Bodenrente).*

> *Regelmäßige Zahlungen aus einer Versicherung.*

73 Anteil der Währungen

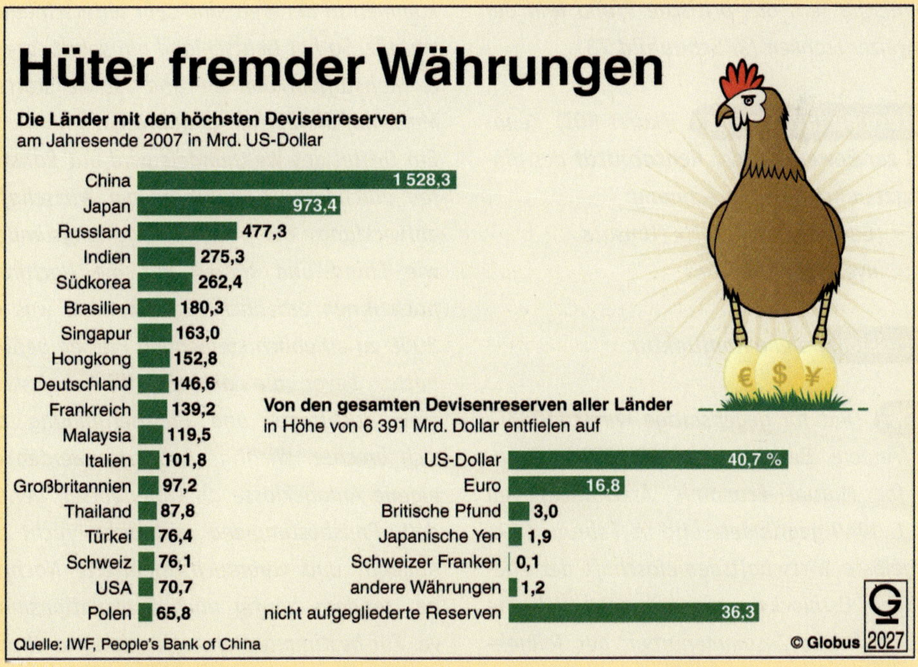

Rentenfonds *siehe* ***Investmentgesellschaft***

Rentenformel *Die Rentenformel bestimmt die Höhe der Monatsrente. Der Monatsbetrag der Rente ergibt sich, wenn die unter Berücksichtigung des Zugangsfaktors ermittelten persönlichen Entgeltpunkte, der Rentenartfaktor und der aktuelle Rentenwert mit ihrem Wert bei Rentenbeginn miteinander vervielfältigt werden.*

Repo-Geschäft *siehe* ***Pensionsgeschäfte***

Reservewährung *Eine* ***Währung****, in der Notenbanken vorzugsweise ihre* ***Devisenreserven*** *halten. Es handelt sich um konvertible, im internationalen Handels- und Kapitalverkehr häufig verwendete und allgemein akzeptierte Währungen. Diese Voraussetzungen erfüllen heute der US-Dollar, der Euro, der japanische Yen, das britische Pfund und der Schweizer Franken (s.* ***Schaubild 73****).*

Return on investment *(kurz: ROI) Kennzahl zur Bewertung der* ***Rentabilität*** *des eingesetzten Kapitals. Berechnung:*
ROI = (Gewinn / Umsatz) x (Umsatz / investiertes Kapital)

Rezession *siehe* ***Konjunktur***

RGW *(Rat für gegenseitige Wirtschaftshilfe) (Andere Bezeichnung: COMECON, Council for Mutual Economic Assistance) Am 25. 1. 1949 gegründete und im Februar 1991 aufgelöste Wirtschaftsgemeinschaft der ehemaligen Ostblockstaaten mit dem Ziel, die wirtschaftliche Zusammenarbeit der Teilnehmerländer zu fördern.*

Riester-Rente *Staatliche geförderte Möglichkeit der privaten Altersvorsorge ergänzend zur Gesetzlichen Rentenversicherung. Es werden verschiedene Ansparformen angeboten, die mit staatlichen Zulagen und Steuervorteilen attraktiv sind. Mittlerweile sind rund 12 Millionen Riester-Verträge abgeschlossen. Der Name leitet sich ab von Walter Riester, früherer Bundesarbeits- und Sozialminister, während dessen Amtszeit diese Art von Vorsorge gesetzlich eingeführt wurde. (Siehe auch* ***Versicherung****,* ***Rürup-Rente****)*

Rohstoffe *Die Materialien, die unbearbeitet in der Landwirtschaft oder durch Abbau gewonnen werden. Sie werden entweder direkt konsumiert oder sind Ausgangsmaterial oder Hilfsmittel im Fertigungsprozess und werden Bestandteil des Produkts. Wichtige Rohstoffe sind Metalle, Nahrungsmittel und fossile Energieträger (****Schaubild 74****). Die Rohstoffvorkommen in der Welt sind sehr unterschiedlich verteilt. So hat Deutschland nur sehr begrenzte Rohstoffvorkommen und ist in starkem Maße auf die Einfuhr angewiesen.*
Ein Drittel des Welthandels wird mit Rohstoffen durchgeführt. Aufgrund der Wirtschaftsentwicklung auch in Entwicklungsländern wie China und Indien hat die Nachfrage nach ihnen erheblich zugenommen, was bis 2008 zu erheblich steigenden Preisen geführt hatte, bevor die aktuelle Wirtschaftskrise eine Nachfrage- und Preisberuhigung mit sich brachte. Wichtige Rohstoffe werden als eigene Anlageklasse an Warenbörsen gehandelt. Preisbestimmend sind dabei nicht nur Angebot und verbrauchsorientierte Nachfrage, sondern häufig auch Spekulationsmotive. Für bestimmte Rohstoffe wie etwa Öl oder bestimmte Metalle ist absehbar, dass die

74 Energievorräte der Welt 2xxx

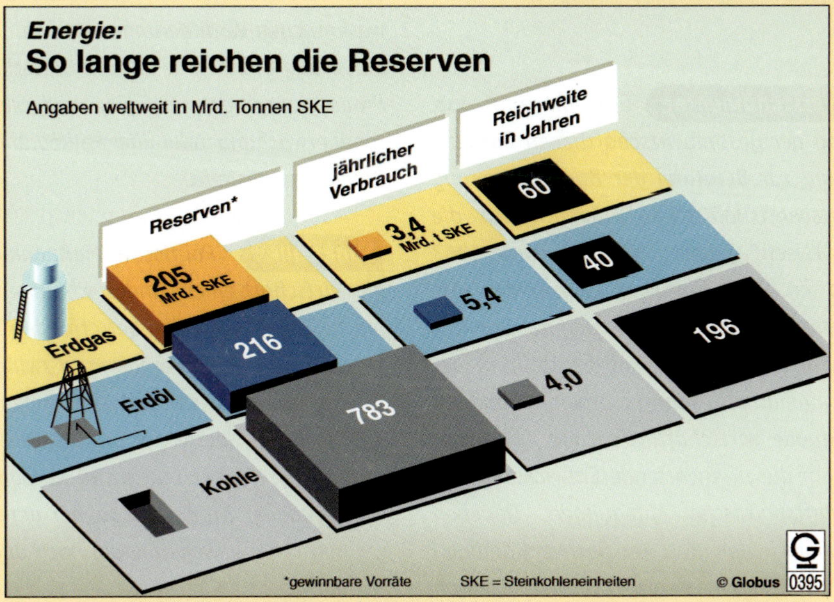

bekannten Vorkommen bei der derzeitigen Nachfragestruktur nur noch eine begrenzte zeitliche Reichweite haben. Deshalb sind sparsamer Einsatz und ***Recycling*** *wichtig. Auch die Verwendung nachwachsender Rohstoffe wird an Bedeutung zunehmen.*

Rücklagen *siehe* ***Jahresabschluss***

Rückstellungen *siehe* ***Jahresabschluss***

Rürup-Rente *Es handelt sich um eine private, kapitalgedeckte Rentenversicherung, die steuerlich gefördert wird. Bei ihr wird eine monatliche, lebenslange Rente – frühestens ab Vollendung des 60. Lebensjahrs – zugesagt. Sie eignet sich für nicht gesetzlich rentenversicherte Selbständige, Freiberufler und Gewerbetreibende, die sich eine mit steuerlichen Abzugmöglichkeiten staatlich geförderte Altersvorsorge aufbauen wollen. Als die Sozialversicherung, die Beamtenversorgung und die Riester-Rente ergänzende Vorsorgemöglichkeit kann sie auch für Arbeiter, Angestellte und Beamte interessant sein.*

Run *Von einem Run spricht man, wenn viele Sparer zur gleichen Zeit ihre Einlagen von einer Bank abheben wollen, weil sie Zahlungsschwierigkeiten der Bank vermuten und ihre Guthaben in Gefahr sehen. Ein Run kann dann tatsächlich zur Zahlungsunfähigkeit der betroffenen Bank führen. In der Bundesrepublik sind die* ***Einlagen*** *bei den Banken aller Bankengruppen durch spezielle* ***Einlagensicherungssysteme*** *geschützt. 2007 gab es in Großbritannien im Zuge der Finanzkrise einen Run auf die Northern Rock Bank, so dass die Regierung die Bank retten musste.*

S

Sachverständigenrat Gremium zur Begutachtung der gesamtwirtschaftlichen Entwicklung und zur Beratung der Bundesregierung in wirtschaftspolitischen Fragen, auch die „Fünf Weisen" genannt. Der Rat wurde 1963 geschaffen. Seine fünf Mitglieder werden vom Bundespräsidenten auf Vorschlag der Bundesregierung ernannt. Der Rat beurteilt in der Regel einmal pro Jahr in einem Gutachten die aktuelle wirtschaftliche Lage, gibt Hinweise auf die zu erwartende Entwicklung und wirtschaftspolitische Anregungen. Daneben gibt es noch den Rat von Sachverständigen für Umweltfragen, der die Umweltsituation begutachtet und umweltpolitische Vorschläge unterbreitet.

Saldo Differenz zwischen den Beträgen auf der Sollseite und der Habenseite eines **Kontos** zu einem bestimmten Zeitpunkt.

Sanierung Gesamtheit von finanziellen und organisatorischen Maßnahmen, um ein Unternehmen, das sich in einer Krise (z. B. drohende Überschuldung oder Zahlungsunfähigkeit) befindet, wieder auf eine gesunde Grundlage zu stellen. Sanierungen setzen voraus, dass das Unternehmen nach Durchführung dieser Maßnahmen wieder Erfolge erzielen kann. Typische finanzielle Sanierungsmaßnahmen sind z. B. die Erhöhung des Eigenkapitals über eine Auflösung stiller Reserven und eine Zuführung neuer Mittel durch Einzahlungen seitens der alten Gesellschafter bzw. die Aufnahme neuer Beteiligungen, die Umwandlung kurzfristiger Schulden in langfristige (= **Umschuldung**) oder Veräußerung von Vermögenswerten. Zu wesentlichen Veränderungen im Rahmen einer Sanierung gehören u. a. eine Umstellung des Produktionsprogramms, eine verbesserte Kostenüberwachung oder die Stilllegung unrentabler Betriebsteile.

Sanktionen Politische Maßnahmen, die die Wirtschaft eines Landes schädigen sollen, um auf diese Weise den betreffenden Staat zu einem erwünschten Verhalten zu zwingen.

> Formen von Wirtschaftssanktionen sind:

- Blockade: Sperre der Einfuhrstellen eines Landes. Früher ein Mittel vor allem der Seekriegsführung, heute bei den modernen Verkehrswegen kaum noch durchführbar.
- Boykott: Maßnahmen, die darauf abzielen, dass alle oder bestimmte Produkte des boykottierten Landes nicht verkauft werden können.
- Embargo: Verbot, in ein bestimmtes Land Waren auszuführen oder aus diesem Land Waren und Dienstleistungen zu beziehen.

Beispiele für Wirtschaftssanktionen sind u. a. die Maßnahmen gegen Südafrika und Rhodesien vor dem Ende der Rassentrennung in diesen Ländern oder gegen den Irak bis 2004. Diese Fälle zeigen aber auch, dass Sanktionen wegen der Umgehungsmöglichkeiten meist nur begrenzt wirksam sind. Im Übrigen sind Sanktionen umstritten, da sie stets besonders ärmere Bevölkerungsteile schädigen.

Schachtelgesellschaft Hält eine Kapitalgesellschaft an einer anderen Kapitalgesellschaft eine **Beteiligung** von mindestens 25 % spricht man von einer Schachtelbeteiligung. Der an einer Schachtelgesellschaft gehaltene

Anteilswert unterliegt bei der Muttergesellschaft unter bestimmten Voraussetzungen nicht nochmals der Körperschaftsteuer, Gewerbesteuer und betrieblichen Vermögensteuer (siehe unter ***Steuern****). Damit wird vermieden, dass Kapital und Ertrag der Tochtergesellschaft doppelt besteuert werden. In diesem Zusammenhang spricht man vom Schachtelprivileg (siehe auch* ***Doppelbesteuerung****).*

Schattenwirtschaft *Bezeichnung für wirtschaftliche Tätigkeiten, die nicht in die Berechnung des Sozialprodukts eingehen. Hierzu gehören Haushaltsproduktion und Nachbarschaftshilfe, aber auch Arbeiten „ohne Rechnung“ (Schwarzarbeit), illegale Arbeitnehmerüberlassung, Subventionsbetrug, unversteuerte Nebentätigkeiten, Drogenhandel usw.*

Der Umfang der Schattenwirtschaft schätzen Wirtschaftswissenschaftler trotz der schwierigen Quantifizierung für das Jahr 2009 auf voraussichtlich etwa 15 % des Bruttosozialprodukts oder etwa 352 Mrd. Euro. Davon würden etwa 133,7 Mrd. Euro als Schwarzarbeit in den Bereichen Bau und Handwerk umgesetzt.

Scheck *Zahlungsanweisung eines Konto-Inhabers an seine* ***Bank****, dem Überbringer des Schecks den eingetragenen Betrag zu Lasten seines Kontos an den Überbringer auszuzahlen (Barscheck) oder dem Konto des Scheckeinreichers gutzuschreiben (Verrechnungsscheck). Im letzten Fall muss quer auf der Vorderseite „Nur zur Verrechnung“ stehen. Der Verrechnungsscheck gilt als sicherer, weil die Zahlungsabwicklung nur von Konto zu Konto erfolgen kann. Seit dem 1. Januar 2002 empfiehlt sich für den grenzüberschreitenden Scheckeinsatz der internationale Scheck, auch Europa-Scheck genannt. Scheckbestandteile und Einzelheiten des Scheckverkehrs regelt das Scheckgesetz.*

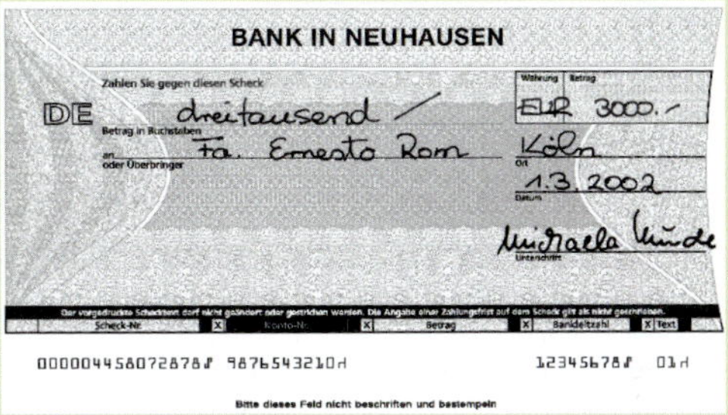

Scheidemünzen *siehe* ***Münzen***

Scheinselbstständigkeit *Begriff für Personen, die als Selbstständige auftreten, aufgrund ihrer weisungsgebundenen Tätigkeit für einen Auftraggeber tatsächlich als abhängig beschäftigt anzusehen sind. Laut Sozialgesetzbuch wird bei Personen, die erwerbstätig sind und*

- *im Zusammenhang mit ihrer Tätigkeit mit Ausnahme von Familienangehörigen keinen versicherungspflichtigen Arbeitnehmer beschäftigen,*
- *regelmäßig und im Wesentlichen nur für einen Auftraggeber tätig sind,*
- *für Beschäftigte typische Arbeitsleistungen erbringen, insbesondere Weisungen des Auftraggebers unterliegen und in die Arbeitsorganisation des Auftraggebers eingegliedert sind oder*
- *nicht auf Grund unternehmerischer Tätigkeit am Markt auftreten,*

vermutet, dass sie gegen Arbeitsentgelt beschäftigt sind, wenn mindestens zwei der genannten Merkmale vorliegen. Dies gilt nicht für Handelsvertreter.

Folge tatsächlicher Scheinselbstständigkeit ist die Versicherungspflicht in der Sozialversicherung.

Schengener Abkommen *1985 geschlossenes Abkommen zwischen Deutschland, Frankreich und den Benelux-Staaten mit dem Ziel, die Grenzkontrollen zwischen den Teilnehmerstaaten abzuschaffen und an die „Außengrenzen" der Schengen-Staaten zu verlegen. Vereinbart wurden auch Regeln über die gegenseitige Anerkennung von Visa und eine verstärkte polizeiliche Zusammenarbeit. Im März 1995 trat das Übereinkommen in Kraft. Seine Bestimmungen sind bis heute aber nur teilweise verwirklicht.*

Das Schengener Abkommen ist trotz der verwandten Zielsetzung nicht Bestandteil des EU-Vertrages. Folgende Länder wenden das Abkommen mittlerweile an: Deutschland, Belgien, Dänemark, Estland, Finnland, Frankreich, Griechenland, Island, Italien, Lettland, Litauen, Luxemburg, Malta, Niederlande, Norwegen, Österreich, Polen, Portugal, Schweden, Slowakei, Slowenien, Spanien, Tschechische Republik und Ungarn. Es handelt sich folglich um die bisherigen EU-Staaten, mit Ausnahme von Grossbritannien, Irland und Zypern, jedoch zuzüglich Island und Norwegen. Bulgarien und Rumänien, die seit dem 1. Januar 2007 Mitglieder der Europäischen Union sind, treten dem Schengener Abkommen vorerst nicht bei. Seit dem 12. Dezember 2008 ist auch die Schweiz Teil des Schengenraums, der jetzt rund 3,6 Millionen Quadratkilometer umfasst und etwa 400 Millionen Europäern freie Bewegung bietet.

SCHUFA *Abk. für:* ***Schu****tzgemeinschaft* ***f****ür* ***a****llgemeine Kreditsicherung. Gemeinschaftseinrichtung der Kreditwirtschaft und der gewerblichen Wirtschaft, die durch die Sammlung von Daten und Auskunftserteilung ihre Vertragspartner vor Verlusten aus dem Konsumentenkreditgeschäft schützen und auch Kreditnehmer durch Beratung vor einer übermäßigen Verschuldung bewahren soll. Vertragspartner der SCHUFA sind Unternehmen, die gewerbsmäßig Geld- und Warenkredite an Konsumenten geben. Der Kunde stimmt mit der SCHUFA-Klausel der Datenweiterleitung, der Mitteilung von Zahlungsstörungen und der damit verbundenen Aufhebung des Bankgeheimnisses ausdrücklich zu. Im Übrigen unterliegt das SCHUFA-Verfahren dem Bundesdatenschutzgesetz.*

Schuldscheindarlehen *Langfristige Kredite, die gegen Hergabe von Schuldscheinen aufgenommen werden. Kreditgeber sind i. d. R. Versicherungsunternehmen und Kreditinstitute, Kreditnehmer vornehmlich große Firmen und die öffentliche Hand. Die Schuldscheine werden im Gegensatz zu den* ***Schuldverschreibungen*** *nicht an der Börse gehandelt und notiert.*

Schuldverschreibungen *Auch Obligation genannt. Es handelt sich um eine vom Schuldner ausgestellte und dem Gläubiger übergebene Urkunde. Darin verpflichtet sich der Schuldner zu einer bestimmten Leistung, i. d. R. zur Rückzahlung des aufgenommenen Kreditbetrages und zur Zahlung von Zinsen. Schuldverschreibungen sind an der Börse gehandelte Wertpapiere. Hierzu zählen beispielsweise die* ***Anleihen*** *oder auch* ***Zertifikate****.*

Shareholder-Value *Englische Bezeichnung für Aktionärsvermögen. Mit Shareholder-*

Value wird ein Konzept der Unternehmensführung bezeichnet, das die Steigerung des Aktionärsvermögens u. a. durch kurzfristige Kurssteigerungen und Dividendenzahlungen als oberste Zielgröße verfolgt. Dieser Ansatz wird teilweise kritisiert, weil die kurzfristige Realisierung von Gewinnen und damit eine vor allem an kurzfristiger Gewinnmaximierung orientierte Geschäftspolitik im Vordergrund stehe und damit die Interessen etwa der Mitarbeiter oder sonstiger Stakeholder (wie Kunden, Staat, Fremdkapitalgeber) vernachlässigt würden.

Skonto siehe **Preisnachlass**

Soll Die linke Seite eines **Kontos**.

Sollzinsen Die **Zinsen**, die für Bankkredite gezahlt werden müssen.

Sonderabgaben **Abgaben**, die für besondere politisch gewollte Zwecke von einem Teil der Bürger erhoben und an andere, i. d. R. hilfsbedürftige Personen, übertragen werden. Ein Beispiel hierfür ist die Lastenausgleichsabgabe, die als Vermögensabgabe zum Ausgleich vertreibungsbedingter Lasten zwischen 1952 und 1980 rund 104 Milliarden DM an Vertriebene gezahlt hat.

Sonderziehungsrechte (SZR) (SZR) Eine Rechnungseinheit, die den einzelnen Mitgliedstaaten des IWF nach einem bestimmten Schlüssel zugeteilt wird und in der die Geschäfte zwischen dem IWF und seinen Mitgliedstaaten abgerechnet werden. Der Wert des SZR ist der Durchschnittswert eines „Währungskorbes", in dem die Währungen mit dem größten Anteil am Welthandel vertreten sind. Die Zusammensetzung wird alle fünf Jahre neu festgesetzt. Seit 2006 setzen sich die SZR zu 44 % aus US-Dollar, 34 % aus Euro, 11 % aus Yen und 11 % aus britischen Pfund zusammen.

Sorten siehe **Devisen**

Sozialbilanz Darstellung der sozialen und gesellschaftsbezogenen Wirkungen und Aktivitäten eines Unternehmens in Form einer Bilanz. Die Sozialbilanz setzt sich meist aus drei Teilen zusammen:

> Sozialbericht: Erläuterung der gesellschaftsbezogenen Aktivitäten des Unternehmens.

> Wertschöpfungsrechnung: Berechnung und Aufschlüsselung des in der betrachteten Periode im Unternehmen erarbeiteten Wertes auf die einzelnen Einkommensbezieher (Anteilseigner, Arbeitnehmer, Staat und Kreditgeber).

> Sozialrechnung: Information über die gesellschaftsbezogenen Aufwendungen und Erträge des Unternehmens. Sie umfasst die Beziehungsfelder Unternehmen, Mitarbeiter, Kapitalgeber, Öffentlichkeit, Staat und Umwelt.

Sozialbudget Gesamtheit aller öffentlichen und privaten sozialen Leistungen eines Landes. Hierzu gehören beispielsweise die gesetzliche Rentenversicherung, die Kranken- und Unfallversicherung, Kindergeld und Erziehungsgeld, die beamtenrechtlichen Versorgungsdienste, Entschädigungen, wie z. B. der Lastenausgleich, Sozial- und Jugendhilfe, Wohngeld sowie die Leistungen der Arbeitgeber (Entgeltfortzahlung, betriebliche Altersversorgung u. Ä.). 2007 belief sich das

75 Sozialbudget: Leistungen nach Institutionen (in Milliarden Euro)

	Sozialbudget 2007	1991	1995	2000	2005	2006p	2007s
	Sozialbudget Gesamt	**424,0**	**559,4**	**642,4**	**701,9**	**702,2**	**706,9**
1	**Sozialversicherungssysteme**	**252,7**	**344,3**	**396,8**	**426,3**	**426,6**	**429,4**
11	Rentenversicherung	133,3	184,8	217,4	239,9	240,0	241,5
12	Krankenversicherung	92,7	122,2	132,1	142,1	146,0	152,2
13	Pflegeversicherung	–	5,3	16,7	17,8	18,0	18,3
14	Unfallversicherung	7,5	10,2	10,8	11,2	11,1	10,9
15	Arbeitslosenversicherung	35,6	48,6	49,7	44,5	38,1	31,3
2	**Sondersysteme**	**3,6**	**4,6**	**5,2**	**6,1**	**6,3**	**6,5**
21	Alterssicherung Landwirte	2,5	3,2	3,3	3,2	3,1	3,0
22	Versorgungswerke	1,1	1,4	2,0	2,9	3,2	3,5
23	Private Altersvorsorge	–	–	–	–	–	–
3	**Systeme des öffentlichen Dienstes**	**34,5**	**41,6**	**48,6**	**52,8**	**50,4**	**51,4**
31	Pensionen	23,2	27,9	32,6	35,9	36,2	36,7
32	Familienzuschläge	5,9	6,4	7,0	6,1	3,0	2,9
33	Beihilfen	5,5	7,3	8,9	10,8	11,2	11,8
4	**Arbeitgebersysteme**	**44,3**	**51,3**	**54,0**	**56,3**	**56,4**	**57,1**
41	Entgeltfortzahlung	23,7	28,8	27,2	25,6	25,4	25,4
42	Betriebl. Altersversorgung	12,9	14,6	17,5	20,1	20,4	20,7
43	Zusatzversorgung	6,0	6,6	8,1	9,3	9,4	9,6
44	Sonstige Arbeitgeberleistungen	1,7	1,3	1,2	1,3	1,3	1,3
5	**Entschädigungssysteme**	**8,7**	**9,3**	**6,5**	**4,7**	**4,4**	**4,1**
51	Soziale Entschädigung	6,9	7,1	5,1	3,8	3,5	3,2
52	Lastenausgleich	0,5	0,3	0,1	0,1	0,1	0,1
53	Wiedergutmachung	1,0	1,6	1,2	0,8	0,8	0,7
54	Sonstige Entschädigungen	0,4	0,3	0,1	0,1	0,1	0,1
6	**Förder- und Fürsorgesysteme**	**55,5**	**78,6**	**98,7**	**129,8**	**133,0**	**130,4**
61	Kindergeld, Familienlastenausgleich	10,4	10,9	31,8	36,7	36,9	36,9
62	Erziehungsgeld / Elterngeld	3,2	3,9	3,7	3,1	3,1	4,0
63	Grundsicherung Arbeitsuchende	–	–	–	43,8	48,3	44,8
64	Arbeitslosenhilfe / Arbeitsförderung	9,0	17,1	14,9	2,0	0,4	0,4
65	Ausbildungsförderung	1,3	0,9	0,9	1,8	1,8	1,8
66	Sozialhilfe	18,1	27,7	25,8	21,9	22,2	22,5
67	Kinder- und Jugendhilfe	10,9	15,0	17,3	19,1	19,1	19,0
68	Wohngeld	2,5	3,2	4,3	1,5	1,2	1,0
7	**Steuerliche Leistungen**	**27,2**	**36,9**	**38,1**	**36,2**	**35,8**	**36,1**

Sozialbudget der Bundesrepublik Deutschland auf 707 Mrd. Euro. Das waren 8 593 Euro pro Einwohner bzw. 29,5 % des Bruttoinlandprodukts. 39,1 % des Sozialbudgets machen Leistungen für die Alters- und Hinterbliebenenversorgung aus. 34,2 % entfielen auf Gesundheitsleistungen. 14,2 % entfielen auf Leistungen für Ehe und Familie sowie 5,4 % auf die Beschäftigungsförderung. Finanziert wurde das Sozialbudget 2007 zu 26,5 % von Unternehmen und zu 26,9 % von den privaten Haushalten. Bund, Länder und Gemeinden steuern 44,7 % bei. Siehe auch ***Schaubild 75****.*

Soziale Marktwirtschaft *siehe* ***Wirtschaftsordnung***

Soziale Sicherung *Im Rahmen der Sozialen Marktwirtschaft soll der Staat in angemessener Weise für die soziale Sicherheit seiner Bürger sorgen und soziale Härten mildern. Zum Netz der sozialen Sicherung (****Schaubild 79****) gehört beispielsweise eine Absicherung der finanziellen Lebensgrundlage im Alter, Schutz vor finanziellen Einbußen bei Krankheit, die Milderung der Folgen von Arbeitslosigkeit und die Förderung von Familien und Kindern. Je nach Zielsetzung wird organisatorisch auf die Systeme* ***Versicherung****, Versorgung und* ***Sozialhilfe*** *zurückgegriffen. Wichtig ist, dass derartige Hilfssysteme v. a. Hilfe zur Selbsthilfe bieten wollen.*

Sozialhilfe *Im Sozialgesetzbuch XII geregelte Form der staatlichen Unterstützung für Personen, die sich nicht selbst helfen können und auch keinen anderweitigen Anspruch auf Hilfe haben. Hierzu zählen die Grundsicherung im Alter und bei Erwerbsminderung oder die Hilfe in besonderen Lebenssituationen infolge von Krankheit, Behinderung, Pflegebedürftigkeit, hohem Alter oder besonderen sozialen Schwierigkeiten. Sozialhilfe ist ein Hilfeanspruch mit der Zielsetzung, wieder ein möglichst selbstständiges und selbstbestimmtes Leben führen zu können.*

Sozialisierung *Beseitigung des privaten Eigentums an Produktionsmitteln und deren Überführung in eine Form des Gemeinschaftseigentums wie etwa Staatseigentum oder Genossenschaftseigentum. Die Sozialisierung ist das Gegenteil der* ***Privatisierung****.*

Sozialismus *siehe* ***Wirtschaftsordnung***

Sozialpartner *siehe* ***Tarifparteien***

Sparbriefe *Von Kreditinstituten ausgegebene, auf den Namen oder Inhaber lautende* ***Wertpapiere*** *mit meist mittelfristigen Laufzeiten ab einem halben Jahr. Mit Ausnahme von Sparbriefen mit steigender Verzinsung können diese Wertpapiere in der Regel nicht vor Ablauf der Laufzeit zurückgegeben werden.*

Sparbuch *siehe* ***Einlagen***

Sparen *Nichtverbrauch von Teilen des Einkommens. Der Vorgang des Sparens umfasst damit sowohl das Ansammeln von Geldvermögen als auch die Tilgung von Schulden. Der Anteil der Ersparnis aller privaten Haushalte an ihrem verfügbaren Einkommen wird als Sparquote bezeichnet. Sie lag Ende 2008 in Deutschland bei 11,4 % (2000:9,2). Sparen hat für den Einzelnen als Mittel zur finanziellen Absicherung des Alters oder zum Schutz gegen unvorhergesehene finanzielle Belastun-*

76 Grundpfeiler der sozialen Sicherheit

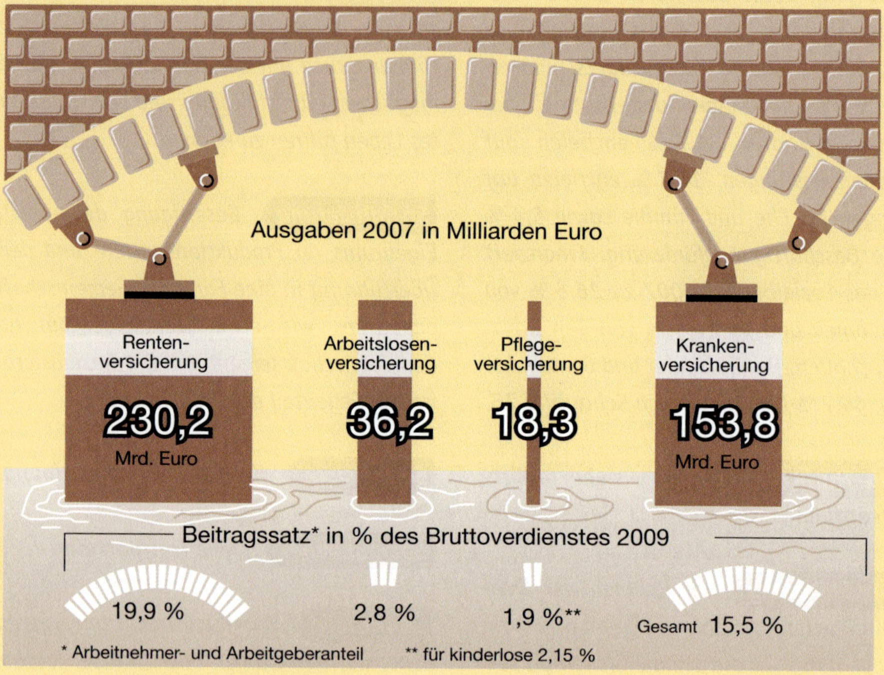

*gen eine große Bedeutung (**Schaubild 77**). Deshalb steigt in Krisensituationen häufig die Sparquote. Beispielsweise lag sie im Februar 2009 in den USA bei 5 %, wohingegen sie dort in Boomphasen nahe Null ging. Gesamtwirtschaftlich ist das Sparen wichtig, da der Gesamtbetrag der für Investitionen verwendeten Mittel stets der gesamten Ersparnis einer Volkswirtschaft in einem betrachteten Zeitraum entspricht. Die Wirtschafts- und Geldpolitik versucht deshalb das Sparverhalten von Verbrauchern, Unternehmen und Staat u. a. durch die Zinspolitik zu beeinflussen. Bei steigenden Preisen in **Boom**phasen soll die Nachfrage durch Zinserhöhungen und damit höhere Attraktivität des Sparens abgeschwächt werden, in einer Rezession (siehe **Konjunktur**) und bei niedrigen Preissteigerungsraten wird versucht, durch niedrige Zinsen die Spartätigkeit weniger attraktiv zu machen und damit die Nachfrage anzuregen.*

Sparkasse *Als Anstalt des öffentlichen Rechts geführtes Kreditinstitut. Siehe **Bank***

Sparquote *siehe **Sparen***

Spekulation *Geschäfte, die in Erwartung bestimmter Preisentwicklungen, welche außerordentliche Erträge oder Kostenersparnis versprechen, abgeschlossen oder auf später verschoben werden. Spekulatives Verhalten ist eine typische Erscheinung in einer marktwirtschaftlich organisierten Volkswirtschaft. Spekulative Geschäfte sind häufig kurzfristig orientiert. Sie kann stabilisierend auf*

77 Ersparnis der privaten Haushalte

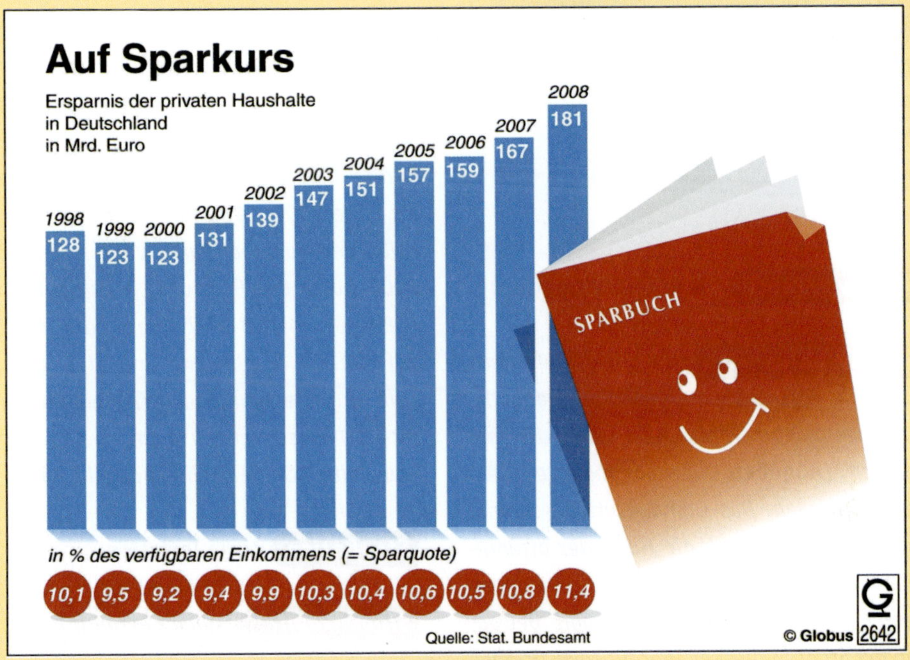

Marktpreise wirken, ausschließlich spekulative Geschäftsorientierung fördert aber auch Instabilitäten, wie bestimmte Entwicklungen in der aktuellen Wirtschaftskrise gezeigt haben. Siehe auch ***Derivate, Hedgefonds***

Splitting

> *Die Aufteilung eines* ***Wertpapiers*** *in zwei oder mehrere neue Urkunden, die insgesamt den gleichen Wert haben wie das alte. Ziel ist eine optische Verbilligung des Börsenkurses des Papiers.*

> *Im Einkommensteuerrecht wird das Splittingverfahren bei gemeinsamer Veranlagung von unbeschränkt steuerpflichtigen Eheleuten angewendet. Die Einkommen eines Ehepaares werden addiert, die Summe nach Abzug der abzugsfähigen Sonderausgaben, Werbungskosten und sonstigen Aufwendungen halbiert; für diesen Betrag wird dann der Steuertabelle die zu entrichtende Steuer entnommen und anschließend verdoppelt (= gemeinsame Steuerschuld). Wegen der Steuerprogression führt dies bei Ehepaaren, die beide unterschiedlich hoch verdienen, zu einer insgesamt geringeren Steuerbelastung als bei Einzelbesteuerung.*

Spotmarkt *Bezeichnung für den Markt für* ***Kassageschäfte****, meist verwendet bei Warenbörsen. Bekanntes Beispiel ist der Spotmarkt für Rohöl und Mineralölprodukte in Rotterdam.*

Sprecherausschuss *siehe* ***Mitbestimmung***

78 Verschuldung der öffentlichen Haushalte 2007

insgesamt 1 569 Mrd. Euro

Sozialversicherung	0,6
Gemeinden	120
Länder	490
Bund	966

Staatsverbrauch *siehe* ***Inlandsprodukt***

Staatsverschuldung *Kreditaufnahme durch die öffentlichen Haushalte, wenn die Ausgaben nicht mehr durch die laufenden Einnahmen (**Abgaben**, Gewinneinkünfte u.Ä.) gedeckt werden. Das Grundgesetz beschränkt in der Bundesrepublik die Höhe der öffentlichen Kredite, die in einem Jahr aufgenommen werden dürfen, prinzipiell auf den Betrag, den der Staat in diesem Jahr für Investitionen ausgibt. Durch den **Maastricht-Vertrag** wird die jährliche staatliche Neuverschuldung auf 3 % beschränkt, der gesamte Schuldenstand auf 60 % des Bruttoinlandsprodukts (**Schaubild 78**).*

Die Verschuldung der öffentlichen Haushalte wird seit einigen Jahren kritisch gesehen, da Schulden Belastungen späterer Generationen sind und durch die Zins- und Tilgungsleistungen die Gestaltungsfreiheit der öffentlichen Haushalte eingeengt wird. Zusätzlich führt eine anhaltend hohe Kreditaufnahme zu einem überhöhten Zinsniveau, belastet das internationale Vertrauen in die Währung und engt den Kreditaufnahmespielraum für nichtöffentliche Kreditnehmer ein. Schließlich wird auch eine auf Geldwertstabilität verpflichtete Geldpolitik erschwert.

*Allerdings zeigt sich, dass in schweren Krisensituationen wie seit 2008 wirtschaftspolitische Krisenpolitik ohne Staatsschulden nicht möglich ist. Allerdings muss dieser Schuldenanstieg bei einer verbesserten wirtschaftlichen Situation zurückgeführt werden. Der Schuldenstand des öffentlichen Gesamthaushaltes erreichte Ende 2007 mit 1 502,2 Milliarden Euro einen um 0,3 % höheren Betrag als Ende 2006, 1990 hatte dieser Wert 536,2 Milliarden Euro betragen. Vom Gesamtbetrag 2007 hatte der Bund 937,6 Milliarden Euro (62,4 %), 482,8 Milliarden Euro entfielen auf die Länder (32,1 %) und 81,8 Milliarden Euro auf die Gemeinden/Gemeindeverbände (5,4 %) einschließlich ihrer jeweiligen Extrahaushalte. (Siehe auch **Schaubild 78**)*

Stagflation *siehe* ***Inflation***

Stammkapital *siehe* ***Eigenkapital***

Steuerbilanz *siehe* ***Jahresabschluss***

Steuern *Zwangsabgaben, die der Staat bei natürlichen und juristischen Personen seines Gebietsbereichs erhebt, auf die der Sachverhalt zutrifft, an den die Steuerzahlung geknüpft ist. Steuern sind durch folgende Merkmale gekennzeichnet:*

- *Die Steuer begründet für den Steuerzahler keinen Anspruch auf eine entsprechende Gegenleistung des Staates.*
- *Mit wenigen Ausnahmen gibt es keine Zweckbindung für die Verwendung von Steuern für bestimmte Staatstätigkeiten.*
- *Steuern dürfen auch zu anderen Zwecken als ausschließlich zur Erzielung von Einnahmen für den Staat erhoben werden (z. B. Tabaksteuer auch zur Verringerung des Rauchens).*
- *Steuern müssen in **Geld** entrichtet werden.*

79 Bundeshaushalt 2007–2009

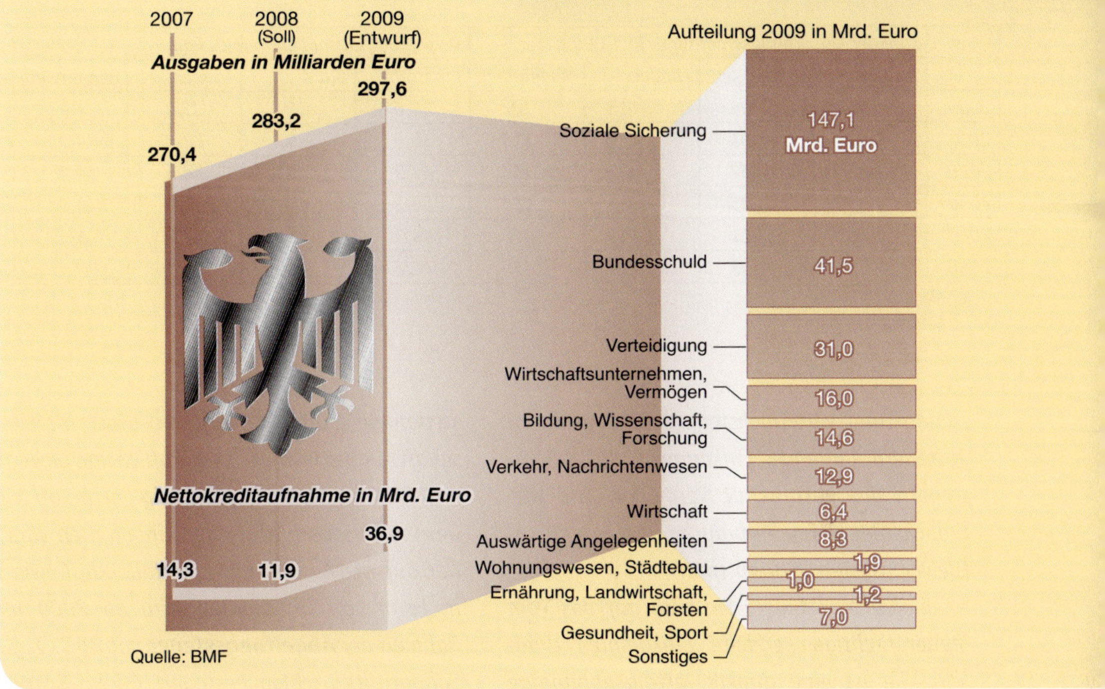

Die Anforderungen an ein funktionierendes Steuersystem lassen sich zusammen selten voll verwirklichen: So soll der Staat ausreichende Einnahmen haben, die Leistungsbereitschaft der Bürger soll nicht geschädigt werden, die einzelne Steuer soll tatsächlich die zu besteuernden Tatbestände erfassen, und sie soll insoweit gerecht sein, als sie sich im Wesentlichen an der finanziellen Leistungskraft der Steuerpflichtigen orientiert.

Steuern haben nicht nur einen fiskalischen Aspekt (Finanzierung der Tätigkeit des Staates), sondern sind auch als konjunkturpolitische Instrumente und unter sozialen Gesichtspunkten wichtig. Veränderungen der Steuerbelastung können beispielsweise das Wirtschaftswachstum anregen (bei Steuersenkungen) oder bremsen (bei Steuererhöhungen). Mit der Ausgestaltung der Steuersätze können soziale Belange berücksichtigt werden (z. B. durch Freibeträge oder Steuerprogression).

Steuern lassen sich nach verschiedenen Kriterien unterscheiden: Bei den direkten Steuern sind Steuerbelasteter und Steuerzahler identisch (z. B. Einkommensteuer), bei indirekten Steuern sind Steuerzahler und Steuerbelasteter (z. B. Mehrwertsteuer s. unten; Mineralölsteuer) unterschiedliche Personen. Außerdem wird unterschieden zwischen ertragsabhängigen und ertragsunabhängigen Steuern. Die Höhe der ertragsabhängigen Steuern hängt davon ab, welchen Ertrag ein Unternehmen oder Steuerpflichtiger erzielt, ertragsunabhängige Steuern müssen unabhängig von einem tatsächlich vorliegenden Ertrag bezahlt werden. Nach dem Tatbestand, der besteuert wird, unterscheidet man Ertragsteuern, Vermögen-

80 Künftige Pensionslasten der öffentlichen Haushalte in Deutschland

	Zahl der Versorgungsempfänger in 1 000				Versorgungsausgaben in Mrd. Euro			
	insgesamt	Bund	Länder	Gemeinden	ingesamt	Bund	Länder	Gemeinden
2005	929	204	618	107	25,6	4,8	17,9	2,9
2010	1 039	191	735	113	30,5	5,0	22,3	3,2
2020	1 350	192	1 022	136	44,3	5,9	34,2	4,2
2030	1 536	205	1 165	166	55,2	7,0	42,6	5,6
2040	1 591	201	1 212	178	64,3	7,9	49,8	6,6
2050	1 587	193	1 219	175	74,6	8,7	58,4	7,5

Quelle: BMF

steuern und Verbrauchsteuern. Ertragsteuern besteuern laufende Einkommen, Vermögensteuern das bestehende Vermögen und Verbrauchsteuern den Verbrauch.

Die wichtigsten Steuern sind:

> *Einkommensteuer: Sie wird auf das vom Steuerpflichtigen erzielte Einkommen erhoben. Sie ist eine direkte, ertragsabhängige Steuer, die von natürlichen Personen zu entrichten ist. Der persönlichen Leistungsfähigkeit des Einzelnen wird durch Berücksichtigung des Familienstandes, des Alters, bestimmter, mit der Einkommenserzielung verbundener oder auch außerordentlicher Belastungen und der Ausgestaltung des Tarifs Rechnung getragen. Der höchste Steuersatz beträgt zurzeit 45 %, zzgl. 5,5 % Solidaritätszuschlag (im Vergleich Japan 50 %, USA 42,8 % jeweils mit Steuern der unteren Gebietskörperschaften).*

Der Teil der Einkommensteuer von Arbeitnehmern, der direkt vom Arbeitgeber einbehalten und an das Finanzamt abgeführt wird, heißt Lohnsteuer. Sie ist also keine eigenständige Form, sondern unterscheidet sich nur durch die Art der Abführung (als ***Quellensteuer****).*

> *Körperschaftsteuer: Die Einkommensteuer der nicht-natürlichen Personen, hauptsächlich der Kapitalgesellschaften. Die Körperschaftsteuer belastet den Gewinn einer Körperschaft. Dabei wird der steuerpflichtige Gewinn mit 25 % besteuert unabhängig davon, ob der Gewinn ausgeschüttet oder einbehalten wird. Der auf die Anteilseigner entfallende Gewinn in Form von* ***Dividenden*** *wird ab 2009 im Rahmen der* ***Abgeltungssteuer*** *mit 25 % zzgl. Solidaritätszuschlag besteuert (siehe* ***Schaubild 4,*** *Seite 5). Auch die Körperschaftsteuer ist eine direkte, ertragsabhängige Steuer.*

> *Mehrwertsteuer: Die in der Bundesrepublik seit dem 1. 1. 1968 geltende Form einer Umsatzsteuer. Die Güter und Dienstleistungen werden auf ihrem Wege vom Produzenten zum Endverbraucher bei jeder Weiterveräußerung (z. B. vom Produzenten an den Händler) mit Mehrwertsteuer belastet. Steuerpflichtig ist aber nicht der gesamte Wert, sondern nur der Wertzuwachs („Mehrwert"), der durch die Zwischenbehandlung (z. B. Weiterverarbeitung) erzielt wird. Die jeweils vorher angefallene Steuer wird im Weg des Vorsteuerabzugs abgezogen. Der reguläre Mehrwertsteuersatz beträgt 19 %. Für alle Lebensmittel – mit Ausnahme der Getränke- und Gaststättenumsätze –, den Personennahverkehr, Bücher, Zeitungen und Leistungen einiger Freiberufler gilt ein ermäßigter Satz von 7 %.*

Ein Beispiel für das Mehrwertsteuersystem: Ein Großhändler kauft für 1 000 Euro netto einen Gefrierkühlschrank von einem Fabrikanten. Er muss neben dem Kaufpreis Mehrwertsteuer von 19 % = 190 Euro zahlen, die der Fabrikant an sein Finanzamt abführt. Der Großhändler verkauft das Gerät für 1 250 Euro zuzüglich 19 % Mehrwertsteuer = 237,50 Euro an einen Einzelhändler. Der Großhändler schuldet dem Finanzamt folgenden Betrag: 237,50 Euro abzüglich 190 Euro Mehrwertsteuer, die an den Fabrikanten entrichtet wurden – also 47,50 Euro. Der Einzelhändler verkauft schließlich den Gefrierkühlschrank an einen Verbraucher für 1 500 Euro plus 19 % Mehrwertsteuer, also für 1 785 Euro. Die Mehrwertsteuer in Höhe von 47,50 Euro (285 Euro abzüglich 237,50 Euro Vorsteuer) wird vom Einzelhändler an das Finanzamt gezahlt. Der Endverbraucher trägt also die gesamte Mehrwertsteuer.

Werden Waren importiert, dann wird an der Grenze die Mehrwertsteuer als Einfuhrumsatzsteuer auf den Zollwert erhoben.

Die Mehrwertsteuer ist eine indirekte, allgemeine Verbrauchsteuer. Spezielle Verbrauchsteuern belasten den Gebrauch oder Verbrauch bestimmter Waren. Die höchsten Einnahmen aus einer speziellen Verbrauchsteuer erzielt der Staat mit der Mineralölsteuer. Eine relativ hohe Steuerbelastung liegt auch auf dem Verbrauch von Tabak und Branntwein. Steuererhöhungen auf den Verbrauch gesundheits- und die Umwelt belastenden Produkten lassen sich wegen ihrer oft polarisierenden Wirkung meist am leichtesten durchsetzen.

81 Steuerspirale 2007

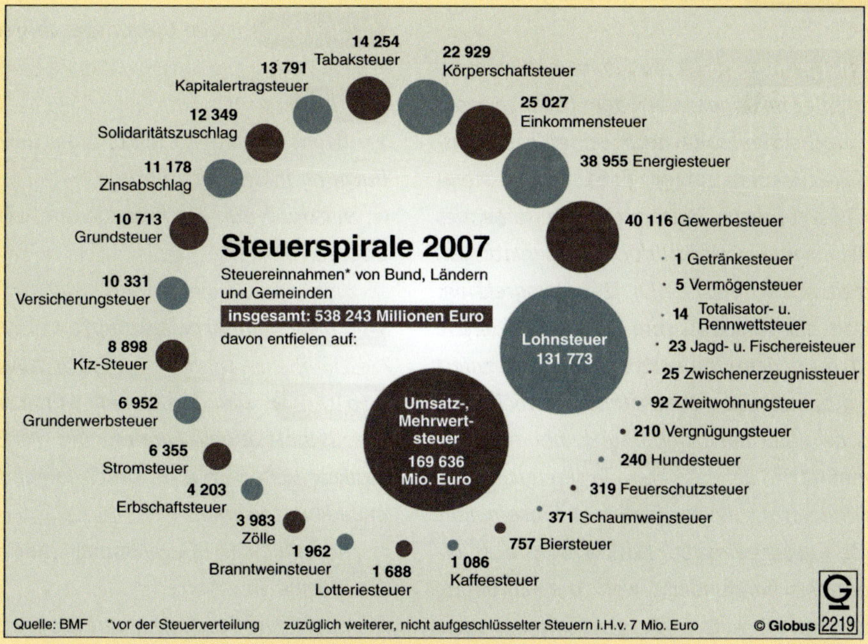

> *Die Gewerbeertragsteuer belastet zusätzlich zur Einkommen- oder Körperschaftsteuer den Ertrag eines gewerblichen Unternehmens.*
*In Deutschland erzielt der Staat die höchsten Einnahmen aus der Lohnsteuer und der Umsatzsteuer (**Schaubild 81**), die Steuerquote lag 2008 insgesamt bei 23,8 % des Bruttoinlandsprodukts, die Abgabenquote unter Einschluss der Sozialabgaben bei 40,2 %.*
Bestimmte Steuern fließen nur dem Bund, den Ländern oder den Gemeinden zu.
Demgegenüber werden die so genannten Gemeinschaftssteuern nach einem bestimmten Schlüssel zwischen den Gebietskörperschaften aufgeteilt. Beispielsweise wird die Lohn- und die veranlagte Einkommensteuer im Verhältnis 42,5:42,5:15 auf Bund, Länder und Gemeinden, das Aufkommen aus Körperschaft- und Kapitalertragsteuer im Verhältnis 50:50 auf Bund und Länder verteilt.

Steueroasen *siehe* ***Briefkastenfirmen***

Steuerprogression *Das Einkommensteuerrecht folgt im Allgemeinen dem Leitsatz, jeder Steuerpflichtige solle nach seiner Leistungsfähigkeit Steuern zahlen. Entsprechend steigt der abzuführende Betrag mit der Höhe des Einkommens bis zum Höchststeuersatz von derzeit 45 %. Dies heißt Steuerprogression. Wegen des Anstiegs wird jeweils der letzte Euro nach dem Tarifverlauf höher besteuert als der erste verdiente Euro. Deutlich wird dies bei einer Gehaltserhöhung, bei der diese Erhöhung in den höheren Tarifbereich fällt. Der Steuersatz des zusätzlichen Einkommens heißt Grenzsteuersatz. Häufig wird dies als ungerecht empfunden, weil die Erhöhung häufig einen Anteil für den Inflationsausgleich enthält.*

Steuervergünstigungen *siehe* ***Subventionen***

Stille Gesellschaft *siehe* ***Rechtsform***

Stille Reserven *Stille Reserven entstehen durch Bilanzausweis, wenn Vermögenswerte niedriger bzw. Verbindlichkeiten höher ausgewiesen werden, als es ihrem tatsächlichen Wert zum Bilanzstichtag entspricht. Beispiel: Das Vermögen eines Unternehmens (z. B. Maschinen) verliert im Laufe der Zeit an Wert und kann deshalb abgeschrieben werden. Sind die **Abschreibungen** höher als der tatsächliche Wertverlust, dann werden stille Reserven gebildet. Der Unternehmer bekäme im Falle des Verkaufs der Maschine mehr als in der **Bilanz** ausgewiesen. Das Entstehen stiller Reserven ist zum Teil in den Bilanzierungsvorschriften gewollt (z. B. **Niederstwertprinzip**).*

Stillhalter *siehe* ***Optionsgeschäfte***

Storno
> *Begriff für die Korrektur einer unrichtigen Buchung in der Buchführung.*
> *Ausdruck für die Annullierung eines Auftrags.*

Streik *siehe* ***Arbeitskampf***

Struktur *Der Aufbau von Wirtschaft und Gesellschaft eines Landes. Die Wirtschaftsstruktur lässt sich u. a. durch folgende Merkmale kennzeichnen:*
> *Aufbau der Bevölkerung nach Alter, Geschlecht, Beruf etc.,*
> *natürliche Beschaffenheit des Wirtschaftsraumes (Bodenschätze, Flüsse, Wälder etc.),*

> wirtschaftlicher Entwicklungsstand (Technik, Straßennetz, Transport- und Nachrichtenverkehr etc.),
> Verteilung der Produktionsstandorte,
> Intensität der Wirtschaftsbeziehungen der einzelnen Branchen mit dem Ausland.

Die Unternehmen lassen sich nach der Art der Leistungsfähigkeit wie folgt unterscheiden:

> primärer Sektor (Land- und Forstwirtschaft; 2007 0,9 % der Wertschöpfung),
> sekundärer Sektor (Industrie, Bergbau, Handwerk; 2007 30,1 %),
> tertiärer Sektor (Dienstleistungen; 2007 69 % – 1991 62 %).

Die Abnahme im primären und sekundären Sektor und die Zunahme der Dienstleistungsbereichs ist die wichtigste Strukturverschiebung als Ausdruck der Wirtschaftsentwicklung.

Strukturpolitik Durch neue Produkte, neue Techniken, den internationalen Wettbewerb und andere Einflüsse verändert sich die Wirtschaftsstruktur eines Landes im Zeitablauf (Strukturwandel). Mit Strukturpolitik bezeichnet man den Teil der **Wirtschaftspolitik**, der darauf gerichtet ist, politisch nicht gewollte Entwicklungen im Zusammenhang mit dem Strukturwandel zu vermeiden oder sozial verträglich zu gestalten sowie durch gezielte Maßnahmen die Wirtschaftskraft einer Region oder eines Bereichs zu stärken (**Subventionen**).

Man unterscheidet verschiedene Formen der Strukturpolitik:

> Regionalpolitik: Die einzelnen Regionen einer Volkswirtschaft sind wirtschaftlich ungleich entwickelt. Mit Hilfe spezieller Hilfsmaßnahmen (z. B. Investitionshilfen) soll ein gewisser Ausgleich geschaffen werden (Beispiel: Förderung der neuen Bundesländer nach 1990). Siehe auch **Schaubild 85**.
> Sektorale Strukturpolitik: Staatliche Fördermaßnahmen und Eingriffe zur Unterstüt-

82 Bewilligte Mitttel für Investitionen der Gewerblichen Wirtschaft 1991–2007

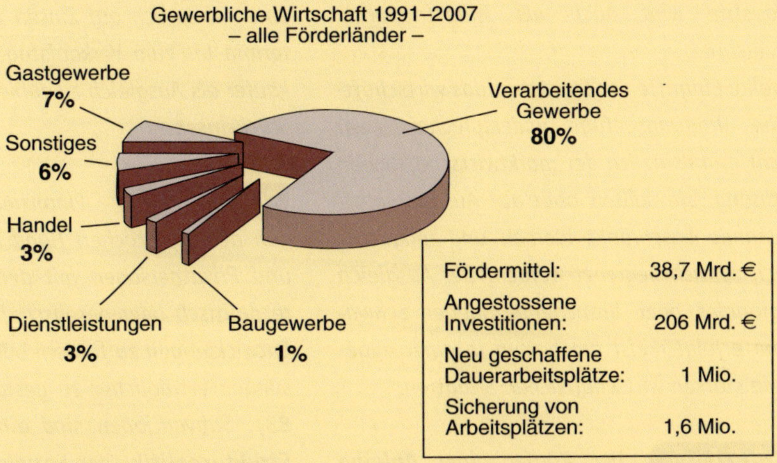

* durch Gemeinschaftsaufgabe „Verbesserung der regionalen Wirtschaftsstruktur“

Quelle: BMWi

83 Subventionen in Deutschland

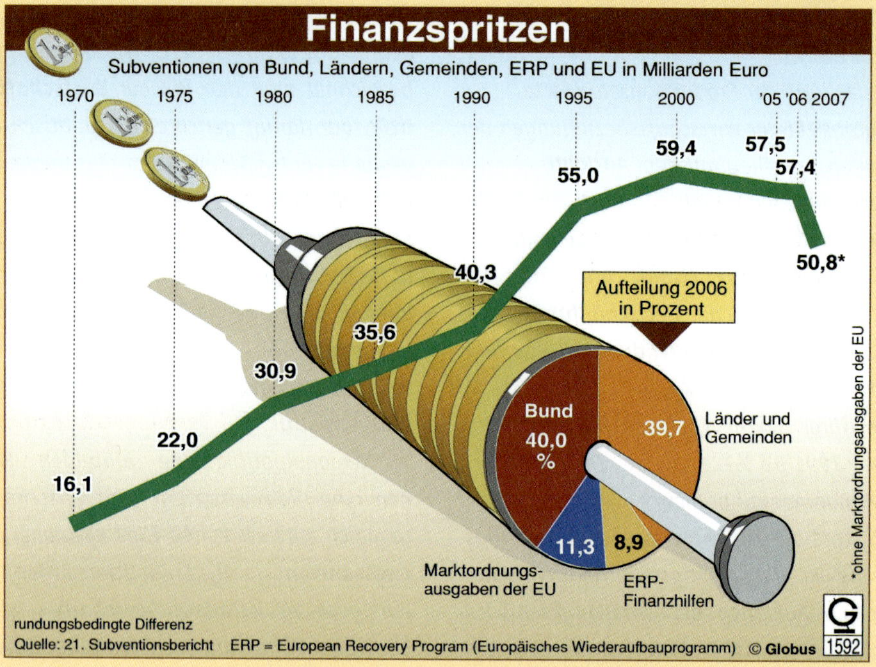

zung einzelner Wirtschaftszweige (Beispiele: Reglementierung der Agrarmärkte, Maßnahmen im Kohlebereich, Welttextilabkommen). Sektorale Strukturpolitik im Bereich der Industrie wird auch als Industriepolitik bezeichnet.

Direkte Eingriffe des Staates in das wirtschaftliche Ordnungsgefüge widersprechen zwar nicht grundsätzlich der marktwirtschaftlichen Ordnung; sie sollten aber auf Ausnahmetatbestände beschränkt bleiben und möglichst auch zeitlich begrenzt werden. Der Ausgleich regionaler oder branchenbezogener Schwächen erfolgt meist am besten in einer allgemein starken wirtschaftlichen Situation.

Stückzinsen *Der Käufer einer* ***Anleihe*** *erwirbt zusammen mit dem Wertpapier den Anspruch auf volle Ausschüttung des Zinses für die Zinsperiode (meist ein Jahr). In vielen Fällen wechseln die Anleihen jedoch nicht genau an dem Tag, an dem die Zinsen fällig werden, den Besitzer. Der Vorbesitzer hat einen Anspruch auf Zinsen vom letzten Zinstermin bis zum Verkaufstag. Dieser dem Verkäufer als Ausgleich zu zahlende Betrag heißt Stückzinsen.*

Subventionen *Finanzielle Hilfeleistungen der öffentlichen Hand an Unternehmen und Privatpersonen mit dem Ziel, bestimmte politisch oder gesellschaftlich gewünschte Entwicklungen zu fördern oder Strukturanpassungen erträglicher zu gestalten (**Schaubild 83**). Subventionen sind ein Instrument der **Strukturpolitik**, der Sozialpolitik, der Wettbewerbspolitik und der Außenhandelspolitik. Man unterscheidet grundsätzlich zwei Arten:*

> *Finanzhilfen:* Zahlungen der öffentlichen Hand an den Subventionsempfänger. Finanzhilfen sind beispielsweise Wohngeld, Sozialhilfe, Investitionszulagen oder die Arbeitnehmer-Sparzulage.

> *Steuervergünstigungen:* Gewährung von besonderen Abzugsmöglichkeiten von der Steuerpflicht. Ein Beispiel hierfür sind Sonderabschreibungen bei Investitionen.

Empfänger der Subventionen in der Bundesrepublik sind in erster Linie die privaten Haushalte und die gewerbliche Wirtschaft.

Die Liste der Subventionen in Deutschland ist lang. Gemäß Subventionsbericht der Bundesregierung werden in Deutschland von den Gebietskörperschaften jährlich rund 58 Mrd. Euro (2007) an Subventionen vergeben. Der im Subventionsbericht verwendete Subventionsbegriff ist allerdings recht eng. Forschungsinstitute kamen auf bis zu 153 Milliarden Euro Gesamtbetrag für 2004. Die Palette der Subventionstatbestände reicht von den großen Beträgen für die Bundesbahn oder die Arbeitnehmerfreibeträge über verschiedene Finanzhilfen und Steuervergünstigungen für die Landwirtschaft bis hin zu Unterstützungen für das Energiesparen.

Subventionen haben im Einzelfall zweifellos ihre Berechtigung. Als Beispiel sind die umfangreichen Fördermaßnahmen zu Gunsten der neuen Bundesländer zu nennen. Sie sollten grundsätzlich aber eine Ausnahme sein und allenfalls über einen begrenzten Zeitraum gewährt werden. Denn der Staat greift über seine Maßnahmen in den Wettbewerb am Markt ein (siehe auch **Dirigismus**), muss höhere Steuern verlangen oder mehr Kredite aufnehmen, als ohne Subventionen notwendig wäre. Für 2008 war ein Rückgang der Subventionen des Bundes um 2 Milliarden Euro auf 20,8 Milliarden Euro geplant. Dies sollte vor allem auch durch den Wegfall von Steuervergünstigungen und die Streichung der Eigenheimzulage, die den privaten Immobilienerwerb fördern sollte, erreicht werden. Der Wegfall führte allerdings auch zu einem Rückgang beim Eigenheimbau, so dass hieraus die Ambivalenz der Subventionen und ihres Wegfalls deutlich wird.

Swap-Geschäfte Swap-Geschäfte sind Tauschgeschäfte an den Finanzmärkten, bei denen **Kassa**- und **Termingeschäfte** miteinander kombiniert werden. Es handelt sich um einen Kauf, der gleichzeitig an einen Verkauf zu einem späteren Termin gekoppelt ist. Beispiel: Eine Bank kauft von einer anderen US-Dollar gegen Euro und vereinbart zugleich, die US-Dollar an einem bestimmten Termin zu einem festgelegten Preis wieder gegen Euro zurückzugeben. Swap-Operationen werden an den internationalen Finanzmärkten heute in einer Vielzahl von Varianten getätigt, die nicht mehr nur auf Devisen beschränkt sind.

Swapsatz Im Devisenhandel die Abweichung eines Terminkurses von dem jeweiligen Tages-(Kassa-)kurs, ausgedrückt in Prozent des Kassakurses. Beispiel: Der Tageskurs des US-Dollar beträgt 1,23 US-Dollar, der Terminkurs für drei Monate später 1,18 US-Dollar.

Der Swapsatz errechnet sich dann nach folgender Formel:

Swapsatz
= (Terminkurs ./.Tageskurs)/Kassakurs x 100
= 4,06 % = 16,3 % p. a.

Syndikat siehe **Unternehmenszusammenschlüsse**

T

Tagesgeld/tägliches Geld siehe **Geldmarkt**

Tantieme Beteiligung am Jahresgewinn eines Unternehmens. Sie wird häufig an leitende Angestellte neben ihrem normalen Gehalt als Erfolgsbeteiligung gezahlt. Auch die Mitglieder des Aufsichtsrats einer Kapitalgesellschaft erhalten eine Tantieme. Als jährliche Zielerreichungsprämie kommt der **Bonus** zur Auszahlung.

Tarif Ein fester Preis oder Gebühren, die für einen längeren Zeitraum festgelegt werden. Beispiele für Tarife sind Eisenbahn-, Strom- oder der Posttarif. Auch bei der Lohnhöhe spricht man – weil tarifvertraglich geregelt – vom Tarif. Beim Steuertarif wird eine bestimmte steuerliche Belastung je Einheit der Bemessungsgrundlage festgelegt.

Tarifautonomie siehe **Tarifparteien**

Tarifparteien Sammelbezeichnung für **Arbeitgeberverbände** und **Gewerkschaften**, die das Recht auf Förderung der Arbeits- und Wirtschaftsbedingungen für die Arbeitnehmer in den Unternehmen u. a. durch den Abschluss von **Tarifverträgen** ausüben. Sie werden auch als Sozialpartner bezeichnet.
Die Tarifparteien in der Bundesrepublik nehmen ihre Aufgabe autonom, ohne Eingriffe oder Lenkung des Staates wahr (Tarifautonomie). Die Tarifautonomie ist im Tarifvertragsgesetz näher geregelt. Löhne und die Mindestarbeitsbedingungen sollen von den Arbeitgebern und den Arbeitnehmern ohne staatliche Eingriffe selbst festgelegt werden, beide Seiten sind damit aber auch für die Konsequenzen der getroffenen Vereinbarungen verantwortlich. Die Tarifparteien wirken außerdem in der Arbeits- und Sozialverwaltung sowie in den Arbeitsgerichten mit.

Tarifverhandlung siehe **Tarifvertrag**

Tarifvertrag Schriftlicher Vertrag zwischen Arbeitgeberverbänden und Gewerkschaften, in dem die Mindestarbeitsbedingungen einschließlich der Löhne und Gehälter vereinbart werden. Man unterscheidet:

> Lohn- und Gehaltstarifverträge, in denen die Mindestlöhne und -gehälter festgelegt werden,

> Lohn- und Gehaltsrahmentarifverträge, in denen die Anforderungen in den einzelnen Lohngruppen beschrieben und die Art der Entlohnung geregelt werden,

> Manteltarifverträge, in denen allgemeine Arbeitsbedingungen, wie z. B. die Zahl der Urlaubstage oder die wöchentliche Arbeitszeit, vereinbart sind, und

> Sondertarifverträge, die sich mit besonderen Fragen, wie z. B. Rationalisierungsschutz oder die Gewährung vermögenswirksamer Leistungen, befassen.

Die Laufzeit von Lohn- und Gehaltstarifverträgen beträgt meist ein Jahr, die anderen Tarifverträge haben eine längere Gültigkeitsdauer. Tarifverträge werden in Tarifverhandlungen ausgehandelt. Dabei geht es den Gewerkschaften darum, möglichst große Vorteile für *die Arbeitnehmer durchzusetzen; die Arbeitgeber wollen dagegen die Lohnkosten möglichst niedrig halten, um mit niedrigen Preisen wettbewerbsfähig zu bleiben und den Gewinn zu erhöhen. Die Tarifparteien sind in der Regel bemüht, in den Verhandlungen einen Kompromiss zu finden. Ist das nicht möglich, kann es zu* ***Arbeitskampf****maßnahmen kommen. Für den Ablauf von Tarifauseinandersetzungen gibt es festgelegte Regeln.*

> Tarifverhandlungen laufen im Grundsatz nach folgendem Schema (siehe ***Schaubild 10****) ab:*

- *Die Gewerkschaften legen ihre Forderungen vor.*
- *Beginn der Verhandlungen mit Gegenangeboten und -forderungen der Arbeitgeber.*
- *Bei Einigung Abschluss eines neuen Tarifvertrages.*
- *Kommt keine Einigung nach mehreren Verhandlungsrunden zu Stande und ist die Laufzeit des alten Tarifvertrages ausgelaufen (Friedenspflicht), kann eine der Tarifparteien die Verhandlungen für gescheitert erklären.*
- *Verständigung auf einen neutralen Schlichter, der ein Kompromissangebot vorlegt.*
- *Wird dieses Angebot von beiden Seiten akzeptiert, Abschluss eines neuen Tarifvertrages.*
- *Anderenfalls Beginn des* ***Arbeitskampfes****, nach dessen Ende – eventuell erneut unter Vermittlung eines Schlichters – ein neuer Tarifvertrag vereinbart wird.*

In vielen Wirtschaftszweigen bestehen Vereinbarungen, dass vor Beginn eines Arbeitskampfes auf jeden Fall Schlichtungsverhandlungen unter dem Vorsitz eines neutralen Schlichters einzuleiten sind.

Tarifverträge können vom Bundesarbeitsminister für allgemein verbindlich erklärt werden, d. h., sie gelten dann auch für Arbeitgeber und Arbeitnehmer, die nicht den entsprechenden Arbeitgeberorganisationen und Gewerkschaften angehören.

Teilzahlungsgeschäft *siehe* ***Abzahlungsgeschäft***

Teilzeitarbeit *Tätigkeit, die sich nicht über den ganzen Arbeitstag erstreckt, sondern nur halbtags oder stundenweise ausgeführt wird bzw. nur eine von vornherein vereinbarte Dauer (z. B. 20-Stunden-Woche oder einen Monat) umfasst. Teilzeitbeschäftigung hat in den letzten Jahren beträchtlich an Gewicht gewonnen. Inzwischen arbeitet ein Drittel aller Beschäftigten in Teilzeit, davon die Hälfte in Mini-Jobs und in Ein-Euro-Jobs. Vom gesamtwirtschaftlichen Arbeitsvolumen leisteten die Vollzeitbeschäftigten im Jahr 2008 rund 39,8 Mrd. Stunden (69 %), die Teilzeitbeschäftigten rund 7,7 Mrd. Stunden (13 %) und die Selbständigen und Mithelfenden rund 9,2 Mrd. Stunden (16 %). Etwa eine Milliarde Stunden (knapp 2 %) entfielen auf die Nebenjobs, fast doppelt so viele wie vor zehn Jahren. Die Teilzeitquote, der Anteil der Teilzeitbeschäftigten an allen sozialversicherungspflichtigen Beschäftigten, lag 2007 bei 17,8 %.*

Termineinlagen *siehe* ***Einlagen***

Termingeschäft *Ein Geschäft, bei dem die Zeitpunkte von Vertragsabschluss und Erfüllung des Geschäftes auseinander liegen. Ein* typisches Termingeschäft ist beispielsweise der Kauf von US-Dollars am 1. 7., die aber erst am 30. 9. zu liefern sind. Der Preis, zu dem sie den Besitzer wechseln, der Terminkurs, wird bereits bei Abschluss des Geschäfts vereinbart. Termingeschäfte dienen hauptsächlich der Kurssicherung, werden aber auch häufig zu Spekulationszwecken als Leerkäufe/Leerverkäufe in der Erwartung einer vom vereinbarten Preis abweichenden Kursentwicklung abgeschlossen. Zu den Termingeschäften gehören Devisentermingeschäfte, Optionsgeschäfte und der Handel mit Futures. Börsenmäßige Termingeschäfte werden in der Bundesrepublik an der darauf spezialisierten Börse Eurex abgewickelt.

Terminkurs siehe **Termingeschäft**

Terms of Payment Bezeichnung für die Zahlungsgepflogenheiten im **Außenhandel**, insbesondere die effektiven Zahlungsfristen.

Terms of Trade Englischer Ausdruck für Austauschverhältnisse von Gütern im Außenhandel. Bezogen auf den gesamten Außenhandel eines Landes errechnen sich die Terms of Trade als Verhältnis von Ausfuhr- und Einfuhrpreisen. Eine Veränderung dieser Messziffer gibt an, ob ein Land mehr oder weniger exportieren muss, um eine gleiche Menge von Einfuhren bezahlen zu können. Die Veränderung der Terms of Trade beeinflusst damit zugleich auch die Höhe des innerhalb eines Jahres in einer Volkswirtschaft verteilbaren Einkommens (Terms-of-Trade-Effekt).

Thesaurierung siehe **Finanzierung**

Tilgung Rückzahlung einer Schuld. Hierbei gibt es unterschiedliche Formen:

- Rückzahlung des gesamten geschuldeten Betrages an einem bestimmten Stichtag,
- Tilgung in Raten, d. h. regelmäßig in meist gleich bleibenden Beträgen,
- unregelmäßige Tilgung, z. B. Ausgleich eines Überziehungskredits auf einem Girokonto.

Tobin-Steuer Vorschlag des Wirtschaftsnobelpreisträgers James Tobin, auf Transaktionen am Devisenmarkt eine Steuer zu erheben, um rein spekulative Geschäfte zu verteuern und damit realwirtschaftliche Auswirkungen von Spekulationen abzumildern oder zu verhindern.

Tochtergesellschaft siehe **Unternehmenszusammenschlüsse**

Transport Begriff für die Beförderung von Personen und Gütern zu Lande, zu Wasser und in der Luft. Sowohl beim Personen- wie beim Güterverkehr ist das Auto das meistgenutzte Transportmittel (**Schaubild 84**).
Maßgrößen für die Transport- oder Verkehrsleistung sind Tonnenkilometer bzw. Personenkilometer. Sie errechnen sich als Produkt aus transportiertem Gewicht bzw. der Zahl der transportierten Personen und den zurückgelegten Kilometern.

Tratte siehe **Wechsel**

Treuhand Verwaltung fremden Vermögens durch eine Person oder Gesellschaft. Die das Vermögen übertragende Person wird als Treugeber, die die Treuhandverwaltung ausübende Person als Treuhänder bezeichnet. Der Treu-

84 Zu Lande – zu Wasser – in der Luft

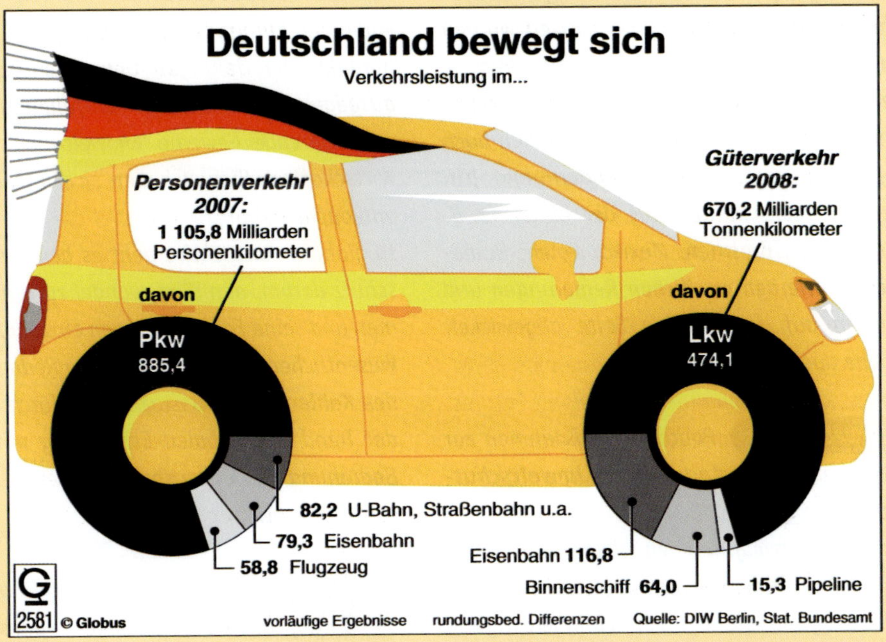

händer übt die Verwaltung im eigenen Namen, aber im Sinne des Treugebers aus. Bei Finanzanlagen sind Treuhänder oft bei Beteiligungsanlagen tätig. Bei der Wiedervereinigung operierte die Treuhandanstalt, die das ehemals staatseigene Vermögen der DDR verwaltete, im eigenen Namen, aber im Auftrag und in Abstimmung mit der Bundesrepublik als dem Rechtsnachfolger der ehemaligen DDR.

Trust siehe **Unternehmenszusammenschlüsse**

U

Überschuldung siehe **Insolvenz**

Überweisung Anweisung eines Kontoinhabers an sein Kreditinstitut, einen bestimmten Betrag vom eigenen Konto abzubuchen und auf das Konto des Zahlungsempfängers zu übertragen.

Überziehen siehe **Kredit**

Ultimo Bank- und börsentechnischer Ausdruck für den letzten Tag eines Monats.

Ultimogeld siehe **Geldmarkt**

Umsatz siehe **Absatz**

Umschuldung Umwandlung von kurzfristigen Krediten in langfristige mit dem Ziel, die aktuelle Belastung eines Kreditnehmers durch Tilgungs- und Zinsverpflichtungen zu mildern. Häufig werden bei Umschuldungen auch tilgungsfreie Perioden eingeschoben. Nach internationalen Schuldenkrisen wurden im Rahmen gemeinsamer Kreditprogramme der Gläubigerstaaten oder Gläubigerbanken Umschuldungen in großem Stil zwischen hoch verschuldeten Entwicklungsländern und früheren Ostblockstaaten auf der einen (z. B. Argentinien, Brasilien, Mexiko, Polen, Rumänien) sowie den westlichen Regierungen und Banken auf der anderen Seite abgewickelt (siehe auch **Moratorium**).

Umweltpolitik Politische Maßnahmen zur Sicherung und Gestaltung des **Umweltschutzes**.
Umweltschutzmaßnahmen zielen zum einen auf die Verringerung von Luftverunreinigungen (Abgase, Staub), von Lärmbelästigung (Baulärm, Fluglärm, Verkehrslärm) und Abfall sowie die Beseitigung von Wasserverunreinigungen ab, zum anderen aber auf die Nachhaltigkeit des Wirtschaftens.
> Instrumente der Umweltpolitik:
- Auflagen, mit denen z. B. Höchstgrenzen für den Schadstoffausstoß festgelegt werden,
- Umweltabgaben, wie z. B. die Abgaben auf die Emission von Kohlendioxyd, um den Ausstoß zu verringern, und
- Subventionen, mit denen Investitionen in den Umweltschutz gefördert werden.

Die Bedeutung des Umweltschutzes für die Wirtschaft als Kostenfaktor wie als Produktionsmöglichkeit ist in den letzten Jahren erheblich gestiegen. Mehr als 5 % der Industriegüterproduktion waren 2007 Umweltschutzgüter, Deutschland hat einen Anteil von 16 % am Handel mit Umweltschutzgütern. Rund 1,8 Millionen Arbeitsplätze sind mittlerweile in Umweltschutzbranchen angesiedelt. In der Bundesrepublik werden mit 35 Milliarden Euro rund 1,5 % des Bruttoinlandsprodukts im Jahr für Umweltschutzzwecke ausgegeben. 20 % davon entfallen auf das produzierende Gewerbe. Umweltnutzung und Wirtschaftswachstum haben sich mittlerweile entkoppelt.
In globaler Perspektive geht es beim Umweltschutz darum, den Klimawandel zu verlangsamen und seine Folgewirkungen einzudämmen. Wesentlicher Aspekt ist dabei die Reduzierung des Kohlendioxid-Ausstoßes, da durch diesen der Trend zur globalen Erwärmung mit einer Bedrohung der Lebensbedingungen verstärkt wird.

Umweltschutz Summe aller Maßnahmen, die darauf abzielen, gesunde Lebensbedingungen zu erhalten oder wieder herzustellen. Hauptgebiete des Umweltschutzes sind die Reinhaltung von Land, Wasser und Luft, der Schutz vor Lärmbelästigung, die Vermeidung, Wiederverwertung und Beseitigung von Abfall sowie die Erhaltung der Natur (z. B. Artenschutz) und der Landschaft. Umweltschutz ist wesentlicher Bestandteil wirtschaftlicher **Nachhaltigkeit**. Siehe auch **Schaubild 85**.

UN Abk. für: United Nations = Vereinte Nationen. Am 26. 6. 1945 mit folgenden Zielen gegründet: Wahrung des Weltfriedens und der internationalen Sicherheit, Entwicklung freundschaftlicher Beziehungen unter den Nationen, Zusammenarbeit bei der Lösung internationaler wirtschaftlicher, sozialer, konjunktureller und humanitärer Aufgaben sowie Durchsetzung der Menschenrechte.
Die Bundesrepublik Deutschland und die DDR wurden 1973 gleichzeitig Mitglied, seit der

85 Marktchancen für Umwelttechnik

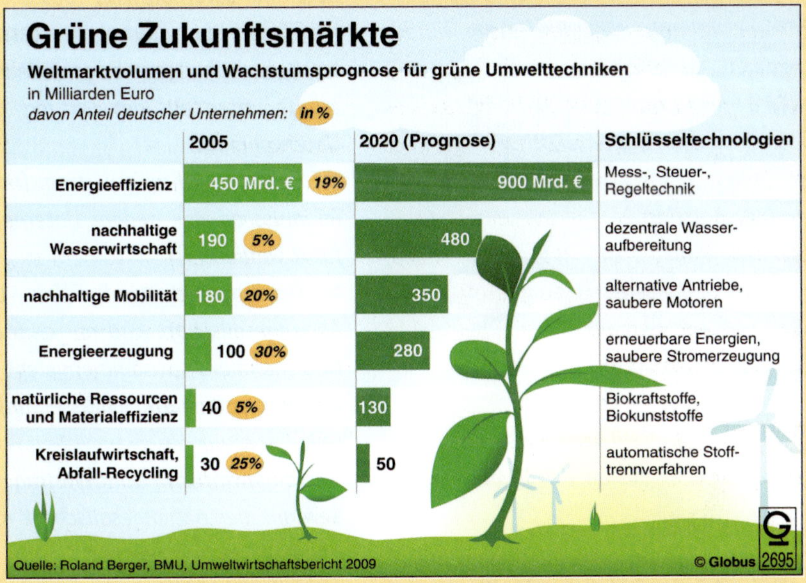

Wiedervereinigung ist Deutschland als Ganzes vertreten. Aktuell sind 192 Staaten Mitglieder. Als derzeit letztes Land wurde 2006 Montenegro aufgenommen. Nichtmitglieder sind u. a. die Schweiz, Taiwan, Nord- und Südkorea. Die UN hat diverse wichtige Unterorganisationen wie die UNCTAD mit dem Ziel der Handelsförderung, die UNESCO (Bildung und Erziehung), die UNEP (Umweltschutz), die UNICEF (Kinder) u. v. m.

Unternehmen *Wirtschaftliche und rechtliche Einheit, in der mehrere Betriebe und Verwaltungen zusammengefasst sein können (betriebswirtschaftlicher Begriff). In der amtlichen Statistik wird ein Unternehmen als die kleinste gesondert bilanzierende, rechtlich selbstständige Wirtschaftseinheit definiert. Verwandte Begriffe sind:*

- *Betrieb: Die Stätte, in der Güter erzeugt oder Dienstleistungen erbracht werden. Der Begriff bezeichnet eine örtlich begrenzte, technisch-organisatorische Einheit. Die amtliche Statistik definiert den Betrieb als die örtlich getrennte Niederlassung eines Unternehmens.*
- *Firma: Der Name eines Unternehmens, z. B. Pfleiderer & Co. (juristischer Begriff).*
- *Fabrik: Die technische Produktionsstätte, üblicherweise nur für industrielle Produktionsweise verwendet.*
- *Werk: Teil eines Unternehmens, in dem bestimmte Güter hergestellt werden (z. B. im Werk Köln werden Ersatzteile hergestellt).*
- *Geschäft: Bezeichnung für einen Handelsbetrieb (z. B. Fachgeschäft, Einzelhandelsgeschäft).*

86 Unternehmens-Hochzeiten

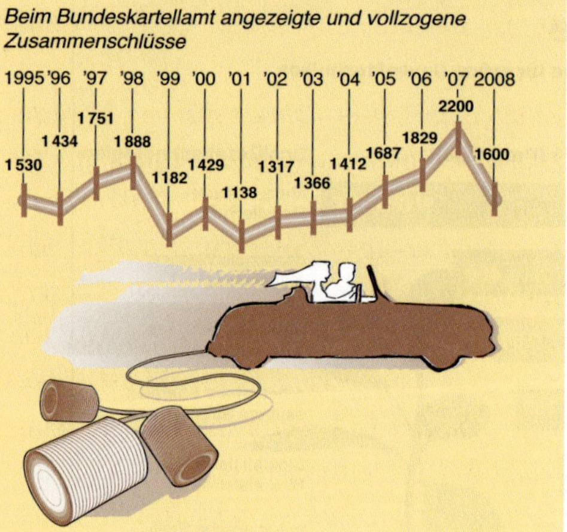

Je nach der Art der Erstellung der Waren und Dienstleistungen unterscheidet man folgende Unternehmensformen:

> Produktionsunternehmen: Betriebe, in denen Erzeugnisse hergestellt werden.

- Handwerksbetriebe
- Industrieunternehmen

> Handelsunternehmen: Betriebe, die Güter an Abnehmer verteilen.

> Verkehrsunternehmen: Betriebe, die Menschen und Güter transportieren.

> Dienstleistungsunternehmen: Betriebe, die keine Güter erstellen, sondern bestimmte Bedürfnisse befriedigen (z. B. Banken, Versicherungen, gewerbliche Wohnungsvermietung, Entsorgungsunternehmen).

> Verwaltungsbetriebe: (z. B. Krankenhäuser, Behörden).

Unternehmensverträge Spezielle, im Aktiengesetz geregelte Verträge als Teil des Konzernrechts, die die Beziehungen zwischen einer **Aktiengesellschaft** und einem anderen Unternehmen regeln, mit dem bereits enge Beteiligungsverhältnisse bestehen. Es gibt fünf Typen von Unternehmensverträgen:

> Beherrschungsvertrag: Die Aktiengesellschaft untersteht der Leitung des anderen Unternehmens.

> Gewinnabführungsvertrag: Der Gewinn der AG muss an das andere Unternehmen abgeführt werden.

> Gewinngemeinschaft: Der Gewinn der Aktiengesellschaft wird mit dem des anderen Unternehmens zusammengelegt und nach einem bestimmten Schlüssel auf beide verteilt.

> Teilgewinnabführungsvertrag: Ein Teil des Gewinns der Aktiengesellschaft muss an den anderen Vertragspartner – das muss nicht unbedingt ein Unternehmen sein – abgeführt werden.

> Betriebspacht- und Betriebsüberlassungsvertrag: Der Betrieb der Aktiengesellschaft wird an den Vertragspartner verpachtet bzw. ihm überlassen.

Siehe auch **verbundene Unternehmen**.

Unternehmenszusammenschlüsse

Vereinigung von Unternehmen auf der Basis vertraglicher Vereinbarungen (**Schaubild 86**). Es gibt folgende Formen von Unternehmenszusammenschlüssen:

> Interessengemeinschaft: Rechtlich selbstständige Unternehmen schließen sich zusammen, um bestimmte Produktionsstätten, Herstellungsverfahren oder Patente gemeinsam zu nutzen. Die Interessengemeinschaft beschränkt die wirtschaftliche Selbstständigkeit der einzelnen Mitgliedsfirmen nur im Bereich der Interessengemeinschaft.

> Kartell: Eine Vereinbarung zwischen rechtlich und wirtschaftlich selbstständig blei-

benden Unternehmen über ein gemeinsames Verhalten in bestimmten Bereichen mit dem Ziel, die Marktchancen der Beteiligten zu verbessern. Kartellvereinbarungen können sich auf verschiedenartige Dinge beziehen, wie z. B. Rationalisierungsmaßnahmen (Rationalisierungskartell), Standardisierung der Erzeugung, Preisabsprachen (Preiskartell) oder Aufteilung der Absatzgebiete (z. B. Exportkartell). Kartelle sind in der Bundesrepublik wegen ihrer den Wettbewerb einschränkenden Wirkungen grundsätzlich verboten. Bestimmte Vereinbarungen können als Ausnahmetatbestände im Einzelfall von der Kartellbehörde, dem Bundeskartellamt, genehmigt werden. Hierzu gehören beispielsweise Vereinbarungen über die Abwicklung des Zahlungsverkehrs zwischen den Banken, der Post und der Deutschen Bundesbank. Einzelheiten regelt das Gesetz gegen Wettbewerbsbeschränkungen (Kartellgesetz).

Ein besonders straff organisiertes Kartell ist das Syndikat, ein Zusammenschluss von Unternehmen, die ihre Produkte nicht selbst, sondern über eine gemeinsame Verkaufsstelle, das Syndikat, anbieten. Syndikate gab es in Deutschland nach 1919 etwa auf dem Gebiet der Kali-, Kohle- und Energiewirtschaft. Damit erlosch in diesen Branchen der Wettbewerb. Nach 1945 wurden die Syndikate aufgelöst.

> *Konzern: die Zusammenfassung rechtlich selbstständiger Unternehmen unter einheitlicher wirtschaftlicher Leitung. Die in einem Konzern zusammengefassten Unternehmen können dabei sehr unterschiedlichen Wirtschaftszweigen angehören und ihren Sitz im Inland wie im Ausland (Multinationale Konzerne) haben. Konzerne entstehen durch die Übernahme von Kapitalbeteiligungen durch die Konzern-Obergesellschaft an dem abhängigen Unternehmen im Rahmen von vertraglichen Abmachungen (Unternehmensverträge). An der Spitze eines Konzerns stehen oft Holdinggesellschaften.*
>
> *Vorstufe zu einem Konzern können einfache Kapitalbeteiligungen ohne Ausübung der Leitungsfunktion an anderen Unternehmen sein (Mutter- und Tochtergesellschaft). Man spricht von einem Trust, wenn ein Konzern eine überragende Marktstellung erreicht, wie z. B. in der Vergangenheit der Öltrust Rockefellers in den USA, der zeitweise den Petroleumhandel fast der ganzen Welt beherrschte.*

> *Pool: ein Zusammenschluss von Unternehmen, die dabei aber rechtlich und wirtschaftlich selbstständig bleiben, mit dem Zweck, gemeinsame Einrichtungen zu nutzen oder gemeinsame Interessen zu verfolgen. Beispielsweise können sich Unternehmen zu einer Gewinngemeinschaft zusammenschließen. Die Gewinne werden zentral gesammelt und nach einem vereinbarten Schlüssel verteilt. Ein anderer Fall ist ein Versicherungspool, bei dem mehrere Versicherer große bzw. besondere Risiken gemeinschaftlich tragen.*

Unternehmer *Allein- oder Miteigentümer eines Unternehmens, der in entscheidender Position und eigenverantwortlich für dieses Unternehmen tätig ist. Dem Unternehmer steht der Gewinn zu, der im Unternehmen erwirtschaftet wird, und er trägt das Verlustrisiko. Zu unterscheiden ist der Unternehmer als Eigentümer vom angestellten Manager, der leitende Funktionen ausübt, ohne Eigentümer zu sein. Als Anreiz für eine erfolgreiche Tätigkeit wird Managern häufig eine Beteiligung an dem von ihnen geführten Unternehmen angeboten.*

Unterstützungskasse siehe **Altersversorgung**

Unze Eine im angelsächsischen Raum gebräuchliche Gewichtseinheit mit 28,35 g. Für Edelmetalle wird als Gewichtseinheit die sog. Troy-Unze mit 31,1035 g verwendet.

Urproduktion siehe **Rohstoffe**

Usance Anderer Ausdruck für Handelsbrauch.

V

Valuta
> Ein Sammelbegriff für fremde Währungen.
> Anderer Ausdruck für Wertstellung.

Verband Zusammenschluss von Personen oder Institutionen mit dem Ziel, gemeinsame Interessen zu fördern. Bei Wirtschaftsverbänden haben sich Unternehmen bestimmter Branchen, Größenordnungen etc. zu Verbänden zusammengeschlossen. Wirtschaftsverbände haben einerseits eine Service-Funktion gegenüber ihren Mitgliedern, zum anderen sind sie deren Interessenvertretung gegenüber der Politik, Behörden oder der Öffentlichkeit. Im Rahmen der Service-Funktion geht es insbesondere um die Bereitstellung von für die Unternehmenstätigkeit relevanten Informationen. Die politische Interessenvertretung bezieht sich v. a. auf Gesetzesvorhaben oder Verordnungen, welche die Tätigkeit der Mitgliedsunternehmen berühren wie etwa Steuergesetzgebung, das Gesellschaftsrecht, das Arbeitsrecht oder die Umweltgesetzgebung. Soweit Verbände beim Bund Gehör finden wollen, können sie sich beim Deutschen Bundestag registrieren lassen. Per März 2009 hatten dies 2062 Verbände getan.
Verbände sind in der Mehrzahl der Fälle private Organisationen. Einige, wie z. B. die Kammern (siehe **Handwerkskammer** und **Industrie- und Handelskammer**), nehmen auch hoheitliche Funktionen wahr. Verbände, die die Unternehmen in ihrer Eigenschaft als Arbeitgeber vertreten und für diese **Tarifverträge** abschließen, werden als Arbeitgeberverbände bezeichnet (siehe **Tarifparteien**).
Verbände, die die Gesamtheit eines Wirtschaftszweiges repräsentieren, werden als Spitzenverbände bezeichnet.

Verbindlichkeiten Die Schulden eines Unternehmens. Sie werden in der **Bilanz** auf der Passivseite ausgewiesen (siehe Jahresabschluss).

Verbrauch siehe **Konsum**

Verbraucherpolitik Zweck des Wirtschaftens ist es, den Bedarf der Bevölkerung an Gütern und Dienstleistungen zu befriedigen. Hierzu gehört, dass der Verbraucher sich bei der Vielfalt des Angebots über Qualität, Preise und Angebotsbedingungen informieren kann. Verbraucherpolitik ist die Gesamtheit der Maßnahmen, die dem Verbraucher eine gleichgewichtige Marktposition gegenüber den Anbietern sichern sollen. Sie wird gerechtfertigt, weil Konsumenten häufig als zu schwach angesehen werden, um ihre Interessen angemessen durchzusetzen. Eine wichtige Rolle in der Verbraucherpolitik spielt neben gesetzlichen Regelungen (siehe **AGB**) die Informa-

tion der Konsumenten. Hier sind vor allem folgende Einrichtungen zu nennen, die sich hauptsächlich damit befassen:

> *Verbraucherzentralen und -beratungsstellen: Vom Staat finanziert geben sie jedem Rat Suchenden Auskunft über Warenangebot, Qualität der Produkte und Preise.*

> *Stiftung Warentest: Dieses 1964 von der Bundesregierung gegründete Institut hat die Aufgabe, vergleichende Waren- und Dienstleistungstests durchzuführen und die Ergebnisse zu veröffentlichen.*

Weitere Einrichtungen der Verbraucherpolitik sind der Verbraucherschutz Bundesverband e.V., der die 16 Verbraucherzentralen der Länder und 25 verbraucherpolitisch tätige Verbände zusammenfasst. Die zunehmende Bedeutung des Verbraucherschutzes wird auch daran deutlich, dass der Verbraucherschutz als Teil der Tätigkeit eines Bundesministeriums genannt wird.

Verbundene Unternehmen *Rechtlich selbstständige Unternehmen, die über Kapitalanteile oder Verträge miteinander verknüpft sind. Man unterscheidet:*

> *in Mehrheitsbesitz stehende Unternehmen bzw. Unternehmen mit Mehrheitsbeteiligung (die Obergesellschaft hat die Mehrheit der Anteile oder der Stimmen);*

> *abhängige und beherrschende Unternehmen (das herrschende Unternehmen kann auf Grund der Höhe seiner Beteiligung oder über* ***Unternehmensverträge*** *unmittelbar Einfluss auf das abhängige Unternehmen ausüben);*

> *Konzernunternehmen (Unternehmen, die unter einer einheitlichen Leitung stehen);*

> *wechselseitig beteiligte Unternehmen (jedem der Unternehmen gehören mehr als 25 % der Anteile am anderen);*

> *Vertragspartner eines Unternehmensvertrages.*

Vermögen *Die Gesamtheit der einer Person, einer Institution oder der Volkswirtschaft gehörenden Sachwerte und finanziellen Guthaben. Vermögen entsteht durch* ***Sparen*** *und Investieren. Wenn eine Privatperson einen Teil ihres Einkommens z. B. in Wertpapieren anlegt oder ein Haus erwirbt, dann bildet sie Vermögen. Die Investition eines Unternehmers in eine Maschine oder eine Produktionshalle zählt ebenfalls zur Bildung von Vermögen. Die Verwendung des staatlichen Budgets für Straßen, Schulen oder Krankenhäuser führt zu Vermögen in Staatsbesitz.*

> *Vermögensarten:*

- *Geldvermögen: finanzielle Guthaben, wie z. B. Bargeld, Sparguthaben, Wertpapiere, Lebensversicherungen,*
- *Haus- und Grundbesitz,*
- *langlebige Gebrauchsgüter: Gegenstände im Privatbesitz, die über eine längere Zeit genutzt werden (z. B. Autos, Haushaltsgeräte),*
- *Produktivvermögen: Besitz von Vermögensgegenständen, die für die volkswirtschaftliche Produktion verwendet werden, z. B. Maschinen, gewerbliche Bauten.*

Die Vermögen der deutschen privaten Haushalte von rund 10,7 Billionen Euro in 2006 setzten sich zu 48,2 % aus Sachvermögen, zu 42,2 % aus Geldvermögen und zu 9,6 % aus Gebrauchsgütern zusammen.

Bei Unternehmen unterscheidet man Anlagevermögen und Umlaufvermögen (siehe ***Jahresabschluss****).*

Vermögensbildung *Anderer Ausdruck für Sparen in langfristigem Geldvermögen. Die*

87 Vermögensverteilung in Deutschland

*Vermögensbildung bei breiten Bevölkerungsschichten ist gesamtwirtschaftlich und sozialpolitisch gewollt. Deshalb wird sie in der Bundesrepublik seit langem gefördert. In den letzten Jahrzehnten haben breite Bevölkerungsschichten in der Bundesrepublik beachtliche Vermögensbestände bilden können (**Schaubild 87**). Das Schwergewicht der Vermögensbildungspolitik liegt jetzt darauf, Vermögensbildung als Beitrag zu sozialer Sicherheit und zur Bildung von langfristigem Kapital für die Wirtschaft zu fördern.*

Das seit 1999 geltende Vermögensbildungsgesetz sieht eine Sparzulage in Höhe von 18 % für Geldanlagen in Beteiligungen (Aktien, Aktienfonds, Mitarbeiterbeteiligungen) vor (jährlicher Höchstbetrag der Beteiligung 400 Euro; Einkommensgrenze 17 900 Euro für Alleinstehende). Das Bausparen wird bis zu einem Höchstbetrag von 470 Euro mit einer Sparzulage in Höhe von 8,8 % gefördert (Einkommensgrenze 25 600 Euro für Alleinstehende).

Vermögensverteilung *Einkommen und Vermögen sind nicht gleichmäßig verteilt. Eine gewisse Verteilungsungleichheit lässt sich nicht nur nicht vermeiden; sie ist auch Antriebsmotor für die wirtschaftliche Entwicklung. Allerdings sollen krasse Ungleichheiten vermieden werden, da diese den wirtschaftlichen und sozialen Fortschritt wegen des Eindrucks fehlender Chancen verlangsamen. Die Sicherung eines ausgewogenen Kräfteverhältnisses zwischen Gewerkschaften und Arbeitgebern ist Voraussetzung dafür, dass sich* die Unterschiede in der Einkommensentwicklung und der **Vermögens**verteilung in einem Rahmen halten, der von der Bevölkerung als akzeptabel angesehen wird und zugleich die Bedingungen für weiteres Wachstum sichert.

Einige Kennzahlen zur Vermögensstruktur: Das Gesamtvermögen der privaten Haushalte in Deutschland belief sich Ende 2006 auf etwa 10,7 Billionen Euro brutto bzw. ca. 9,2 Billionen Euro netto (nach Abzug von Verbindlichkeiten). Davon entfielen 5,2 Billionen Euro auf Sachvermögen, 4,5 Billionen auf Geldvermögen und etwas mehr als 1 Billion auf langlebige Gebrauchsgüter. Durchschnittlich verfügten die Personen in deutschen Haushalten Ende 2007 über ein durchschnittliches Nettogesamtvermögen von rund 88 000 Euro. Allerdings zeigt eine Studie des DIW, dass ein Anteil von 27 % der Bevölkerung über kein Vermögen verfügt bzw. verschuldet ist (**Schaubild 87**).

Verrechnungspreise **Preise**, mit denen Lieferungen und Leistungen, die innerhalb eines Betriebes oder in einem Konzern (siehe **Unternehmenszusammenschlüsse**) erfolgen, berechnet werden. Die Verrechnungspreise können von den Marktpreisen abweichen.

Versicherung Ein Vertrag, mit dem sich der Versicherer gegenüber dem Versicherten verpflichtet, gegen Zahlung von Prämien (laufende Beiträge zur Versicherung) bei Eintritt des Versicherungsfalles (z. B. Einbruch, Diebstahl) eine bestimmte, vertraglich vereinbarte Leistung (z. B. Erstattung des Kaufpreises des gestohlenen Eigentums) zu leisten.

Versicherungen dienen dem Zweck, sich gegen finanzielle Gefahren und Risiken abzusichern. Die Vielzahl von Versicherungen, die es gibt, lassen sich allgemein den Gruppen Sozialversicherung und Individualversicherung zuordnen.

> Die Sozialversicherung ist der wichtigste Teil der sozialen Sicherung und damit ein Eckpfeiler der Sozialen Marktwirtschaft. Sie ist eine Pflichtversicherung, der die meisten Berufstätigen, vor allem soweit sie abhängig Beschäftigte sind, angehören. Die Sozialversicherung bietet in gesetzlich (Sozialgesetzbuch) festgelegtem Rahmen Vorsorge gegen die finanziellen Risiken durch Krankheit, beruflich bedingte Unfälle, Pflegebedürftigkeit, Arbeitslosigkeit sowie durch Erwerbsunfähigkeit und Alter. Der Umfang des gesetzlichen Versicherungsschutzes bei der Unfall-, der Krankenversicherung und der Pflegeversicherung ist für alle Versicherten annähernd gleich. Auch bei den Beiträgen gelten seit 1. 1. 2009 in der gesetzlichen Krankenversicherung einheitliche Beitragssätze von 15,5 %. Die Leistungen der Renten- und der Arbeitslosenversicherung (siehe Arbeitsmarktpolitik) richten sich nach der Höhe der geleisteten Beiträge bzw. des die Beiträge bestimmenden vorherigen Einkommens des Versicherten.

Die Beiträge zur gesetzlichen Renten- (19,9 %), Arbeitslosen- (2,8 %) und **Pflegeversicherung** (1,95 %; Kinderlose + 0,25 %) werden je zur Hälfte von Arbeitnehmern und Arbeitgebern bezahlt. In der Krankenversicherung bezahlen die Arbeitgeber 7,3 %, die Versicherten 8,2 % der Bemessungsgrundlage des Beitrags von einheitlich 15,5 %. Die gesetzliche Unfallversicherung wird nur von den Arbeitgebern bezahlt. Die Arbeitgeberbeiträge zur Sozialversicherung sind Teil der gesetzlich geregelten Lohnnebenkosten der Unternehmen.

88 Rundum versichert?

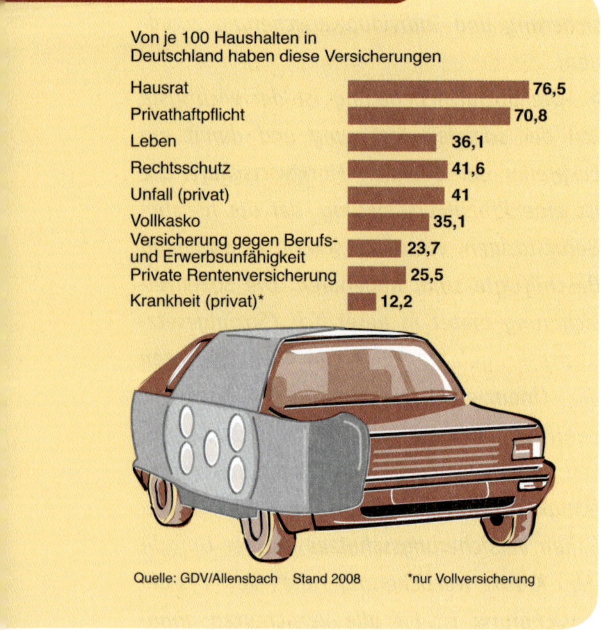

Träger der einzelnen Zweige der Sozialversicherung sind:

- *die Bundesagentur für Arbeit und die Arbeitsagenturen (Arbeitslosenversicherung),*
- *die Deutsche Rentenversicherung (Rentenversicherung),*
- *die gesetzlichen Krankenversicherungen (Allgemeine Ortskrankenkassen, Ersatzkassen, Innungskassen, Betriebskrankenkassen),*
- *die Berufsgenossenschaften (Unfallversicherung), die sich neben der reinen Versicherungsleistung auch aktiv um die Verhinderung von Arbeitsunfällen und Berufskrankheiten bemühen.*

> Die Individualversicherung, auch Assekuranz oder Privatversicherung genannt, bietet die Möglichkeit, sich gegen fast alle Risikofälle des Lebens wie etwa Schäden am Hausrat oder Inanspruchnahme durch Dritte zu versichern. Die Individualversicherung ist in der Regel eine freiwillige Gefahrengemeinschaft. Die vom Versicherungsnehmer zu zahlende Prämie richtet sich nach Art und Größe des persönlichen Risikos, das versichert werden soll, bzw. der Zuordnung zu einer Risikogruppe wie etwa in der Kraftfahrzeugversicherung. Bei der Individualversicherung unterscheidet man zwischen:

- *Sachversicherungen, mit denen Schäden an bzw. der Verlust von Sachen versichert werden (z. B. Hausratversicherung, Reisegepäckversicherung),*
- *Personenversicherungen, die bei Personenschäden bzw. Todesfällen eintreten (z. B. Lebens-, Berufsunfähigkeits-, Unfallversicherung),*
- *Vermögensversicherungen, die gegen Vermögensschäden versichern (z. B. Haftpflichtversicherung, Rechtsschutzversicherung).*

*Die Einwohner der Bundesrepublik sind insgesamt sehr umfassend versichert (**Schaubild 88**). Die mit Abstand höchsten Beiträge wenden sie für die Lebensversicherung auf. Dies, weil Selbstständige für ihre Altersversorgung nicht auf die gesetzliche Rentenversicherung zurückgreifen können, sondern sich privat versichern müssen (siehe auch **Schaubild 5, Seite 10**). Außerdem möchten viele Versicherungsnehmer die Leistung der gesetzlichen Rentenversicherung durch die einer Kapital- oder Risikolebensversicherung ergänzen.*

Um das Risiko für das einzelne Versicherungsunternehmen (Erstversicherer) aus den eingegangenen Verpflichtungen tragfähig zu halten, überträgt es einen Teil der Risiken gegen Prämienzahlung auf so genannte Rückversicherungsgesellschaften. Das geschieht vor allem bei besonders großen Risiken, etwa

Schäden durch Naturkatastrophen oder bei Unfällen von Öltankern, Bohrinseln, Flugzeugen u. ä. So verursachte der Hurrikan Katarina 2005 Schäden von 125 Mrd. US-Dollar, von denen die Versicherungswirtschaft 45 Mrd. US-Dollar zu tragen hatte. Erst durch diese Verteilung der Risiken auf die gesamte Branche mit Hilfe der Rückversicherungen können solche Großschäden aufgefangen werden.

Verstaatlichung *siehe* ***Sozialisierung***

Versteigerung *Eine Form des Verkaufs, bei dem eine Ware mehreren Interessenten gleichzeitig angeboten wird. Den Zuschlag erhält derjenige, der den höchsten Preis zahlt. Versteigerungen, bei denen Gegenstände freiwillig versteigert werden, heißen auch Auktionen. Eine Versteigerung auf Grund gesetzlicher Vorschriften (Versteigerung von Pfandgegenständen, z. B. Mobiliar, Häuser) wird Zwangsversteigerung genannt.*

Vertrag *Eine Übereinkunft zwischen Parteien, bestimmte Sachverhalte zu verwirklichen. Ein Vertrag kommt zustande durch übereinstimmende Willenserklärungen (Angebot und die Annahme dieses Angebots). Verträge können mündlich und schriftlich und auch zwischen mehr als zwei Parteien abgeschlossen werden. Bedeutsame Vertragsformen des Alltagslebens sind der Kaufvertrag, der Arbeitsvertrag, der Mietvertrag und der Kreditvertrag.*

Volkseinkommen *siehe* ***Inlandsprodukt***

Volkswirtschaftliche Gesamtrechnungen
Die zahlenmäßige Erfassung der Einkommens- und Güterströme in einer Volkswirtschaft einer Periode (meist ein Jahr). In der Volkswirtschaftlichen Gesamtrechnung wird u. a. die Entstehung, Verteilung und Verwendung des Bruttoinlandsprodukts dargestellt. Das Rechenschema der Volkswirtschaftlichen Gesamtrechnung wird auch für Analysen und Prognosen verwendet. Es vermittelt auch wichtige Kennzahlen etwa zum Vergleich der Leistungsfähigkeit von Volkswirtschaften.

Vollbeschäftigung *Vollbeschäftigung meint einerseits einen wirtschaftlichen Zustand optimalen Wachstums mit Auslastung der Produktionsverfahren, andererseits eine Situation auf dem* ***Arbeitsmarkt*** *bei dem jeder, der eine Beschäftigung sucht, auch eine findet. Rechnerisch ist Vollbeschäftigung dann gegeben, wenn die Zahl der verfügbaren Arbeitsplätze der Zahl der Arbeit suchenden Personen entspricht. Von Vollbeschäftigung wird jedoch häufig schon dann gesprochen, wenn die Arbeitslosenquote (siehe* ***Arbeitslosigkeit****) eine bestimmte Schwelle nicht überschreitet, da eine gewisse Arbeitslosenquote wegen der üblichen Fluktuation als „natürlich" angesehen wird. Für Deutschland sah man früher eine Quote von 1 % als Vollbeschäftigungszustand an, in den USA lag diese Schwelle bei 5 %. Im Februar 2009 wurde für Deutschland eine Arbeitslosenquote von 8,4 % festgestellt, für die USA wurde mit 8,1 % der höchste Wert seit 25 Jahren registriert.*

Volljährigkeit *Mit dem Eintritt der Volljährigkeit erwirbt eine natürliche Person die volle* ***Geschäftsfähigkeit****. Sie kann dann voll verantwortlich Rechtsgeschäfte abschließen (vgl.* ***Schaubild 89****). Volljährig wird man in der Bundesrepublik mit Vollendung des 18. Lebensjahres.*

89 Rechte und Pflichten bei Volljährigkeit

Rechte
- Selbständig Verträge schließen
- Freie Wahl von Beruf, Arbeitsplatz und Aufenthaltsort
- Freie Verfügung über das eigene Vermögen
- Ehemündigkeit
- Aktives politisches Wahlrecht

Pflichten
- Erfüllen eingegangener Vertragsverpflichtungen z. B. aus Arbeitsverträgen
- Verpflichtung für den eigenen Unterhalt und den der eigenen Familie aufzukommen
- Haftung für Kredite, Wechsel und Scheckgeschäfte
- Übernahme gesellschaftlicher Pflichten wie z. B. Wehrpflicht

Vollmacht *Das Recht, einen Vollmachtgeber in geschäftlichen Angelegenheiten zu vertreten. Die Person, der eine Vollmacht gegeben wird, heißt Bevollmächtigter. Im Wirtschaftsleben unterscheidet man:*

> *Handlungsvollmacht: Sie ermächtigt den Bevollmächtigten zu allen Geschäften, die im Handelsgewerbe üblich sind, mit Ausnahme von Grundstücksgeschäften, Wechselzeichnung, Darlehensaufnahme und Prozessführung.*

> *Prokura: Vollmacht zu allen Arten von gerichtlichen und außergerichtlichen Geschäften und Rechtshandlungen, die der Betrieb eines Handelsgewerbes mit sich bringt. Lediglich zur Veräußerung und Belastung von Grundstücken bedarf der Prokurist einer besonderen Ermächtigung.*

> *Einzelvollmacht oder Gesamtvollmacht: Vollmacht für eine oder mehrere Personen gemeinsam.*

Vollständige Konkurrenz siehe **Markt**

Vorgabezeit siehe **Lohn**

Vorleistung siehe **Sozialprodukt**

Vorstand siehe **Aktiengesellschaft**

W

Wachstum *Die Zunahme der gesamten Leistung (Produktion) einer Volkswirtschaft, üblicherweise gemessen an der Veränderungsrate des realen (von Preissteigerungen bereinigten) Bruttoinlandsprodukts (siehe unter* ***Inlandsprodukt****).*
Der Wunsch der Menschen nach Wohlstand, sicherem und steigendem Einkommen kann nur bei anhaltendem wirtschaftlichem Wachstum befriedigt werden. Wirtschaftswachstum kann rein quantitativ betrachtet werden als mengenmäßiges Wachstum, bei qualitativer Betrachtung werden auch Zusammensetzung und die Art der Entstehung des Bruttoinlandsprodukts einbezogen. Die Lösung von sozialen Problemen, wie z. B. die Ernährung der wachsenden Weltbevölkerung oder die Sicherung einer lebenswerten Umwelt, setzen dauerhaftes Wachstum voraus, das dem Aspekt der ***Nachhaltigkeit*** *gerecht werden sollte. In Deutschland ist angemessenes und stetiges Wachstum eines der Ziele der* ***Wirtschaftspolitik****.*

Währung Bezeichnung für das gesetzliche Zahlungsmittel eines Staates.

Währungsordnung Die gesetzliche Ordnung des Geldwesens eines Staates, auch als Geldordnung bezeichnet. Sie umfasst die Regelung des Geldwesens, des Zahlungsverkehrs im Inland und mit dem Ausland sowie die Organisation der internationalen Währungsbeziehungen (internationale Währungsordnung).
Für Deutschland als Mitglied der **Europäischen Wirtschafts- und Währungsunion** gilt die Währungsordnung des Euroraumes, die durch den EU-Vertrag geregelt wird. Dort ist der Euro als die Währung des Euro-Währungsgebietes sowie das Europäische System der Zentralbanken als die zuständige Behörde für das Geldwesen bestimmt.
Im internationalen Rahmen gab es vom Ende des Zweiten Weltkriegs bis 1973 mit dem **Bretton-Woods-System** eine relativ fest gefügte weltweite Währungsordnung. Seit der zunehmenden Globalisierung ab etwa 1990 sind einige Währungen im Welthandel von großer Bedeutung (siehe **Reservewährung**)

Währungspolitik Die Gesamtheit der staatlichen Maßnahmen, die sich mit der Währung befassen. Dieser Begriff wird häufig nur für solche Maßnahmen verwendet, die sich auf die Gestaltung der Außenbeziehungen eines Landes im Bereich der Währung beziehen, zur Abgrenzung gegenüber der Geldpolitik, die sich mit der Geldversorgung in einem Land befasst. Gegenstand der internationalen Währungspolitik sind die Gestaltung der Wechselkursregeln für die eigene Währung sowie Bestimmungen über grenzüberschreitende Geld- und Kapitalbewegungen.

Währungsreform Die Neuordnung des Geldwesens in einem Land. Sie wird meistens dann notwendig, wenn Wirtschaft und Währung etwa durch Überschuldung zerrüttet sind und ein Teil des Geldbestands abgeschöpft werden muss. Eine echte Währungsreform ist aber nicht nur der Austausch des gesetzlichen Zahlungsmittels, sondern sie muss mit grundlegenden wirtschaftspolitischen Reformmaßnahmen zur Ursachenbekämpfung einhergehen.
Währungsreformen bedeuten meist eine massive Vernichtung von Ersparnissen; sie bevorteilen die Inhaber von Sachvermögen und Schuldner, schaden Sparern und Gläubigern. Ziel ist, das Verhältnis von umlaufender Geldmenge und Produktionsmöglichkeiten so zu gestalten, dass die neue Währung möglichst stabil bleibt und die Geldfunktionen wirkungsvoll ausüben kann.
Deutschland hat im vergangenen Jahrhundert zwei Währungsreformen erlebt, den Ersatz der Mark des Kaiserreiches durch die **Rentenmark** nach der großen Inflation von 1923 und die Einführung der DM am 20. 6. 1948, die die **Reichsmark** ablöste, die nach dem Zweiten Weltkrieg ihre Funktion als Währung praktisch verloren hatte.
Die 2007 ausgebrochene Finanzkrise, die fast zum Staatsbankrott in Island geführt hat, hat in einigen europäischen Ländern Diskussionen und Befürchtungen über eine Währungsreform aufkommen lassen. Allerdings steht zu erwarten, dass sowohl die Europäische Union wie auch das **ESZB** die zu einer Stabilisierung notwendigen Schritte unternehmen.

Währungsreserven International handelbare Vermögensgegenstände und Forderun-

gen, die bei einer Notenbank gehalten werden. Sie setzen sich zusammen aus:

> *den Beständen an **Gold**,*
> *den **Devisen**beständen und*
> *den Guthaben eines Landes beim Internationalen Währungsfonds.*

*Die Währungsreserven dienen hauptsächlich zur Sicherung der internationalen Zahlungsfähigkeit eines Landes. Sie werden darüber hinaus für **Interventionen** an den Devisenmärkten benutzt (siehe **Schaubild 73**).*

Wall Street *Eine Straße in New York (Manhattan), in der sich die bekannteste Börse der Welt, die New York Stock Exchange (NYSE), befindet. Wall Street ist zugleich Ausdruck für das Bankenviertel New Yorks und wird auch als Synonym für die amerikanische Finanzwelt als Ganzes benutzt.*

Warenzeichen *siehe **Markenartikel***

Wechsel *Schriftliche Anweisung in gesetzlich geregelter Form seitens des Ausstellers des Wechsels an eine andere Person oder ein anderes Unternehmen (den Bezogenen), mit der dieser verpflichtet wird, an einem bestimmten Tag und an einem festgelegten Ort eine festgelegte Geldsumme an den Aussteller selbst oder an einen Dritten zu bezahlen (siehe **Abbildung**).*

Der Wechsel wird heute fast ausschließlich im kaufmännisch-gewerblichen Bereich verwendet. Der Vorgang läuft dabei nach folgendem Schema ab: Ein Kaufmann kauft von einer anderen Fabrik Fahrräder. Der Fahrradhersteller stellt einen Wechsel auf den Kaufmann aus, der zu einem späteren Zeitpunkt (z. B. nach 90 Tagen) fällig wird. Der Kaufmann unterschreibt den Wechsel und verpflichtet sich durch diese Unterschrift (Akzept), die Wechselsumme am Fälligkeitstag zu bezahlen. Ein Wechsel muss bestimmte gesetzlich vorgeschriebene Formvorschriften erfüllen.

> *Folgende Angaben sind unbedingt erforderlich:*

- *Ausdrückliche Anweisung, eine bestimmte Geldsumme zu zahlen,*
- *Bezeichnung „Wechsel" im Text der Urkunde,*
- *Fälligkeitstag,*
- *Name desjenigen, an den gezahlt werden soll (Remittent); durch Einsetzen der Worte „meine/unsere Order" u. a. kann dies vermieden werden; dies geschieht meist dann, wenn bei Ausstellung noch nicht bekannt ist, an wen der Wechsel weitergegeben wird,*
- *Ausstellungsort und Ausstellungsdatum,*
- *Name und Adresse des Bezogenen,*
- *Angabe des Zahlungsorts,*
- *eigenhändige Unterschrift des Ausstellers.*

*Wechsel sind gleichzeitig Zahlungsmittel und **Kredit**. In unserem Beispiel kann der Fahrradhersteller mit dem Wechsel andere Rechnungen bezahlen oder den Wechsel einem Kreditinstitut einreichen, das ihm hierfür einen Kredit gewährt (Diskontieren).*

Wird vom Bezogenen am Fälligkeitstag der Wechsel nicht eingelöst, muss dies i. d. R. durch den Notar amtlich beurkundet werden. Diesen Vorgang bezeichnet man als Wechselprotest. Säumige Wechselschuldner müssen in einem besonderen Wechselprozess mit einer beschleunigten Verurteilung rechnen.

*Wird der Wechsel an einen Dritten weitergegeben, so hat dieser auf der Rückseite sein Indossament (siehe **Orderpapiere**) anzubringen. Hierzu genügt die Unterschrift (Blankoindossament). Es wird jedoch üblicherweise* *die Formulierung „Für mich (uns) an die Order der Bank (Firma)" gebraucht, der Stempel und Unterschrift folgen.*

> *Es gibt folgende Arten von Wechseln:*

- *Solawechsel: Wechsel, in dem sich der Aussteller selbst zur Zahlung an den Wechselnehmer oder dessen Order verpflichtet.*
- *Gezogener Wechsel: Der Aussteller weist den Bezogenen an, eine festgelegte Summe an einen Dritten oder dessen Order zu zahlen. Solange der Bezogene noch nicht unterschrieben hat, nennt man das Papier Tratte, nach der Unterschrift wird es auch Akzept genannt.*
- *Handelswechsel: Wechsel, dem eine Warenlieferung zu Grunde liegt.*
- *Finanzwechsel: Wechsel, dem kein Warengeschäft zu Grunde liegt, sondern der ausschließlich der Geldbeschaffung dient. Finanzwechsel werden von der Bundesbank nicht diskontiert (Ausnahme: Bankakzepte).*

Wechselkurs *Austauschverhältnis zweier* ***Währungen*** *oder auch der Preis, der beim Kauf ausländischer Zahlungsmittel in heimischer Währung zu zahlen ist bzw. beim Verkauf gezahlt wird. Wenn der Preis der heimischen Währung gegenüber einer anderen steigt, spricht man von Aufwertung. Dann erhält der inländische Käufer für eine Einheit seiner Heimatwährung mehr ausländische Währungseinheiten als zuvor. Den umgekehrten Vorgang, also die Verringerung des Wertes der heimischen Währung gegenüber einer anderen, nennt man Abwertung. Siehe auch* ***Schaubild 90****.*

Wechselkurssystem *Allgemeiner Ausdruck für die Regelungen, unter denen Wechselkurse zwischen den Währungen der beteiligten Länder zu Stande kommen. Man unterscheidet verschiedene Arten von Wechselkurssystemen:*

> *Floating oder flexible Wechselkurse: Die Wechselkurse werden ausschließlich durch Angebot und Nachfrage an den Devisenmärkten ermittelt. Es besteht keine Verpflichtung für eine Notenbank, in die Kursbildung einzugreifen (zu intervenieren). In der Praxis intervenieren die Zentralbanken jedoch auch bei flexiblen Wechselkursen, z. T. um extreme Wechselkursausschläge zu mildern bzw. um*

Ort, Tag, Monat und Jahr der Ausstellung (Monat in Buchstaben, Jahr mit Jahrhundertangabe)
Althausen, den 1. April 2005

LZB-Ortsnr.	Zahlungsort	Verfalltag
44/21	Neuhausen	1.7.2005

Vermerke in diesen Spalten sind nur für Kreditinstitute bestimmt. Sie gehören nicht zum Wechseltext.

Gegen diesen **Wechsel** – erste Ausfertigung – zahlen Sie am 1. Juli 2005
Tag, Monat und Jahr der Fälligkeit (Monat in Buchstaben, Jahr mit Jahrhundertangabe)

an meine Order — EUR 10.945,70
Name des Zahlungsempfängers oder dessen Order — Betrag in Ziffern

EURO zehntausendneunhundertfünfundvierzig------------ Cent wie oben
Betrag in Buchstaben

Bezogener Fritz Kaufmann
Einrichtungshaus
in Hauptstraße 28, 90364 Neuhausen
Straße, Postleitzahl und Ort (genaue Anschrift)

Angenommen

Alfred Lieferant
Möbelfabrik
Neue Straße 198
99778 Althausen

Zahlbar in Neuhausen — 123 456 78
Zahlungsort — BLZ
bei Bank in Neuhausen — 0000234515
Name des Kreditinstituts — z. L. Konto Nr.

Genaue Anschrift des Ausstellers
Unmittelbar unterhalb der Anschrift: Unterschrift des Ausstellers

Bank-Verlag Köln 45.904 (01/99)

90 Wechselkurse

Der Wechselkurs ist das Umtauschverhältnis zwischen verschiedenen Währungen.

Feste Wechselkurse:

Bei festen Wechselkursen garantiert die Notenbank die Einlösung der eigenen Währung gegen andere Währungen (z. B. gegen eine „Leitwährung" wie den US-Dollar) zu einem festgelegten Kurs.

Freie Wechselkurse:

Der Kurs der Währung bildet sich frei an den Devisenmärkten nach Angebot und Nachfrage.

Die Wirkung von Wechselkursänderungen:

Sinkender Kurs gegenüber anderen Währungen:

Exporteinnahmen steigen. Konkurrenzfähigkeit auf dem Weltmarkt steigt.

Für Importe muss mehr bezahlt werden.

Steigender Kurs gegenüber anderen Währungen:

Exporteinnahmen sinken. Konkurrenzfähigkeit auf dem Weltmarkt wird schlechter.

Für Importe muss weniger bezahlt werden.

die Kursbildung in eine gewünschte Richtung zu beeinflussen („schmutziges Floaten"). Zu den Währungen, deren Wechselkurse frei schwanken, gehören US-Dollar, Euro, Schweizer Franken, britisches Pfund und Yen.

> *Systeme fester Wechselkurse: Der Wechselkurs der heimischen Währung wird an den Kurs einer anderen Währung, eines Währungskorbes oder den Preis von Gold gebunden. Beim* ***Bretton-Woods-System*** *handelte es sich um ein weltweites System fester Wechselkurse, bei dem der US-Dollar die* ***Leitwährung*** *war. Aktuell gibt es lediglich regionale Währungsvereinbarungen mit festen Paritäten, wie z. B. das Europäische Währungssystem II (siehe* ***Europäische Währungspolitik****).*

Weltbank *Internationale Organisation zur Finanzierung und Unterstützung von Projekten in Entwicklungsländern. Sie wurde 1944 zusammen mit dem IWF gegründet und hat ihren Sitz in Washington. Die Bundesrepublik trat 1952 als Mitglied bei. Ende 2008 gehörten der Weltbank 185 Staaten an, die auch das Kapital halten.*

*Die Weltbank hat mehrere Tochterorganisationen, die spezielle Aufgaben in der Entwicklungshilfefinanzierung übernehmen (****Schaubild 91****). Dies sind:*

> *International Development Association (IDA). Sie hat die Aufgabe, Wirtschaftsprojekte in den ärmsten Entwicklungsländern zu finanzieren. Sie vergibt Kredite zu günstigeren Bedingungen als die Weltbank.*

> *International Finance Corporation (IFC). Sie fördert privatwirtschaftliche Investitionen in den Entwicklungsländern.*

> *Multilateral International Guarantee Agency (MIGA). Sie vergibt Garantien für Entwicklungshilfeprojekte.*

91 Die Bretton-Woods-Institute

Sitz in Washington

WELT-BANK	IDA	IFC	MIGA	ICSID	IWF
Unter gemeinsamem Präsidium					
Internationale Bank für Wiederaufbau und Entwicklung	Internationale Entwicklungs-organisation	Internationale Finanz-Corporation	Multilaterale Investitions-garantie-Agentur	Internationales Zentrum für die Regelung von Investitions-möglichkeiten	Internationaler Währungs-fonds
Kredite an Entwicklungs-länder für wichtige Entwicklungs-vorhaben	Zinslose langfristige Kredite an die ärmsten Entwicklungs-länder	Investitions-hilfen für private Projekte in Entwicklungs-ländern	Investitions-garantie-programm für Direkt-investitionen in Entwick-lungsländern		Überwachung der Währungspolitik, Kredite bei vorübergehenden oder strukturellen Zahlungs-bilanz-schwierig-keiten
Mitgliedsländer					
185	168	179	170	143	

> *International Centre for the Settlement of Investment Disputes. Unterstützung ausländischer Direktinvestitionen durch Bereitstellung von Schlichtungseinrichtungen im Fall von Streitigkeiten.*

Welthandelsorganisation (WTO)

Im Oktober 1947 wurde das Allgemeine Zoll- und Handelsabkommen (General Agreement on Tariffs and Trade – GATT) gegründet. Gründungsmitglieder waren 23 Staaten. Es wurde zunächst als provisorisches Handelsabkommen geschaffen. Dem GATT gehörten Ende 1994 125 Staaten an.

Ziel des GATT war die Liberalisierung des Welthandels, insbesondere der weltweite Abbau von Zöllen und Handelsschranken sowie die Beseitigung und künftige Vermeidung von Diskriminierung im internationalen Handel. Ein wichtiges Instrument war die Meistbegünstigungsklausel für alle dem GATT angeschlossenen Länder. Diese Klausel besagt, dass ein Land jede Erleichterung bei der Einfuhr von Waren, die es einem Mitgliedsland gewährt, auch allen anderen GATT-Mitgliedern zugestehen muss. Ausgenommen hiervon sind Zollzugeständnisse, die im Rahmen von Freihandelszonen oder Zollunionen vereinbart worden sind, sowie Zollpräferenzen zu Gunsten von Entwicklungsländern.

Ein Erfolg des GATT war, dass Zölle weitgehend abgebaut werden konnten. Viele Länder ersetzten sie aber durch (siehe ***Protektionismus****) so genannte „nichttarifäre Handelshemmnisse". Das sind Einschränkungen des Handelsverkehrs, die zwar nicht formal, wohl aber dem Geist des GATT-Abkommens widersprachen. Hierzu gehören Subventionen, Anforderungen an Produktstandards, die hauptsächlich von der heimischen Wirtschaft* erfüllt werden können, Verbraucherschutzvorschriften und Selbstbeschränkungsabkommen (eine Verpflichtung des Exportlandes, nicht mehr als ein bestimmtes Kontingent zu liefern).

1995 wurde das GATT aufgelöst und durch die Welthandelsorganisation (WTO) abgelöst. Sie ist der neue gemeinsame Rahmen für die Welthandelsordnung. Sie ist mit eigener Rechtspersönlichkeit ausgestattet. Gegenüber dem GATT hat sie umfassendere Kompetenzen. Sie ist offizielles Organ zur Überprüfung der Handelspolitiken der Mitgliedsländer und für die Schlichtung von Streitigkeiten im Bereich der Außenhandelspolitik zuständig. Ferner wurde der Gedanke des Freihandels auch auf Teile des Dienstleistungshandels (u. a. Finanzdienstleistungen, Transporte, Telekommunikation) und den Schutz geistiger Eigentumsrechte ausgeweitet. Auf diesen Gebieten stehen die Liberalisierung und die weltweit einheitliche Beachtung von Regeln allerdings erst am Anfang. Der WTO gehörten 2008 153 Länder an.

92 Werbe-Konjunktur

Weltwirtschaft Die Gesamtheit der internationalen Wirtschaftsbeziehungen. Seit Ende des Zweiten Weltkrieges hat sich das Volumen des grenzüberschreitenden Waren-, Dienstleistungs- und Kapitalverkehrs beträchtlich vermehrt. Die weltweite Arbeitsteilung hat entscheidend zu verstärktem Wirtschaftswachstum beigetragen. Mit der Globalisierung sind mittlerweile alle Länder der Erde in den Wirtschaftsablauf eingegliedert. Schwellenländer wie etwa China, Indien oder Brasilien u. v. m. haben einen positiven Wachstumspfad eingeschlagen. Allerdings bleibt noch viel zu tun: Nach Angaben der **Weltbank** leben 2,8 Mrd. Menschen täglich von weniger als 2 US-Dollar, 1,2 Mrd. Menschen von weniger als 1 US-Dollar.

Weltwirtschaftskrise Bezeichnung für eine Wirtschaftskrise, die die meisten Länder der Welt erfasst.

> Bekanntestes Beispiel ist die Weltwirtschaftskrise zwischen 1929 und 1932 mit Firmenzusammenbrüchen, Massenarbeitslosigkeit, fallenden Löhnen und Preisen. Die Ursache hierfür wird häufig einseitig überwiegend dem Börsenkrach von 1929 zugeschrieben. Im Wesentlichen handelte es sich um eine Kombination aus konjunktureller Abschwächung, Zusammenbruch einer Spekulationsblase am Aktienmarkt, Reparationen, geld- und währungspolitischem Fehlverhalten (Abwertungswettläufe, Devisenbewirtschaftung) und vor allem einem weltweiten Handelsprotektionismus.

> Im Frühjahr 2009 gibt es Anzeichen dafür, dass die 2007 ausgebrochene Finanzkrise, die

mit dem Platzen einer Spekulationsblase am amerikanischen Immobilienmarkt begonnen hatte, sich ausweitet. Im März 2009 warnt die ***Weltbank*** *vor einer globalen Rezession in 2009: Erstmals seit dem Zweiten Weltkrieg dürfte das Wirtschaftswachstum weltweit negativ sein, die globale Industrieproduktion bereits Mitte des Jahres um 15 Prozent unter dem Wert des Vorjahres liegen und der Welthandel den stärksten Rückgang seit 80 Jahren erleben. Davon betroffen wären alle Staaten, besonders würden aber nach Ansicht der Weltbank die Menschen in den Entwicklungs- und Schwellenländern leiden. Einer Gruppe von rund 129 Ländern drohe eine Finanzierungslücke zwischen 270 und 700 Mrd. US-Dollar (213 bis 553 Mrd. Euro), die sie nur mit gigantischen Finanzhilfen schließen könnten.*

Werbung *Maßnahmen von Seiten der Anbieter von Gütern und Dienstleistungen, mit dem Ziel, ihre Produkte bekannt zu machen und Kaufinteresse zu wecken (siehe auch* ***Markenartikel****). Der Werbemarkt umfasste 2008 22,6 Mrd. Euro Netto-Werbeeinnahmen der Medien. Davon gingen 40,4 % in Fernsehwerbung, 41,6 % an Tageszeitungen und Zeitschriften und bereits 6,5 % in Internetwerbung.*

Werbung ist jedoch nicht nur auf Wirtschaftsunternehmen beschränkt. Auch Staat, Verbände oder Parteien bedienen sich dieses Mittels wie Aufklärungskampagnen gegen Aids oder Drogenmissbrauch und die Werbung für die Bundeswehr oder die Wahlkampfwerbung der Parteien zeigen (siehe auch ***Schaubild 92****).*

Die Wirtschaft in Deutschland hat sich in wichtigen Bereichen der Werbung zur Selbstkontrolle verpflichtet. Selbstkontrolleinrichtungen sind die Zentrale zur Bekämpfung des unlauteren Wettbewerbs in Frankfurt und der Deutsche Werberat.

Werk *siehe* ***Unternehmen***

Wertberichtigung *siehe* ***Abschreibung***

Wertpapier *Ein Sammelbegriff für Urkunden über privatrechtliche Rechtsverhältnisse (z. B. Kreditverträge), wobei die aus den Rechtsbeziehungen entstehenden Rechte nur vom Besitzer des Wertpapiers geltend gemacht werden können. Zu den Wertpapieren zählen Anleihen, Aktien, Sparbücher, Wechsel, Schecks, aber auch Lade- und Lagerscheine. Die mit Wertpapieren verbundenen Rechte beziehen sich meist auf die Rückerstattung des in der Urkunde genannten Betrages (nicht bei Aktien) und auf die Zahlung von Zinsen oder Dividenden.* ***Schaubild 93*** *zeigt den Kurswert der Depotbestände bei Kreditinstituten, der Deutschen Bundesbank und der Bundeswertpapierverwaltung.*

Wertschöpfung *Der von einem Unternehmen in einer bestimmten Periode geschaffene Wertzuwachs.* ***Schaubild 94*** *zeigt, wie die Wertschöpfung eines Unternehmens errechnet wird und wie die Verteilung der Wertschöpfung auf die einzelnen Einkommensempfänger aussieht. Gesamtwirtschaftlich entspricht die Wertschöpfung eines Unternehmens seinem Beitrag zum Inlandsprodukt.*

Wertsicherungsklausel *siehe* ***Indexierung***

Wertstellung *Bezeichnung für den Zeitpunkt der Verbuchung eines Zahlungsvorgangs auf einem Konto. Wenn ein Betrag auf einem*

93 Die Wertpapier-Anleger

Kurswert der Depotbestände inländischer Anleger bei Kreditinstituten (2007, in Mrd. Euro)

Gesamtanlagebetrag	*2054,3*
Angelegt in:	
– Schuldverschreibungen	*482,8*
– Aktien	*584,9*
– Investmentzertifikate	*986,6*
Angelegt von:	
– Privaten Haushalten	*908,5*
– Versicherungsgesellschaften	*522,8*
– Kapitalanlagefonds	*457,4*
– Organisationen ohne Erwerbszweck	*83,9*
– Öffentlichen Haushalten	*81,7*

94 Wertschöpfung in einem Unternehmen

Umsatzerlöse
\+ *Erhöhung oder Verminderung des Bestands an fertigen und unfertigen Erzeugnissen*
\+ *selbsterstellte Anlagen*

= *Gesamtleistung*
\+ *alle übrigen Erträge*

= *Unternehmensleistung*
– *Aufwendungen für Roh-, Hilfs- und Betriebsstoffe sowie für bezogene Waren*

= *Wertschöpfung vor Abzug der Abschreibungen*
– *Abschreibungen*

= ***Wertschöpfung, verteilt an***
– *Mitarbeiter (Löhne, Gehälter, soziale Abgaben, Aufwendungen für Altersversorgung)*
– *öffentliche Hand (Abgaben)*
– *Darlehensgeber (Zinsen)*
– *Eigentümer (Dividende, Gewinnanteile)*
– *Unternehmen selbst (Rücklage)*

*Konto eingeht, erfährt der Kontoinhaber durch die Bezeichnung „Wertstellung" (**Valuta**) beim Datum auf den Bankbelegen den Zeitpunkt, ab dem sein Guthaben auf dem Konto verbucht ist.*

Wettbewerb *Anderer Ausdruck: Konkurrenz. Der Wettkampf von Teilnehmern an einem Markt, im Wesentlichen verwendet für die Anbieter von Produkten und Dienstleistungen. Der Wettbewerb ist das wesentliche, gestaltende und dynamische Element der Marktwirtschaft. Er sorgt für eine optimale Versorgung der Bevölkerung mit Gütern und ist Antrieb zu Innovationen, technischem Fortschritt, neuen Produkten und dem Streben nach kostengünstiger Produktion. Je weniger Wettbewerb, umso stärker die Marktposition von Anbietern und umso größer die Gefahr, dass dies zu Lasten der Nachfrager bzw. der Verbraucher geht. Der Gesetzgeber hat deshalb im „Gesetz gegen Wettbewerbsbeschränkungen" (Kartellgesetz) die rechtlichen Voraussetzungen zur Erhaltung der Wettbewerbsordnung geschaffen. Wesentliche Bestimmungen sind:*

> *Kartellverbot: Absprachen von rechtlich selbstständigen Unternehmen (**Kartelle**), die sich über Preise (Preiskartell) oder Absatzgebiete (Gebietskartell) verständigen, sind verboten. Ein erleichtertes Erlaubnisverfahren gilt für Absprachen über Geschäftsbedingungen (Konditionskartelle), Rabattregelungen (Rabattkartelle) oder Spezialisierung der Produktion. Solche Kartelle müssen angemeldet werden. Sie werden aber nur wirksam, wenn das Kartellamt nicht widerspricht. Geheime mündliche Absprachen zwischen Unternehmen zu Lasten Dritter sind Kartelle und damit verboten. (Siehe auch **Unternehmenszusammenschlüsse**.)*

> *Missbrauchsaufsicht:* Wenn nur eine geringe Zahl von Unternehmen entscheidenden Einfluss auf den Markt ausübt, kann es leicht zur Ausnutzung dieser wirtschaftlichen Macht kommen. Deswegen schreibt das Kartellgesetz die Missbrauchsaufsicht vor, z. B. soll die Anwendung von Liefersperren gegenüber solchen Händlern, die sich nicht an Preisempfehlungen des Herstellers halten, verhindert werden.

> *Fusionskontrolle:* Zusammenschlüsse von Unternehmen, die zusammen weltweit einen Umsatz von über 500 Mio. Euro haben bzw. eines einen Inlandsumsatz von 25 Mio. Euro aufweist, sind nur mit (vorheriger) Zustimmung des Bundeskartellamtes (BKartA) möglich. Anderen Fusionen kann das BKartA widersprechen.

> *Preisbindung und Preisempfehlung:* Es ist den Herstellern verboten, dem Händler vorzuschreiben, zu welchem Preis er die Ware an den Verbraucher verkaufen soll (*Preisbindung*). Ausnahme: Verlagserzeugnisse und Tabakwaren (aus steuerlichen Gründen). An die Stelle der Preisbindung ist in vielen Fällen die unverbindliche Preisempfehlung getreten.

Neben die „institutionelle Kontrolle" des Wettbewerbs, das heißt die wettbewerbsichernden Vorschriften durch den Gesetzgeber, tritt die selbständige Kontrolle durch den Marktmechanismus und die Grundregeln der *Sozialen Marktwirtschaft*. Hierzu gehört u. a. der freie Marktzutritt (Gewerbefreiheit). Den Wettbewerb fördern auch staatliche Maßnahmen wie z. B. verbilligte Darlehen für die Gründung neuer Unternehmen, der Abbau von Zöllen und Kontingenten, die Mitarbeit in Wirtschaftsvereinigungen.

Wirtschaft Die Gesamtheit aller Einrichtungen und gesellschaftlichen Abläufe zur Befriedigung von Bedürfnissen mit Gütern und Dienstleistungen. Der *Wirtschaftsprozess* meint die Abläufe von Produktion und Verbrauch.

Wirtschaftsordnung Die politische und rechtliche Ordnung, in der die wirtschaftlichen Tätigkeiten innerhalb einer Volkswirtschaft ablaufen. Die in der Praxis auftretenden Ordnungssysteme lassen sich historisch folgendermaßen einteilen:

> *Merkantilismus:* Wirtschaftsordnung, die vorwiegend in den absolutistischen Staaten des 16. bis 18. Jhd. vorzufinden war. Bevölkerungswachstum, Förderung der Staatsunternehmen und vor allem des Exports sollen die nationale Wirtschaftskraft bis hin zur Autarkie stärken. Merkantilistische Prinzipien finden heute noch ihren Ausdruck vor allem im Bereich der Außenhandelspolitik (siehe **Protektionismus**).

> *Liberalismus:* Im 18. Jhd. entwickelte wirtschaftspolitische Lehre. Eigeninitiative und Eigenverantwortung des Einzelnen sollen sich ungehindert entfalten können. Der Staat sollte möglichst wenig in das wirtschaftliche und soziale Geschehen eingreifen (*Laissez-faire*). Der Liberalismus war die Ordnungsvorstellung in der Frühzeit des Kapitalismus und der Industrialisierung. Er bewirkte zwar ein kräftiges Wirtschaftswachstum, andererseits aber auch soziale Verelendung und wirtschaftliche Verzerrungen durch den Missbrauch von Marktmacht.

> *Neo-Liberalismus:* Die schlechten Erfahrungen mit dem ungezügelten Liberalismus und andererseits den massiven staatlichen Eingriffen in das Wirtschaftsleben, wie z. B.

95 Gesetzliche Grundpfeiler der Sozialen Marktwirtschaft

Grundgesetz	*Im Grundgesetz ist keine Wirtschaftsordnung vorgegeben, jedoch enthält es bestimmte grundlegende marktwirtschaftliche Prinzipien (Freiheit der Wahl des Arbeitsplatzes, Gewerbefreiheit, Privateigentum, Tarifhoheit).*
Kartellgesetz	*Das Gesetz dient dazu, Wettbewerbsbeschränkungen in Form von Absprachen zwischen Unternehmen entgegenzutreten.*
ESZB-Statut und Bundesbankgesetz	*Gesetze zur Regelung der geldpolitischen Steuerung. Aufgabe des ESZB ist es, die Währung des Euro-Währungsgebietes zu sichern. Die EZB und die nationalen Notenbanken sind bei der Erfüllung dieser Aufgabe unabhängig.*

während des Dritten Reiches, führten zu der Überlegung, dass der Staat für wettbewerbspolitische Rahmenbedingungen und für ein sozialpolitisches Gefüge Sorge tragen müsse. Elemente dieser Überlegung finden sich schon Ende des vergangenen Jahrhunderts mit der Einführung der gesetzlichen Alters- und Krankenversicherung durch Bismarck. Grundprinzipien des Neo-Liberalismus sind:

- *freier Wettbewerb auf der Grundlage des Privateigentums. Durch eine Kartellgesetzgebung werden Monopole und Kartelle grundsätzlich verboten bzw. weitestgehend eingeschränkt.*
- *Ausgleich von Konjunkturschwankungen durch staatliche Finanz- und Geldpolitik.*
- *Arbeitsgesetzgebung, Tarifpolitik und ein System der sozialen Sicherung sorgen für menschenwürdige Arbeitsbedingungen und Lebensverhältnisse sowie sozialen Ausgleich. Die meisten Volkswirtschaften der westlichen Welt sind mehr oder weniger auf den Prinzipien des Neo-Liberalismus aufgebaut.*

Speziell die Anfang der 80er Jahre des letzten Jahrhunderts vorgenommenen Veränderungen der wirtschaftlichen Rahmenbedingungen in den westlichen Industrieländern v. a. in den USA und Großbritannien verbinden sich mit der Bezeichnung Neo-Liberalismus.

> *Soziale Marktwirtschaft: Bezeichnung für die Wirtschaftsordnung in Deutschland. Grundpfeiler sind Gewerbe- und Vertragsfreiheit, freie Preisbildung, ein dynamischer Wettbewerb und sozialer Ausgleich. Staatliche Aufgabe ist es, die ordnungspolitischen Rahmenbedingungen festzulegen (siehe **Schaubild 95**).*

Die Wirtschaftsordnung des Grundgesetzes hat nach 1949 zu einer historisch einmaligen Steigerung des Wohlstandes breiter Bevölkerungsschichten geführt (Wirtschaftswunder). Ausdruck findet dies in der Verdreifachung des durchschnittlichen Realeinkommens der privaten Haushalte in der Bundesrepublik seit 1950 und der Wirtschaftsstärke Deutschlands als einer der größten Exportnationen.

> *Sozialismus: Weltanschauung, die sich im 19. Jhd. aus der Kritik am Kapitalismus entwickelt hat. Einer der bedeutendsten Wegbereiter des Sozialismus war Karl Marx. Um die negativen sozialen Begleiterscheinungen der reinen Marktwirtschaft zu verhindern, muss nach sozialistischer Auffassung der Wirtschaftsablauf stärker durch den Staat beeinflusst oder gelenkt und wirtschaftliche Macht, die man üblicherweise großen Unternehmen*

zuordnet, einer strengen öffentlichen Kontrolle unterworfen werden. Die ursprünglichen Forderungen nach Beseitigung des privaten Eigentums an Produktionsmitteln oder andere Formen des Gemeinschaftseigentums (z. B. Genossenschaften) wurden im Wesentlichen im Bereich des ehemaligen Ostblocks verwirklicht (Kommunismus), in den westlichen Ländern dagegen im Laufe der Zeit vielfach aufgegeben oder zumindest erheblich relativiert.

Wirtschaftspolitik *Maßnahmen von Regierungen und Verwaltungen auf allen Ebenen der öffentlichen Haushalte mit dem Ziel, den Wirtschaftsprozess und seine Rahmenbedingungen zu gestalten und zu beeinflussen.*

> *Teilbereiche der Wirtschaftspolitik:*

- *Ordnungspolitik: Maßnahmen, die die* ***Wirtschaftsordnung*** *eines Landes betreffen,*
- *Prozesspolitik: Maßnahmen, die in den Wirtschaftsablauf eingreifen (z. B.* ***Konjunkturpolitik****),*
- *Strukturpolitik: Einflussnahme auf die Wirtschaftsstruktur eines Landes,*
- *Finanzpolitik: Erzielung öffentlicher Einnahmen.*

Wesentliche Bereiche der Wirtschaftspolitik, die nicht zum Tätigkeitsfeld von Regierungen oder Parlamenten gehören, sind:

- *Geldpolitik: Maßnahmen der Notenbank zur Gestaltung und Beeinflussung des Geldkreislaufes einer Volkswirtschaft,*
- *Lohnpolitik: Vereinbarungen der* ***Tarifparteien*** *über Löhne und Arbeitsbedingungen.*

Wirtschaftsverbände *Vereinigungen von Unternehmen einer bestimmten Branche, die die Aufgabe haben, gegenüber der Politik, Behörden, anderen Wirtschaftszweigen und der Öffentlichkeit die Interessen dieser Unternehmensgruppe zu vertreten. Wirtschaftsverbände behandeln allgemeine wirtschafts-, wettbewerbs- und rechtspolitische sowie außenwirtschaftliche Probleme. Die Vertretung von Unternehmen in sozialpolitischen Fragen wird von den Arbeitgeberverbänden wahrgenommen.*

Wohlfahrtsstaat *Wirtschaftssystem, in dem der Staat in starkem Maße durch Eingriffe in die Einkommensverteilung eine umfassende Versorgung, soziale Sicherheit und Gerechtigkeit für seine Bürger sicherstellen möchte (z. B. Alterssicherung, Sozialhilfe, Kindergeld, Mietbeihilfen etc.). Die umfangreiche staatliche Daseinsvorsorge führt zu hoher Steuerbelastung auch bei niedrigen und mittleren Einkommen und abnehmender Leistungsmotivation. Die notwendige Umverteilung und die starke Stellung der Sozialbürokratie haben in den letzten Jahren zur Kritik am Sozial- oder Wohlfahrtsstaat geführt. Allerdings ist unbestritten, dass Deutschland als grundgesetzlicher sozialer Bundesstaat seinen Bürgern den Anspruch auf ein menschenwürdiges Leben mit angemessenem Lebensstandard gewährleisten muss. Eine Anpassung der sozialpolitischen Strukturen erfolgte beispielsweise mit den sogenannten Hartz-Reformen.*

X

XETRA *(Exchange Electronic Trading). Das elektronische Börsenhandelssystem für Aktien und Optionsscheine der Deutsche Börse AG.*

Die Kauf- und Verkaufsaufträge werden in einem automatisierten Verfahren abgewickelt. Die Kursfeststellung erfolgt in einer Kombination von Auktionsprinzip (siehe ***Börse****) und Market-Maker-Prinzip für Aktien mit niedrigen Umsatzvolumina, bei denen sich von den Aktiengesellschaften bestellte so genannte Designated Sponsors verpflichten, verbindliche An- und Verkaufskurse zu stellen, so dass ein Handel in diesen Aktien jederzeit möglich ist. Das XETRA-System als elektronisches Handelssystem hat – wie ähnliche Systeme an den Börsen weltweit – wegen der hohen Geschwindigkeit und der niedrigen Kosten den Parketthandel an den deutschen Börsen weitgehend verdrängt.*

Z

Zahlungsbilanz *Zusammenfassung aller wirtschaftlichen Vorgänge zwischen einer Volkswirtschaft und dem Ausland in einem bestimmten Zeitraum in Form einer Bilanz. Entsprechend den verschiedenen wirtschaftlichen Transaktionen (Handel, Dienstleistungs- und Kapitalverkehr etc.) über die Grenzen eines Landes hinweg ist die Zahlungsbilanz in verschiedene Teilbilanzen unterteilt (****Schaubild 96****). Zur Beurteilung der internationalen Position eines Landes zieht man in der Praxis vornehmlich die Leistungsbilanz (auch als „Bilanz der laufenden Posten" bezeichnet) heran. Hat ein Land eine positive Leistungsbilanz, gilt seine Wirtschaft als international erfolgreich. Allerdings sind lang anhaltende hohe Salden in der Leistungsbilanz Ausdruck von Ungleichgewichten. Das gilt für Überschüsse genauso wie für Defizite.*

Da jeder Leistung (z. B. Warenausfuhr) eine entsprechende Gegenleistung gegenübersteht (z. B. Deviseneinnahmen), ist die Zahlungsbilanz insgesamt immer ausgeglichen. Dennoch wird manchmal (fälschlich) vom Defizit oder Überschuss in der Zahlungsbilanz gesprochen. Damit ist dann die Abnahme bzw. der Zuwachs der Währungsreserven eines Landes gemeint.

Der Leistungsverkehr setzt sich zusammen aus der Aus- und Einfuhr von Waren (Handelsbilanz), dem grenzüberschreitenden Dienstleistungsverkehr (Dienstleistungsbilanz), den aus dem Ausland bezogenen bzw. dorthin geleisteten Erwerbs- und Vermögenseinkommen sowie den laufenden Übertragungen (Übertragungsbilanz). Die größten Positionen in der Dienstleistungsbilanz sind die Ausgaben und Einnahmen aus dem Reiseverkehr mit dem Ausland und den Transportleistungen. Zu den Erwerbs- und Vermögenseinkommen zählen Dividenden- und Zinszahlungen sowie Erträge aus Direktinvestitionen. Den Hauptanteil an den Übertragungen haben die Überweisungen der ausländischen Arbeitnehmer in ihre Heimatländer und die Beiträge der Bundesrepublik an internationale Organisationen, wie z. B. die EU.

Alle Transaktionen, die zu einer Änderung finanzieller Positionen gegenüber dem Ausland führen, sind in der Kapitalbilanz zusammengefasst.

Kapitalexport umfasst die Anlage von Vermögen und Ersparnissen durch Inländer im Ausland sowie die Tilgung von Krediten, die Inländer im Ausland aufgenommen hatten. Man unterscheidet: Kauf ausländischer Anleihen und Aktien (Portfolio-Investitionen), Erwerb von Beteiligungen an Unternehmen

96 Zahlungsbilanz der Bundesrepublik 2008 in Mrd. Euro

Von anderen Volkswirtschaften empfangene Zahlungen	An andere Volkswirtschaften geleistete Zahlungen
Leistungsbilanz	
	Überschuss 164,9
Handelsbilanz (Warenströme zwischen Inland und Ausland)	
Warenausfuhr 992,5	Wareneinfuhr 814,0 Überschuss 178,5
Dienstleistungsbilanz (Touristenverkehr, Transportleistungen, Erwerbs- und Vermögenseinkommen, Patentgebühren etc.)	
Dienstleistungsexport 170,0 Defizit 12,8	Dienstleistungsimport 182,8
Erwerbs- und Vermögenseinkommen (Einnahmen und Ausgaben aus Kapitalanlagen im Ausland und ausländische Kapitalanlagen im Inland)	
Einnahmen 245,2	Ausgaben 200,4 Überschuss 44,7
Übertragungsbilanz (Überweisungen der so genannten Gastarbeiter in ihre Heimatländer, Beiträge zur UN, EU etc.)	
Empfangene Übertragungen 19,6 Defizit 33,1	Geleistete Übertragungen 52,6
Kapitalbilanz (Direktinvestitionen, Kreditaufnahme und -gewährung, Erwerb bzw. Verkauf ausländischer Wertpapiere durch Inländer und inländischer Wertpapiere durch Ausländer etc.)	
Kapitaleinfuhr 38,2 Nettokapitalexporte 203,4	Kapitalausfuhr 241,6 Abnahme der Währungsreserven 2,0
Devisenbilanz (Nettoveränderung der Währungsreserven der Bundesbank)	

bzw. Errichtung von Tochtergesellschaften im Ausland (Direktinvestitionen), Immobilienkäufe sowie Handelskredite an das Ausland. Auch der Erwerb von Devisenreserven durch eine Notenbank ist Kapitalexport.
Wenn Ausländer ihr Vermögen im Inland anlegen bzw. ihre im Inland aufgenommenen Kredite zurückzahlen, spricht man von Kapitalimport.

Zahlungsfrist siehe **Kredit**

Zahlungsunfähigkeit siehe **Insolvenz**

Zahlungsverkehr Die Gesamtheit aller Zahlungsvorgänge, d. h. die Übertragung von Zahlungsmitteln zwischen privaten Haushalten, Unternehmen, Staat, Ausland und Kreditgewerbe. Dazu gehören Bargeld, Schecks,

97 Leitzinsen Euroland, USA

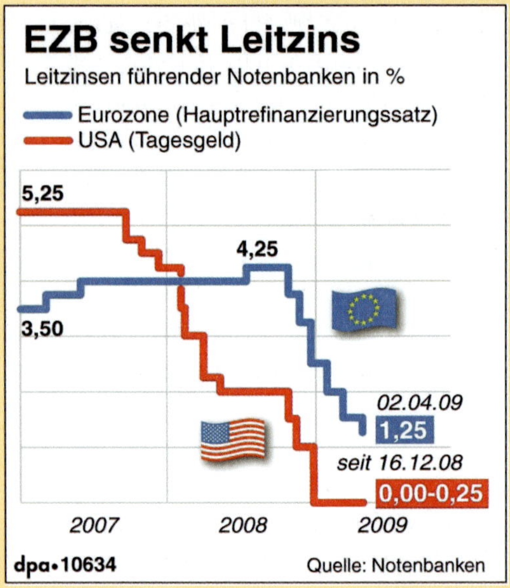

Überweisung, Dauerauftrag, Lastschriftverfahren, (z. T.) Wechsel und Kreditkarten. Zahlungen ohne Verwendung von Bargeld durch Kontozu- oder -abbuchungen werden als bargeldloser Zahlungsverkehr bezeichnet.

Zeitakkord siehe **Lohn**

Zertifikate Wertpapiere, die als Schuldverschreibungen eines Emittenten gestaltet sind und den Anlageerfolg an den Erfolg eines oder mehrerer Basisinstrumente koppeln. Im Regelfall wird die Schuldverschreibung mit **Options**- oder **Termingeschäften** verbunden. Die genauen Produktgestaltungen und Rückzahlungsbedingungen müssen in einem Verkaufsprospekt dargestellt werden.

Zession Abtretung einer Forderung an einen Dritten, um z. B. einen Kredit abzusichern. Der neue Gläubiger (Zessionar) tritt an die Stelle des bisherigen Inhabers der Forderung (Zedent).

Zins Preis für die zeitweilige Überlassung von Geld. Ein Anleger, der sein Geld auf einem Sparbuch oder als Einlage bei einer Bank hält oder ein festverzinsliches **Wertpapier** erworben hat, erhält einen Zins dafür, dass er der Bank bzw. dem Emittenten des Wertpapiers sein Geld zur Benutzung überlässt. Die Bank verleiht die Bankeinlagen großenteils wieder an Kreditnehmer, die hierfür an das Kreditinstitut Zinsen zahlen (**Schaubilder 97, 57 und 58**). Die Einlagenzinsen sind je nach Art der Anlageform, der Höhe des angelegten Betrages und der Zeit, für die das Kapital überlassen wird, unterschiedlich hoch. Ihre Höhe bestimmt sich zudem nach Kapitalbedarf und Kapitalangebot in einer Volkswirtschaft sowie den geldpolitischen Maßnahmen der Notenbank. Umgekehrt gilt dies ähnlich für die **Kreditzinsen**.
Die Verzinsung von Guthaben und Darlehen zu laufenden Preisen bezeichnet man auch als Nominalzins. Der Realzins berücksichtigt die Geldentwertung; er gibt die Kaufkraft des Ertrages aus dem Kapital wieder. Er wird i. d. R. berechnet, indem die Nominalverzinsung um den aktuellen Anstieg der Verbraucherpreise korrigiert wird.
Der Begriff Nominalzins bezeichnet darüber hinaus den auf den Nennwert eines Wertpapiers bezogenen Zins. Der Nominalzins weicht meist von der tatsächlichen Verzinsung, der **Rendite** (Effektivverzinsung), ab, da diese auch den Kurs eines Wertpapiers berücksichtigt.

Zinsabschlag *Eine besondere Form der Kapitalertragsteuer. Von den Zinsen, die ein Steuerpflichtiger einnimmt, wird von der auszahlenden Stelle – in der Regel seine Bank – ein Zinsabschlag von 25 % (zzgl. Solidaritätszuschlag) einbehalten. Bei der bis 31. 12. 2008 geltenden Zinsabschlagsteuer war dieser Zinsabschlag grundsätzlich bei der Einkommen- bzw. Körperschaftsteuer anrechenbar, allerdings konnte entsprechend dem individuell anzuwendenden Steuersatz auch ein höherer Steuersatz auf die Kapitalerträge fällig werden. Seit dem 1. 1. 2009 wird die Kapitalertragsteuer als* ***Abgeltungssteuer*** *erhoben. Die Steuer ist endgültig, wenn sich aus dem Einkommensteuertarif ein höherer Steuersatz ergäbe. Eine Rückerstattung im Rahmen der Steuererklärung kann erfolgen, wenn sich beim Steuerpflichtigen ein niedrigerer durchschnittlicher Steuersatz als 25 % ergibt. Der neue Steuerpauschbetrag beträgt 801 Euro bzw. 1 602 Euro für gemeinsam Veranlagte und enthält auch die Werbungskosten.*

Zinseszins *Der Zins, der auf nicht ausgezahlte und dem Kapital zugeschlagene Zinsen berechnet wird. Beispiel: Auf 1 000 Euro Guthaben werden 30 Euro Zinsen gezahlt. Werden diese dem Guthaben zugefügt, beträgt das Kapital jetzt 1 030 Euro, die Zinsen nach einem weiteren Jahr dann 30,90 Euro. Der Zinseszins wäre also 0,90 Euro nach einem Jahr. Über den Anstieg des Kapitals durch die Wiederanlage der Zinsen erhält man eine höhere Rendite, die besonders bei großen Anlagebeträgen und längeren Laufzeiten interessant ist.*

Zinsspanne *siehe* ***Marge***

Zoll *Abgabe, die der Staat an der Grenze auf die Einfuhr, Ausfuhr oder Durchfuhr von Waren erhebt. Meist werden Zölle auf Importe erhoben. Zölle waren früher das hauptsächliche Instrument der Außenhandelspolitik (siehe* ***Protektionismus****). Mit der Gründung des* ***GATT*** *und fortgesetzt von der* ***WTO*** *ist jetzt eine Politik des Zollabbaus wirksam. Innerhalb der EU gibt es im Warenverkehr keine Zölle mehr (siehe auch* ***Europäischer Binnenmarkt****).*

Zollunion *Zusammenschluss von Ländern, die einen gemeinsamen einheitlichen Zolltarif für den Warenverkehr mit anderen Ländern haben, untereinander aber eine Freihandelszone (siehe* ***EFTA****) bilden.*

Zulagen *Staatliche Prämien, deren Zweck es ist, die Investitionstätigkeit aus konjunkturellen Gründen zu beleben oder sie aus Gründen der Strukturpolitik zu steuern (z. B. Zulage für Investitionen in Forschungsentwicklungen). Zulagen sind eine Form der* ***Subvention****.*

Zwischenfinanzierung *Eine Finanzierungsform, bei der ein Kreditnehmer ein kurzfristiges Darlehen aufnimmt, mit dem der Zeitraum bis zu einer endgültigen, langfristigen Kreditregelung (z. B. Auszahlung einer Hypothek) überbrückt wird.*